谨以此书献给培育我们成长的中国科学院水利部水土保持研究所成立五十周年

中国科学院知识
创新工程资助出版

黄土高原水土保持新论

——基于降雨地表径流调控利用的水土保持学

吴普特　高建恩　著

黄 河 水 利 出 版 社

内 容 提 要

本书针对黄土高原水土保持与生态环境建设过程中面临的干旱与水土流失这一对主要矛盾，在深入分析其存在根源和深刻反思以往治理实践的基础上，提出水土保持的降雨径流调控与水土资源持续高效利用理论，系统介绍了它的概念、内涵和体系构成，着重阐述了基于该理论的水土保持动力学概念模型、用于治理效果评价的侵蚀水当量指标，以及相应的研究方法与手段。在此基础上，论述了降雨径流调控与水土资源高效利用理论在黄土高原水土保持中的新尝试与新探索，并对21世纪黄土高原水土保持的创新与发展进行了积极的展望和客观的思考。可供从事黄土高原水土保持与生态环境建设以及从事农、林、牧科研和生产的科技人员参考，亦可供相关大专院校师生参阅。

图书在版编目(CIP)数据

黄土高原水土保持新论：基于降雨地表径流调控利用的水土保持学/吴普特，高建恩著. —郑州：黄河水利出版社，2006.9

ISBN 7-80734-139-4

Ⅰ. 黄… Ⅱ. ①吴… ②高… Ⅲ. 黄土高原-水土保持-研究 Ⅳ. S157

中国版本图书馆CIP数据核字(2006)第113876号

组稿编辑：雷元静　　电话：0371-66024764

出 版 社：黄河水利出版社

地址：河南省郑州市金水路11号　　邮政编码：450003

发行单位：黄河水利出版社

发行部电话：0371-66026940　　传真：0371-66022620

E-mail：hhslcbs@126.com

承印单位：河南第二新华印刷厂

开本：787 mm×1 092 mm　1/16

印张：14.25

字数：248千字　　印数：1—1 500

版次：2006年9月第1版　　印次：2006年9月第1次印刷

书号：ISBN 7-80734-139-4/S·88　　定　价：45.00元

序

黄土高原面积约64万km^2,是中华民族繁衍生息之处,更是古代中华文明的发祥地。但是,由于严重的季节性干旱和频繁的暴雨径流冲刷,使得严重破坏后的森林植被难以恢复,进而破坏了黄土独有的"点棱接触支架式多孔结构",从而降低了黄土的抗冲性,引发了世界上最为严重的水土流失。干旱与水土流失这一矛盾,既困扰黄土高原经济社会发展,也成了新形势下黄土高原生态环境建设面临的最大课题。随着该地区的经济发展和人口膨胀,不合理的人类活动将进一步加剧水的供需失衡。可以肯定,水土流失与干旱缺水对当前及今后一个时期的黄土高原生态环境建设和社会经济发展的影响将更加突出。

水是一切生命之源,土又是万物生存的基础和营养物质的策源地。黄土高原的整治工作已成为当今非常重大的协调人与自然关系的系统工程,它不仅关系着黄土高原本身的土地利用和农业生产持续发展,同时也与黄土高原西北边缘地带的土地沙化及其防治、黄土高原北部能源基地综合开发与生产环境改善,以及根治黄河水患、调节增进我国大西北地区的生态与环境建设等息息相关。

黄土高原国土整治的"28字方略",从提出到现在已经有20余年。作为黄土高原综合治理的基本指导思想,在黄河上中游管理局水土保持科学试验站、黄土高原水土保持综合试验示范试区、无定河流域、定西、晋西北地区,以及200多个水土保持群众治理样板小流域中都得到了证明,并取得了丰硕的成果。"28字方略"的核心是"全部降水就地入渗拦蓄",本质是通过"截、渗、汇、蓄、用"径流调控的综合手段,恢复重建黄土高原土壤水库的巨大蓄水功能,持续高效利用水土资源,防治水土流失,改善生态环境,再现一个秀美山川。

《黄土高原水土保持新论》一书，是其作者在多年试验研究的基础上，对前人黄土高原水土保持实践经验理性升华的结晶。她不但指出降雨径流调控是解决黄土高原水土流失与干旱缺水这一矛盾的有效途径，更强调了水土资源持续高效利用是水土保持工作的最终落脚点。这不但是对黄土高原国土整治"28字方略"内涵的新概括、新实践，更是对21世纪黄土高原水土保持科学技术的创新与发展。

值得欣慰的是，书中提出了诸多有普遍指导意义的概念，阐明了其内涵，如水土保持动力学概念模型、侵蚀水当量指标等，尤其是在对相关研究方法与手段进行介绍的基础上，结合大量实际工作，论证了降雨径流调控与水土资源高效利用理论的科学性和对黄土高原水土保持工作的现实指导意义。

当前，中共中央提出建设"生态节约型、环境友好型社会"。"治水之道在于治源"，"水用之则利，弃之则害"，广大水土保持科技人员和干部要迅速转变治水观念，充分发挥土壤水库的巨大调节功能，强化对降雨径流的调控利用。这一点在黄土高原尤为重要。

相信本书的问世，必将引起世人对黄土高原水土保持工作的进一步思考，进而推动黄土高原水土保持事业不断进步，则再现黄土高原史前青山绿水、沃野千里的大生态景观指日可待矣。

朱显谟

2006年8月于西安

前 言

这可能不是一本系统的有关黄土高原水土保持的专著，但她很可能是引领未来黄土高原水土保持研究的一种理念与思路，也可能是一本21世纪中国水土保持科学自主创新与跨越的宣言。我们希望她能为支撑黄土高原水土保持与生态环境建设的发展做出贡献，更期盼她能引领21世纪中国水土保持科学的创新与发展。

编写这部宣言，并非我们一时的冲动，而是横跨两个世纪思考与研究的结晶，更是在老一辈科学家研究基础上的发展与探索，当然最为重要的则是出于我们的责任，我们有责任、有义务来改变黄土高原贫穷落后的面貌，更有责任通过我们的劳动提出解决该区干旱缺水与水土流失并存的难题的方法。正是基于这种目的，我们经过20余年的思考，又经过10余年的探索与实践，才使这一想法变为现实。

我们编写这部书的目的，正是要告诉世人我们找到了一种同步解决黄土高原水土流失与干旱缺水并存这一难题的方法，那就是通过地表径流的调控消除水土流失动力，通过调控径流的利用缓解区域干旱缺水的矛盾，从而实现同步解决这两大难题的科技目标。之所以称之为新论，也就是基于此。

当然，这也仅仅是通过我们的思考、探索、研究与初步实践提出了一个框架性的思路与方法，后续要做的工作还非常之多。但她毕竟是一种科学的理念与宣言，更是我们劳动所取得的收获。适逢培育我们成长的中国科学院水利部水土保持研究所建所五十周年之际，我们将她呈献给大家，也算是我们献出的一份礼物！正是出于这种感情和心态，才增加了我们的胆识和勇气，尽管书中还存在许多缺点和不足，甚至错误，但我们还是把她奉献给大家。

请大家在把这本书当做一部宣言的同时，更把她当做一个亟待完善的论题，这样大家就更容易批判、纠错，并使之不断成长、完善。

本书先后得到国家863计划重大专项“新型高效雨水集蓄与利用技术研究(2002AA2Z4051)”、科技部农业科技成果转化资金(02EFN217101279)、西部开发科技行动计划(2002BA901A26)、中国科学院水利部水土保持研究所知识创新领域前沿(C23013700)项目支持。书稿撰写主要由吴普特、高建恩完成。冯浩、牛文全、杨世伟、赵西宁、樊恒辉、朱德兰、孙胜利、唐小娟、李巧珍、吴淑芳、舒若杰、田栋、戚鹏、田照明、韩文霆、王广周等同志分别参与该书部分工作。在成书过程中，汪有科研究员、范兴科研究员提出了宝贵意见。作者所在单位中国科学院水利部水土保持研究所、西北农林科技大学为研究提供了便利条件。成书之际，中国科学院院士朱显谟教授欣然作序。中国科学院水利部水土保持研究所知识创新项目给予资助出版。在此一并表示谢忱。

作　者

2006 年 7 月 30 日

目 录

第一章　引　论

西起日月山、东至太行山、北起阴山沿线、南迄秦岭，面积约64万km^2的黄土高原，曾经是“水草肥美、牛羊塞道”、“桑麻翳野、万木高森”、生态植被良好的繁荣富庶之地，素有“中华民族摇篮”之美誉。这里不但是中华民族的发祥地、祖国灿烂文化的摇篮，也曾为中华民族的形成和发展以及世界文明做出过重要贡献。但是，由于严峻的生态与环境现状，尤其是干旱缺水与水土流失并存的客观现实，使这片古老土地的持续发展受到了挑战与限制。

虽自新中国成立以来，国家对黄土高原的治理给予了高度重视，在水土保持和生态环境建设方面投入巨大，取得了较大的成绩，但由于对黄土高原水土保持工作的艰巨性、复杂性认识不足，时至今日，这项工作仍存在片面、盲目、被动及生产上的滞后性[1]，加之自然和人为因素的影响，区域发展面临的主要问题仍然是如何缓解干旱缺水与水土流失并存的现实突出矛盾。此种局面不但限制着该地区区域经济的发展，而且已经影响到中东部地区乃至全国的生态安全。随着我国经济社会的发展，特别是西部大开发、全面建设小康社会的快速推进，水土资源的日益紧缺对水土保持与生态环境科学研究与发展提出了愈来愈高的目标与要求。面对这种态势，有必要对新形势下黄土高原水土保持科学研究中的一些基本理论问题进行思考。

第一节　一对难以调和的矛盾

要保护自然，必须先了解自然、适应自然，然后才能谈得上利用和改造自然。这是一般的科学规律。要从根本上治理黄土高原水土流失，就必须首先认识黄土高原的生态与环境。水土流失和干旱缺水并存是该地区头号生态与环境问题，亦是一对难以调和的矛盾。解决这一矛盾，对黄土高原生态与环境建设及黄河生命健康具有重要意义。

一、水土流失

当前，水土流失被公认为我国头号环境问题。黄土高原作为世界上土壤侵蚀最严重的地区更是举世瞩目。据1990年全国土壤侵蚀遥感普查资料，黄土高原侵蚀模数大于1 000t/(km^2·a)的轻度以上水土流失面积为 45.4 万 km^2,占全区土地总面积的 70.9%,其中水蚀面积 33.7 万 km^2;侵蚀模数大于 8 000t/(km^2·a)的极强度以上水蚀面积为 8.51 万 km^2,占全国同类面积的 64.1%;侵蚀模数大于 15 000t/(km^2·a)的剧烈水蚀面积为 3.67 万 km^2,占全国同类面积的 89.0%[2]。局部地区的侵蚀模数甚至超过 30 000t/(km^2·a)。黄河中游 43 万 km^2 多年平均侵蚀模数约为 3 700t/(km^2·a),为全世界土壤平均侵蚀模数 134t/(km^2·a)的 27.5 倍。自黄土高原冲刷外移的巨额泥沙,通过小溪山涧,汇集于大江巨河,使我国西北及华北地区的一些河流的含沙量之高,世界无出其右。黄河总输沙量和平均含沙量均居世界首位[3](见表 1-1、表 1-2),且比居世界输沙量第二位的印度、孟加拉国的恒河的平均含沙量 3.92kg/m^3 高近 10 倍。而发育于黄土高原的黄河支流的极大部分河流汛期的含沙量更高[3](见表 1-3)。如黄河支流祖厉河的多年平均含沙量就接近 600kg/m^3。有些河流含沙量实测可以高达 1 400~1 600kg/m^3,亦即泥沙的体积占水体体积的 60%。古语说"泾水一石,其泥数斗",指的就是这种严重的水土流失情况。

表 1-1　世界主要河流输水量及输沙量的比较(国外部分)

国别	河流	流域面积(km^2)	年水量(亿 m^3)	年输沙量(亿 t)	平均含沙量(kg/m^3)
美国	科罗拉多河	637 000	49	1.35	27.5
印度、孟加拉国	恒河	955 000	3 710	14.51	3.92
美国	密苏里河	137 000	6 160	2.18	3.54
巴勒斯坦	印度河	696 000	1 750	4.35	2.49
孟加拉国、印度	布拉马普特拉河	666 000	3 840	7.26	1.89
埃及、苏丹	尼罗河	2 978 000	892	1.11	1.25
越南	红河	119 000	1 230	1.30	1.06
缅甸	伊洛瓦底江	430 000	4 270	2.99	0.70

黄土高原严重的水土流失首先为中华民族的母亲河——黄河及其支流的开发利用带来严重的问题。例如,黄河洪水一直是中华民族的心腹之患。由于黄土高原粗沙区严重的水土流失使每年平均约有 4 亿 t 粗泥沙淤积在下游河道,致使河床的年抬高速率达 10cm 左右,直接导致黄河下游严峻的防洪形势。

表 1-2 中国部分河流水量及沙量比较

流域	河流	流域面积 (km^2)	河长 (km)	水文测站	年水量 (亿 m^3)	年沙量 (亿 t)	平均含沙量 (kg/m^3)	最大含沙量 (kg/m^3)	侵蚀模数 ($t/(km^2 \cdot a)$)
黄河	黄河	752 400	5 464	三门峡	422	16.40	37.6	911	2 480
长江	长江	1 807 200	6 300	大通	9 211	4.78	0.54	3.24	280
海河	永定河	50 800	650	官厅	14	0.81	60.8	436	1 944
淮河	淮河	261 500	1 000	蚌埠	261	0.14	0.46	11.0	153
辽河	辽河	166 300	1 404	铁岭	56	0.41	6.86	46.6	240
	大凌河	23 200	360	大凌河	21	0.36	21.9	142	1 490
珠江	西江	355 000	2 055	梧州	2 526	0.69	0.35	4.08	260

表 1-3 黄河主要支流多年平均输沙量与侵蚀模数

河流名称	水文测站	流域面积 (km^2)	年均输沙量 (亿 t)	含沙量 (kg/km^3)	侵蚀模数 [$t/(km^2 \cdot a)$]	资料年限
黄河	陕县	687 869	16.000	37.7	2 330	1919～1959
皇甫川	皇甫	3 199	0.607	296.0	19 000	1953～1970
窟野河	温家川	8 645	1.360	174.0	15 700	1953～1970
佳芦河	申家湾	1 121	0.344	311.0	30 700	1957～1970
无定河	川口	30 217	2.120	138.0	7 030	1956～1970
大理河	绥德	3 893	0.634	343.0	16 300	1935～1970
清涧河	延川	3 468	0.484	314.0	14 000	1954～1970
延河	甘谷驿	5 891	0.599	255.0	10 200	1952～1970
北洛河	交口	17 180	0.916	188.0	5 330	1952～1970
泾河	张家山	43 216	2.960	177.0	6 860	1932～1970
渭河	咸阳	46 827	1.790	31.0	3 830	1934～1970

注：根据唐克丽汇编黄河水利委员会水土保持处基本资料。

黄河支流及其洪水多由暴雨造成，峰高量大，陡涨陡落，严重淤积的河槽来不及宣泄，一旦决口，数千里原野尽成泽国。黄河下游自周定王五年到新中国成立以前的 2 500 多年中，决口泛滥 1 593 次，较大的改道就有 26 次。北宋以后,平均说来,更是无岁不决,水灾波及的地区北至天津,南到淮河。新中国成立后,虽经多方治理,确保50余年安度伏秋大汛,河决泛滥、一片汪洋、田庐人畜荡然无存的凄凉情景再未出现,但就60年长系列资料分析,由于黄土高原水土流失的泥沙来量减少不多或未见改变[3,4],黄河河道的淤积仍在发展,现有河道经过长期行水,已经成为横亘华北大平原的分水岭,北危京津政治经济中心、南胁江淮粮仓、东扫油田能源基地。而且千里大堤易溃蚁穴。如此严峻的态势源于黄土高原之严重的水土流失。不仅如此,黄土高原水土流失还造成水库、渠道严重淤积,港湾河口严重堵塞,极大地影响着沿河流域工农业生产和人民群众生活。

严重的水土流失不但对黄河下游及其支流防洪及水资源开发利用带来严重困难,同时也使黄土高原的表面被冲刷得沟壑纵横、地形破碎、植被破坏、物种退化,进而加剧了风蚀、水蚀、重力侵蚀的交互肆虐,增大了雨洪及干旱灾害的发生频率。加之不合理的人类经济活动,从而形成生态环境的严重恶化。如仅就黄河的16亿t输沙量来说,约有8亿t泥沙是来自坡面较肥沃的表土层。按耕层厚度为20cm计,黄土高原相当于每年损失有效耕地33万余公顷。严重的水土流失,使之可利用土地日渐瘠薄,为求生存,滥垦、滥牧、滥樵、滥伐、滥采之风屡禁不止,甚至有增无减,从而造成遇雨泥水横流、遇风风沙肆虐,水土流失日趋严重,造成"越垦越穷、越穷越垦"的恶性循环。

黄土丘陵区的土壤侵蚀之所以如此强烈,有自然的原因,也有社会经济的原因。自然方面主要是黄土土质疏松易散,地形破碎,地势陡峭,植被覆盖状况差,降雨年内分布不均及降雨强度大等。社会经济方面,主要是长期以来居住在这里的人们开荒种地,破坏植被,从事单一的农业经营,不断扩大耕地面积,未能因地制宜地合理开发利用土地资源。特别是最近半个世纪以来,由于人口迅猛膨胀,大大超过自然资源和经济发展的负荷量,致使该地区生态平衡严重失调,人均耕地面积减少,人均占有粮食下降,温饱无法解决,不得不加大垦荒种植力度,使自然植被面积锐减,进一步加剧了土壤侵蚀。

(一)黄土的特殊结构,有利于降雨径流侵蚀

在水土流失过程中,土壤是被侵蚀的对象,是侵蚀发生发展的载体。土壤本身对各种侵蚀营力的作用具有一种抗性,主要表现为抗蚀性和抗冲性两个方面。其各种理化性状是影响这种抗侵蚀性能的重要因素,包括土壤结构、颗粒组成、有机质含量、团聚体稳定性、孔性、渗透性及生物活性等。总的来说,土壤侵蚀随土壤黏粒和有机质含量、团聚体稳定性、持水性、饱和导水率以及生物活性的增加而降低[5]。

黄土高原主要覆盖具"点棱接触支架式多孔结构[6]"的多柱状马兰季黄土,土质疏松,土壤中砂粒及粉砂粒含量多(超过60%),黏粒少,有机质含量低,缺乏团粒结构,颗粒间黏结力弱,稳定性极差,遇水很容易分散、崩解,抗侵蚀能力十分弱。

地形既是区域内土壤侵蚀长期作用的结果,同时又是土壤侵蚀的重要影响因素。它通过对气候、植被等其他自然条件分布状况的影响,直接或间接地影响土壤侵蚀发生发展的规律。黄土高原境内土地破碎、沟壑纵横、地势陡峭,沟壑密度4～7km/km^2,有的高达10km/km^2,可为侵蚀提供大量的临空面和改变降雨径流的动能,并且容易诱发重力侵蚀。

(二)降水时空分布不均,加剧土壤侵蚀

受东亚季风气候的影响,黄土高原降水无论在时间上还是在空间地域上,都呈现出分布不均的状况。这种状况极大地加重了黄土高原的水土流失。从时间上看,绝大部分地区降雨均集中在6～9月份,特别是7、8、9三个月,各月的降雨量分别占全年的22%～25%。汛期降水通常占全年降水总量的75%～85%。降水的高度集中,导致水土流失严重、河流含沙量高、水资源难以利用。在夏季,多为难以控制利用的洪水;而在漫长的枯水季节,河流水资源仅占全年总量的20%～30%,河流基流量甚至低于30%。另外,水资源的年际变化也很大,连续丰水年和连续枯水年交替出现。同时,受降水量相对减少及对水资源需求的迅速增加,加之降水与该地区主要作物的需水时间严重错位,大大加剧了水资源的供需矛盾,严重导致干旱缺水发生。从区域上看,西北黄土高原地区降水空间分布不均,呈现从东南向西北递减的趋势。秦岭北坡的大峪年降水量可达941.9mm,而在西北干旱地区,最少的年降水量还不足200mm,相差4～5倍。

黄土高原几乎包含了所有的土壤侵蚀类型,但主要以水力侵蚀为主。降雨是水土流失的主控因子,是土壤侵蚀发生发展的主要动力因素之一。降雨通过雨滴动能的打击作用分散和溅蚀土壤颗粒,并由形成的地表径流冲刷和搬运土壤。此外,它还参与形成土壤自身的一些特征,以一种综合的效应影响侵蚀过程。

黄土高原降雨的年际、年内分配极不均匀,特别是侵蚀性降雨集中面大,是造成土壤侵蚀的重要原因。事实上,黄土高原的土壤侵蚀,主要是由少数几次大雨或暴雨引起的。暴雨笼罩面积大,为5万～15万km^2,日最大降雨量高达100～150mm,并且大多集中发生在6、7、8、9四个月内,其降雨量占全年总降水量的60%～75%;这几个月的侵蚀性降雨量(能够形成地表径流,从而引起水土流失的降雨量)约占全年侵蚀性降雨量的 90%,土壤侵蚀量可达全年总侵蚀量的 90%以上[7](见图 1-1)。例如,1977 年延河流域发生特大暴雨,7 月 4~6 日的暴雨中心安塞招安乡降雨 228mm,历时 30h,7 月 6 日实测甘谷驿水文站 1d 输沙量为 9 070 万 t,为多年平均输沙量的 1.5 倍。

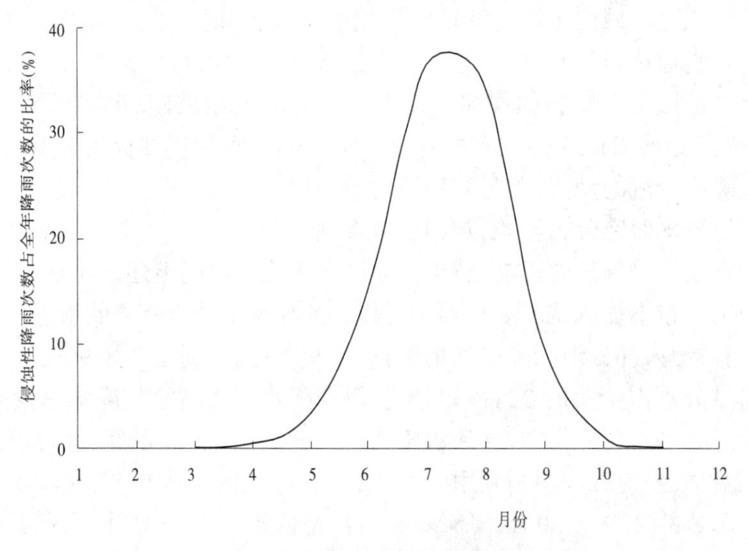

图 1-1　黄土丘陵区侵蚀性降雨年内分布

暴雨径流是造成黄土高原侵蚀产沙和黄河输沙的主要原因。周佩华等[8]提出,在黄土高原,严重的土壤侵蚀主要由少数几场暴雨或大暴雨所引起,大多数降雨一般是不产流的。暴雨雨滴大、产流多,侵蚀能量大,是导致严重土壤侵蚀的主要动力。另外,通过对 1955~1986 年有关资料的统计分析,王万忠、焦菊英[9]发现黄土高原年均侵蚀产沙量 15.2 亿 t,其中最大年(1958 年)为 32.83 亿 t,最小年(1986 年)为 5.96 亿 t,最大年产沙量为最小年的 5.5 倍,为年平均产沙量的 2.2 倍。在统计的 32 年中,最大 1 年的产沙量约占 32 年总产沙量的 7%,最大 3 年的产沙量占总产沙量的 20%,最大 5 年的产沙量占总产沙量的 33%。产沙量年际分布很不均匀,但与降雨年际分布不均一致。输沙量的变化同暴雨特别是黄河中游的暴雨具有明显的相关关系,且输沙量可以与河口镇—陕县区间的平均降雨量具有良好的线性关系。说明暴雨径流是黄土高原侵蚀产沙的主要原因。

二、干旱缺水

干旱通常指水资源总量少,不足以满足人的生存和社会、经济发展和生态需水需要的气候现象。主要是偶然性或周期性的降水减少引发的干旱灾害。黄土高原干旱尤为严重。历史上由于干旱,"人相食"的记载不绝于史册。17世纪前期以陕北为中心的大旱灾和随之而来的饥荒、瘟疫直接造成了明王朝的灭亡;特别是1640年大旱,"全陕大旱饥,人民十死八九。河南35州县旱,豫西、豫北特大旱,黄河枯"。根据研究,陕北黄土高原丘陵区干旱灾害频率增大,1619～1940年的321年间,共发生旱灾131次,平均2.5年发生一次。1950年以来,平均每两年发生一次。1927～1929年为连续三年大旱,尤以1928年为甚。1928年起,一场大旱灾在华北、西北持续数年,并波及江淮、西南等地。黄土高原地区是当时旱灾的中心,仅陕西一省至少饿死300万人,数百万人流离失所。新中国成立以后的1961、1972年,陕北地区又先后几次遭受大旱,国家动用了大量汽车夜以继日地向灾区运粮。即使到现在,由于干旱,黄土高原地区粮食产量仍然长期低而不稳,部分农村人口的温饱问题还未得到完全解决。

黄土高原地处内陆,为典型的大陆性季风气候,冬季干燥寒冷,夏季湿润炎热,相对来说降水稀少:多年平均降水量150～750mm,大部分地区年水面蒸发能力1 500～2 000mm,为年降水量的2～8倍;干燥度大,易于发生干旱灾害。

除了降水稀少外,降水的年际分布不均,也导致黄土高原干旱突出,而且连旱集中。研究表明[9],1470～1979年的510年中黄土高原发生旱灾67次,共计146年,其中连旱31次,持续107年,占旱灾年数的75%,平均每一次连旱持续3.5年。新中国成立以来黄河中上游地区的旱涝指数见表1-4。不难预料,类似的"十年九旱"恐怕仍是黄土高原地区未来社会经济发展难以逾越的障碍。

降水不但年际分布不均,年内分布更是不均匀。这样加剧了旱灾的发生。黄土高原70%以上的降水集中在夏、秋两季,特别是6～9月,而春旱严重影响农业生产。在经常性旱灾的同时,少数年份也会暴雨成灾,但因为暴雨洪水中泥沙含量大,难以高效利用,实际可利用的降水要远小于多年平均值,也加剧了干旱的发生。上述作用的叠加,使得黄土高原季节性干旱几乎年年发生。

除了降水量小,降水时空分布不均匀外,黄土高原地区便于为人们利用的水资源更为稀少。该地区年径流量只有349.72亿m^3,地下水资源总量为333.5亿m^3,单位耕地面积平均水量与人均水量分别为全国平均水平的14%和26.4%[10]。这决定了黄土高原地区只能以旱作农业为主,抵御旱灾的能力很弱。同时,随着城市人口增加和生活水平的改善,工业和城市生活用水与日

表 1-4 黄河流域旱涝频度统计 (%)

区域	水文站名	年降水量(mm)	旱年	大旱年	涝年	大涝年	资料年限
上中游黄灌区	呼和浩特	410.2	66.7	16.7	14.3	4.8	1951～1991
	包头	302.8	76.2	31.0	7.1	4.8	1951～1991
	银川	197.7	78.6	35.7	0.0	0.0	1951～1991
	中宁	222.4	72.5	30.0	5.1	0.0	1953～1991
陕北	榆林	405.9	78.5	23.8	21.4	4.8	1951～1991
	延安	554.6	59.5	9.5	23.9	7.1	1951～1991
汾渭谷地	西安	586.5	57.1	11.9	31.0	5.0	1951～1991
	太原	450.4	73.8	16.7	19.0	7.1	1951～1991
	临汾	515.9	70.0	15.0	25.0	5.0	1953～1991
陇中	兰州	320.3	61.9	14.3	7.1	0.0	1951～1991
	天水	535.8	40.5	21.4	16.7	0.0	1951～1991
	临夏	498.7	50.0	4.8	21.4	0.0	1951～1991
	岷县	590.2	31.0	2.4	7.1	0.0	1951～1991
陇东	西峰	558.7	47.6	19.0	19.0	2.4	1951～1991
青海	西宁	368.5	42.5	7.5	2.5	0.0	1953～1991

注:摘自全日制普通高级中学(选修)《地理》第二册教师教学用书。

俱增,流域内水资源的开发利用率已达70%以上,远远超过国际上公认的40%的警戒线,可供农业利用的水资源越来越少,干旱成了制约区域内农业发展和粮食安全的最主要因素。特别是近年来由于温室效应,全球气候持续变暖,蒸发量增加,黄土高原地区旱灾也有逐年加剧的趋势。1949～1985年黄土高原地区旱灾面积年均733万 hm^2,1950～1995年年均2 130万 hm^2,占该区耕地面积的22%。位于黄土高原地区的陕西和甘肃两省,年均受灾面积107.5万 hm^2 和67.07万 hm^2,占各省总受灾面积的63.7%和60.8%(显著高于全国平均值);年旱灾成灾面积51.84万 hm^2 和34.6万 hm^2,占各省总成灾面积的61.8%和60.0%(显著高于全国平均值)。甘肃省的报告表明,20世纪90年代中东部共发生6次严重干旱,素有陇东粮仓之称的庆阳地区,2000年全区20.13万 hm^2 耕地全部受旱,6万多公顷绝收,夏粮减产60%。

由此可见,黄土高原地区的干旱环境不但严重影响着黄土高原地区社会经济的发展,同时,在干旱环境下,土壤水分严重短缺,林草植被大量死亡,加之滥垦、滥牧、滥樵、滥伐、滥采之风屡禁不止,甚至有增无减,最终造成水土流失日益严重的局面,不仅危害当地人民的生产和生活,而且危及黄河下游的安全,致使黄土高原水土流失问题成为中华民族的心腹之患。随着我国国民经济的迅速发展,各种人为不合理生产活动的进一步加剧,该地区的生态环境灾害已变得日益严重,影响了黄土高原以及黄河中下游地区经济和社会的持续发展。如何采取行之有效的对策和防治措施,建立良性循环的生态系统以适应人类大规模的生产活动和经济活动,使黄土高原地区生态环境向良性循环方向发展,控制生态环境灾害的发生迫在眉睫。

第二节 水土何为中心

一、历史上黄土高原的水土保持

黄土高原的水土保持源远流长,最远可以追溯至3 000年以前的周代[11]。史料《诗·公刘》中就有诗句"相其阴阳,观其流泉","度其原隰,辙田为粮",描写了周人祖先公刘带领周民从分析当时农业用地原(黄土塬地)、隰(低湿的川台地)的光热差异和水文条件,丈量面积,到披荆斩棘、开田种粮规划与实施的全过程。此后,召伯营谢的黍苗篇中提出"原隰既平,泉流既清",毛传中也类似地提出"土治曰平,水治曰清"。这些提法可以认为是水土保持治理效益标准在我国的最早萌芽。此外,我国古代产生的有关土地合理利用与综合治理的"三宜"思想、"五行"说与"三才"论等还初步涉及了现代水土保持规划的一些基本原则,直到今天这些思想仍对我们有很大的借鉴意义。

西周和春秋时代是我国农田建设和水土保持的初创阶段,在技术力量低下和地广人稀的环境中,人们没有必要同时也没有可能耕种大量的土地,只是将山林、荒地、沼泽、低湿地、盐碱地等许多难以治理的土地安排不同的用途并加以保护,防止水土流失和水旱灾害。黄土高原的自然条件并不优越,但是却成了中华文明的摇篮,并在很长的时期内一直处于中国政治、经济的核心地位,养育了众多的人口,我国劳动人民生产过程中不自觉的水土保持实践可能起到了重要作用。

20世纪20年代我国有一些学者开始正式研究水土流失问题,到40年代初,"水土保持"一词在我国产生。我国现代水利事业的奠基人李仪祉先生,就非常重视黄土高原地区的水土保持事业,认为水土保持是治黄的根本。黄河水利委员会创办之初,也设有林垦处,负责水土保持工作,并先后在西安和天水建立水土保持科学试验站,开始用现代的科学手段研究黄土高原水土保持问题[12]。

新中国成立后,全国性大规模的水土保持工作蓬勃兴起。50多年来,在中共中央、国务院的高度重视和亲切关怀下,我国的水土保持生态环境建设取得了显著的成绩,已累计完成综合治理面积74万km^2。其间尽管在规划的指导思想上也曾有过分歧和争论[13],但是随着实践的发展,我国的水土保持已成功地走出了一条具有中国特色的综合治理水土流失的路子,即坚持以小流域为单元,山、水、田、林、路统一规划,综合治理,综合开发;坚持工程措施、植物措施、蓄水保土耕作措施因地制宜,科学配置;坚持以经济效益为中心,经济效益、生态效益和社会效益统筹兼顾,相得益彰。以1997年8月江泽民总书记的重要批示为标志,全国水土保持进入了一个治理水土流失、改善生态环境、建设秀美山川的新时期[14]。

可以说,中国水土保持科学从无到有,经历了漫长的发展历史,目前已经基本建立了具有中国特色的水土保持科学与技术体系,不仅在我国水土保持工程建设与水土流失综合治理中起到了重要的科技支撑作用,而且得到了国际水土保持界的承认,并占有重要的地位。但是,随着我国经济社会的发展,特别是西部大开发、全面实施建设小康社会的快速推进,加之我国水土资源的日益紧缺,已经对水土保持科学研究与发展提出了愈来愈高的目标与要求。

二、以土为中心的水土保持

以土为中心开展水土保持,就是在水土保持科学研究和生产实践中,更多地强调土壤的作用,而水的作用相对考虑较少。在某种程度上,这样做就是把水土保持变成了土壤保持。水土保持科学的应用基础研究也是以土壤侵蚀与产沙量为主要研究内容,重点考察土壤侵蚀过程,而对于水的流失则相对研究较少。

水土保持的这个指导思想长期占据着统治地位,直至今天仍有比较广泛的影响。实践证明,在一定历史时期,它对于治理黄河、促进农业生产具有积极的作用,黄土高原的土壤侵蚀研究也因此取得了很大进展。据不完全统计,20世纪90年代初期,黄河流域已设立30多个水土保持科学试验站,试验研究人员逾千人,开展了系统的观测试验与研究工作,取得多项成果[15]。如:①探索出了黄土高原以小流域为单元的水土保持综合治理模式。尤其依据黄土高原水土流失特点及农业持续发展的战略需求，提出了黄土高原综合整治的“28字方略”。②研究了黄土坡面不同水力侵蚀形态发展过程及其机理，划分了黄河中游土壤侵蚀类型区及侵蚀强度区。③摸清了黄河下游河道淤积的泥沙主要来自黄河中游河龙区间的多沙粗沙区，为明确黄河流域水土保持集中治理的区域提供了科学依据。④对黄土丘陵沟壑区产沙特点和输沙规律进行了探索，认识到黄土丘陵沟壑区第一副区中小流域长时段的泥沙输移比接近于1.0；沟道输沙与流量具有密切的指数相关关系，即 $Q_s = KQ^n$（式中 Q 和 Q_s 分别代表流量及输沙率，指数 n 为流域面积的函数）；坡面、沟道的侵蚀产沙具有非线性的叠加效应等。⑤分期设立了上百条治理试点小流域，系统研究了淤地坝、梯田、人工造林等水土保持措施的减水减沙作用及其计算理论与方法，认识到坝库控制和大面积水土保持措施的实施可以取得明显的减沙效果，并对生态建设或生态修复过程中的水文效应进行了初步研究。⑥建立了黄土高原不同类型区小流域土壤侵蚀预测预报模型和黄河流域空间本底数据库及黄河流域水土保持信息管理系统。⑦探索了农、林、牧相结合的综合治理的理论与技术，在黄土高原土地承载能力、粮食生产潜力、旱地农业技术及水土保持与农业发展协调的战略问题等方面都取得了不少研究成果。

但是由于研究思路的限制，对如何控制水土流失仅仅限制在如何保持土壤这一方面，使得我们过去的研究出现了一定的被动性，甚至走了弯路[16]。例如我们在植树造林的过程中，没能以水定树，以致出现了较大面积的“小老头树”，水土保持林成活率低、保存率低、生长率低的“三低”问题严重；我们把梯田修到了山顶上，但水分供给不足，产量反而降低，甚至加剧了水土流失，最终保土效果也不显著；淤地坝逢沟就建，但由于未充分考虑淤地面积与上游来水的关系，要么大水溃坝，要么无土可淤，难以发挥预期作用。降雨形成的地表径流所产生的水流冲刷力是水蚀地区水土流失发生的主要动力，过去并没有认真研究如何去控制和消除产生水土流失的动力，从而充分利用地表径流。

三、以水为中心的水土保持

与以土为中心的水土保持相对立，以水为中心的水土保持则强调在水土保持科学研究和生产实践中，更多地考虑水的因素，强调降雨径流的作用，而将土壤放在次要位置。

水是维持生态系统正常运转不可缺少的基本要素，是生态系统能量转化的主要介质，没有水的良性循环，生态系统就会紊乱，社会也会动荡不安。正是由于水的作用，黄土高原严重的水土流失和频繁发生的干旱导致了该地区极其脆弱的生态环境。

黄土高原水土流失的主导因素是地表径流，土壤侵蚀发生发展的动力是地表径流的作用。如何控制地表径流，是有效防治水土流失，使水土流失治理成效显著的关键。因此，水土保持的治理应从地表径流调控出发，并使之上升为理论以指导水土保持的实际工作。在实践中，通过分散、聚集、强制入渗等措施对降雨径流进行调蓄，在降大雨时，按照径流调控理论设防趋利避害，把径流的灾害性变为资源性[16]。

黄土高原地区土地资源丰富，但水资源相对贫乏，供需矛盾尖锐。据调查[17,18]，黄土高原地区地表水总量为350.92亿m^3，地下水总量为333.4亿m^3，但该区的年降水总量约为2 757亿m^3，是地表水与地下水总量的4倍。实施降雨径流调控与利用，对于维持黄河健康生命、实现黄土高原的可持续发展，均具有重大意义。

黄土高原国土整治"28字方略"的核心是"全部降雨就地入渗拦蓄"[19]。在以往的水土保持治理实践中，通过修筑梯田、鱼鳞坑、水平阶等水土保持工程措施和深松耕、等高耕作等水土保持农业耕作措施，就地拦蓄雨水径流入渗，提高了作物产量和林木成活率，拦截分散了地表径流，从而减轻了对土壤的冲刷侵蚀，水土保持作用十分明显。然而，从雨水利用的角度来看，这尚属于雨水的被动利用。也就是说，通过一定的人为措施对自然的水文循环进行干预，使其向着更有利于人类生产和生活的方向发展。这种干预具有一定的局限性。譬如，严重的春旱和夏初旱使作物生长很差或完全枯死，那么之后的高强度降雨将会对裸露的地表产生严重的冲刷。如果在田头路边修一些水窖(池)，沟道、低洼地修塘坝、涝池拦蓄丰水期多余的雨水径流，到作物需水关键期进行补充灌溉，解决作物、林木在旱季因缺水而枯死减产的"门坎"问题，同时又可防止暴雨径流对坡面、路面、沟头的侵蚀，这实际上是雨水的主动利用。和被动利用相比，主动利用中必须使用灌溉手段，使作物不完全依赖于降水，从而提高了可控性。因此，就水土保持而言，降雨径流调控及其利用是"就地入渗拦蓄"的进一步延伸和拓展，在水土保持中具有更积极的作用和意义[20]。

据有关部门的统计，从20世纪80年代后期到现在，全国已建成水窖、水池、塘坝等小型水利工程1 200万处，可集蓄雨水160亿m^3，初步解决了3 600万人的饮用水问题，为近267万hm^2旱作农田提供了补充灌溉水源，使近3 000万人开始摆脱干旱缺水的束缚和困扰。十多年的实践证明，径流调控不仅能解决山区居民的饮用水困难，而且通过补充灌溉能在一定程度上抵御旱灾，使农业生产稳产、丰产，从而提高了粮食安全性。采用高效节水方法和先进适用的农业技术，为山区农业结构调整提供了水源条件，开辟了山区脱贫致富的新途径。此外，土地生产率的提高，使西部贫困山区的退耕还林、还草成为可能，集雨系统也为半干旱区植树种草提供了水源。因此，降雨径流调控及其高效利用不是临时抗旱的权宜之计，而是缺水山区一种可持续发展的综合模式，是一项战略性措施，具有显著的社会效益、经济效益和环境效益。

综上所述，黄土高原地区的水土保持，不论是以土为中心，还是以水为中心，都是不全面的，都是忽略了水土平衡的做法，在实践中也是不足取的。黄土高原地区的水土保持究竟要怎样开展，需要我们在大量探索与尝试的基础上，进行深刻的反思，提出切实可行的解决方案。

第三节　换一种思路分析问题

一、水土保持要水土兼顾

《中国大百科全书·农业》农业工程分支及《中国大百科全书·水利》水土保持分支中都明确指出：水土保持学是研究水土流失形式、发生原因和规律、水土保持基本原理，据以制定规划和运用综合措施，防治水土流失，保护、改良与合理利用山丘区、风沙区水土资源，维护和提高土地生产力，充分发挥水土资源的生态效益、经济效益和社会效益，以改善农业生产条件，建立良好生态环境的应用技术科学。从这个定义不难看出，水土保持是在山丘区和风沙区对水及土地两种自然资源的保护、改良与合理利用，而不仅限于土地资源，水土保持不等同于土壤保持。此外，保持（Conservation）的含义不仅限于保护，而是集保护、改良与合理利用（Protection，improvement and rational use）为一体。水土保持不能单纯理解为水土保护、土壤保护，更不能等同于土壤侵蚀控制（Erosion control）。

水是一切生命之源，土又是生长万物之本。事实上，水土保持科学的研究对象是水、土资源，而并非水资源、或者说是土壤资源，二者是不可割裂的，舍去任何一个研究对象，对于黄土高原水土保持科学来讲都是不完善的，也就是说是片面的。但在过去的研究过程中，却往往忽视了这一点，致使我国水土保持科学研究在目前仍是过多地强调了土壤流失的研究与土壤资源的保护及利用，而对于水资源的流失与保持及利用方面的研究，在水土保持科学研究范畴中重视不够。水土流失作用的主体是水和土，伴随着土壤的流失也产生了水的流失，而且往往水土流失严重地区大多均是水资源短缺的区域，土壤资源的保护与利用则更应以水资源的保护与利用为支撑和前提。片面地追求土壤资源的保护与利用,而忽略了水资源的保护与利用,不仅从水土保持科学的完整性来讲是不科学的,而且从生产实践考虑也是难以发挥其应有效益的。

科学技术的发展都有一个循序渐进的过程,也是一个非常曲折的发展过程。对水土保持科学研究的反思并不是否定以往的研究成果和业绩,而是更进一步强调中国水土保持科学研究的重要性。以往的发展过程并不能说明水土保持科学技术没有得到发展和创新,只能说明水土保持科学技术过于复杂,需要研究解决的问题太多,亟待发展和提高,以满足我国经济社会发展对水土保持科学技术的需求。

水土保持理论源于实践,服务于实践。只有不断总结实践经验,不断提炼,才能不断完善和充实水土保持理论,适应21世纪"西部大开发"和黄土高原生态环境建设以及建立"资源节约型、环境友好型"社会和"创新型"国家的要求。新形势下黄土高原水土保持遇到的制约与发展的难点,只有通过黄土高原水土保持的理论创新和实践创新来回答。现代中国水土保持科学技术的创新与发展,应致力于建立以水土资源科学保育与持续高效利用为目标,以地表径流调控理论与水土资源持续同步高效利用技术为突破口,构建具有中国特色的水土保持科学与技术体系。

我国于20世纪20年代就开始了水土流失调查研究,自新中国成立以来,先后对黄土高原水土流失进行过两次科学考察,目前正在对黄土高原水土流失及水土保持情况进行第三次科学考察。我国水土保持科技界的专家、学者,多年来对黄土高原水土流失的成因进行了许多定位观测及大量的人工模拟降雨试验,党和政府及当地人民数十年对黄土高原进行大规模的治理,应该说针对黄土高原不同类型区的水土流失治理已经积累了丰富的实践经验。基于地表径流调控与水土资源高效利用,建设人与自然和谐相处的黄土高原水土保持新理论,是在总结黄土高原水土保持多年实践的基础上提出来的。21世纪的黄土高原水土保持工作、水土保持学科、水土保持防治实践和水土保持理论在新形势下需要进一步创新。实际上,这个理论已在实践中大量运用,但人们并没有有意识地、自觉地在水土保持领域应用,同时在应用中也没有及时地、系统地总结和升华,以推动水土保持理论的进一步创新。

黄土高原生态环境建设面临的最大问题是干旱缺水与水土流失并存。解决这一矛盾的有效途径是调控降雨径流,高效利用水土资源,建设人与自然和谐的生态环境。造成这一现状的主要原因是植被稀少、地形破碎、水土流失严重,使有限的大气降水不能很好地被利用。据估算,仅由于降雨产生的地表径流就使年降水量的10%顺坡流失，如果能就地拦蓄利用，相当于每年增加40～50mm的有效降水，整个黄土高原地区大致可增加水分256亿～320亿m^3，即每公顷土地增加水分405～510m^3。再加上通过减少蒸发及采取集流措施，增加的有效降水量就更加可观。因此，按照径流调控理论，充分利用天然降水，合理调配利用地表径流，坚持以小流域为单元，开展水土保持综合整治，建立多方位的降雨径流调控体系，将丰雨期的降雨径流存蓄起来，进行时空调节。这不仅能有效减少或控制水土流失，而且能同步实现降雨径流的资源化，是改善黄土高原地区水分供应状况、控制水土流失、发展各业生产的一条经济可行的有效途径。因此，黄土高原的水土保持必须要水土兼顾。

二、降雨径流调控与水土资源持续利用理论

降雨径流调控与水土资源持续利用是指通过对降雨径流的有效调控，在保护、修复、改善水土环境的基础上，最终达到高效、持续利用水土资源的目的。而降雨径流调控与水土资源持续利用理论就是这一范畴有关理论与实践的研究结晶与思想集成。

降雨径流调控与水土资源持续利用理论同水土保持的科学思想是相辅相成、根本一致的。降雨径流调控与水土资源持续利用理论既指出了水土保持规划治理的方法手段，又明确了治理希望达到的最终目标，既强调了对水土环境的保护修复，又涵盖了对水土资源的开发利用，既重视了水，又考虑了土，是一个协调、统一的整体。作为水土保持工作的理论依据，不但其理论自身是系统科学和完全正确的，而且在实践中也是被证明行之有效的，对于水土流失防治和生态环境建设具有很好的指导意义。

作为水土保持工作的理论依据，降雨径流调控与水土资源持续利用理论必然也是其指导思想。只有在这一理论的指导下，开展具体工作时，才能有的放矢，做到措施布局心中有数、科学合理，而且检验水土保持治理成效也才能有据可依。降雨径流调控与水土资源持续利用理论对水土保持工作的指导，集中体现在实施途径、预期目标和具体的工作内容上。

（一）水土保持的实施途径是降雨径流调控

径流调控理论指出，降雨径流是水土流失的原动力，能有效控制地表径流、截断侵蚀原动力，就能有效防治水土流失。因此，在进行水土保持与生态环境建设时，一定要始终遵循降雨径流调控这个根本思路，并将其作为同步解决黄土高原水土流失与干旱缺水这一矛盾的最重要途径，据此布设相应的径流拦截、汇集、蓄存与利用措施，形成体系，进而达到有效防治水土流失、高效

利用水土资源的目的。

(二)水土保持的最终目的是水土资源持续利用

降雨径流调控既是水土保持具体实施的途径,也是预期达到的目的,而水土保持的最终目的是实现水土资源的持续利用。这二者在本质上并不矛盾,径流调控作为基本手段,是持续高效利用的前提和基础,持续高效利用作为最高目标,是径流调控的拓展和延伸。径流调控以水这个因子为基本出发点,而高效利用将水和土这两大资源综合起来考虑,重视水土平衡与协调。在这个最高目标的指导下,就容易使人们在治理水土流失时,同时重视水土交互作用,以水定土、以土调水,从而更好地发挥水土潜能,达到高效利用水土资源、建设和谐环境的目的。

(三)黄土高原水土保持工作的重要内容是调控降雨径流、优化配置调控技术

降雨径流调控与水土资源持续利用理论,体现在水土保持规划和生产实践中就是如何依据建设和谐的生态环境,优化配置调控措施,高效利用水土资源。所谓体系,应该是由一系列个体相对独立、功能不相重复、彼此相互关联呼应的不同要素构成的一个有机整体。要达到调控降雨径流进而持续高效利用水土资源的目的,必须通过不同技术措施的组装配套、优化互补,进而形成径流调控和开发利用的综合技术体系才能实现。按照从调控到利用衔接配套的纵向体系来看,它包括径流的动力拦截技术、强化入渗技术、汇集技术、蓄存技术和利用技术,环环紧扣,相互制约;按照不同技术措施传统分类的横向体系来看,它包括径流调控的工程措施、生物措施、耕作措施和化学措施,各有千秋、彼此互补。

在以往的规划布局中,往往单纯追求领导政绩或表面形象,要么满目皆是壮观的梯田工程,要么漫山遍野植树造林,要么“山顶戴帽子、山腰围带子、山脚穿靴子”一套模式搬来套去,要么植树、种草、打坝、修鱼鳞坑一起上,措施越多越好。这些做法从实际效果来看很难达到预期的要求,而且从经济学观点考虑也是不足取的。

具体来说,上述技术措施中,每一项措施都基于不同的机理对降雨径流具备一定的调控功能,但要想发挥其最佳的调控作用,仅靠某一种措施是远远不够的,也就是说,单一措施的规模化构不成体系,而为了达到最佳的调控效果,诸多措施齐上阵,效益重叠,或不顾实际情况简单套用几种措施形成的固定模式亦不是我们所追求的。

黄土高原水土保持内容丰富,具有很高的技术性,是一项需要认真研究的系统工程,其主要内容就是基于降雨径流调控与水土资源高效持续利用的理论,以建设和谐的生态环境为目标,结合实际情况,选择适宜的调控和利用措施,并对其进行有机地组装、配套,形成水土保持综合防治和水土资源高效利用适宜技术。

三、地表径流调控与水土资源高效利用理论的现实意义

(一)地表径流调控与高效利用是解决黄土高原干旱缺水与水土流失的现实途径

凡是在有降雨且多以暴雨形式出现的区域,暴雨径流就是导致地球陆地表土产生位移和搬运的主要动力,是造成水土流失的主导因子。黄土高原地区年降水量一般为300~600mm,干旱地区在 300mm 以下。而且该地区降水量分布极不均匀,主要集中在 6~9 月,其间降水量占全年降水量的 60%以上,且多暴雨,一年中土壤侵蚀量往往是由几次较大的暴雨造成的。陕西延安市纸坊沟流域 1989 年 7 月 26 日降雨量达 124.5mm,最大 30min 降雨强度高达 1.40mm/min,侵蚀模数高达 27 054.3t/(km^2·a),是正常降雨年份侵蚀模数 6 000t/(km^2·a)的 4 倍之多。

从自然系统的地带性规律分析,水力侵蚀最严重的地区并不是降雨量最多的地区。因为降水多的地区植被较好,也容易恢复,对土壤侵蚀可以起到良好的控制作用。而干旱地区降水稀少,水力侵蚀自然就居于次要地位。降水量在 400~600mm 的半干旱到半湿润气候区,由于侵蚀动力较大,而植被恢复的条件又不好,一旦天然植被遭到破坏,就会发生严重的水土流失。黄土高原中、南部就属于这样的地区。由于暴雨强化了侵蚀动能,加之黄土的抗蚀性本来就很弱,同时长期的人类活动破坏了天然植被,在暴雨的作用下,黄土高原中南部就成了我国和世界上水土流失最为剧烈的地区。

另外,黄土高原地表水资源受暴雨影响,多数河流洪峰暴涨暴落,汛期水量占全年水量的 70%~80%,含沙量高,不利于为生产、生活所利用。同时,该地区干旱和水土流失具有相互促进的关系。首先,干旱加剧了黄土高原地区土壤水的亏缺、植被减少,土壤抗蚀力减弱、增加了水土流失的条件。不仅如此,由于干旱,一方面造成农田单位面积产量低下,随着人口的增加,为了维持生存,人们不得不大肆破坏有限脆弱的植被,毁林毁草开荒,甚至在陡坡上开垦耕种,进一步造成大量的水土流失;另一方面,由于土壤水分环境恶化,造成植树种草难以成活,影响水土保持综合治理。其次,严重的水土流失导致地表径流含沙量高,极大地影响水资源利用效率,进一步加剧了区域的干旱、缺

水。再次,由于黄土高原坡陡沟深,而使地表在接受降雨后,土壤难以稳定入渗蓄水而迅速出现超渗径流,降低了土壤对降水的有效吸收利用而增加了侵蚀性地表径流,从而进一步加重了土壤侵蚀。试验表明,种植谷子的30°坡耕地年径流深为25.3mm,约占谷子生育期降水量的10%,一旦遇上大暴雨,径流系数还有可能增大。一方面,水土流失造成降雨以地表径流的形式大量流失,减少了对地下水和土壤水的补给,使河流汛期洪水增加,旱季水资源量减少,降低了水资源的可利用性,增加了水利工程建设的成本;另一方面,导致山区土层变薄、心土层甚至基岩裸露、透水性降低、水源涵养能力下降,地形起伏加剧,地表水和地下水大量外泄,既造成了当地的资源性缺水,增加了下游地区防洪和水利工程建设的压力;同时,水土流失带来了大量泥沙,淤塞水库、渠道,磨蚀水利机械,造成水利工程建设和运行难度加大,甚至在某些情况下形成高含沙水流,利用困难。从而又形成了一种特殊的资源型缺水。

以上分析说明,黄土高原地区暴雨、干旱与水土流失具有明显的正相关关系。黄土高原降水多以暴雨的形式集中出现,且供需错位,特别是与农业生产较为需水的春播时期背离,造成有限的降水以地表径流及蒸发的形式输出,不仅水资源大量损失,又为土壤侵蚀提供了动力。特别是多雨年份,大暴雨不仅不能为当地农业生产服务,所形成的洪水和侵蚀还会给流域下游带来严重的危害。因而,在该地区尽快建立以建设和谐的生态环境为目标,以降雨地表径流调控与水土资源高效利用技术为核心的水土保持,应当是黄土高原水土保持工作的现实选择。

(二)调控暴雨径流、持续高效利用水土资源,是建设资源节约型、环境友好型黄土高原和谐生态环境的重要支撑

将水和土的流失减小到最少,这是有效除害的目标,但不应是水土保持的最终目的。水土保持的最终目的不仅仅是有效除害,更应该是积极兴利,变害为利,保育水土,高效持续利用水土资源,建设人与自然和谐的环境,促进社会和谐发展。

进入21世纪以来,党和国家提出继续实施“西部大开发”、建设“资源节约型、环境友好型”社会,这给黄土高原水土保持与生态环境建设提出了更高的要求。要求通过水土保持建设和谐的黄土高原生态环境。而黄土高原降雨径流调控与水土资源高效持续利用的理论与实践,为黄土高原生态环境建设提供了重要的技术支撑。首先,它把水土的保持与水土资源的利用紧密联系起来,运用径流调控与利用技术,在有效“保持”的同时向“持续”和“高效”利用的方向发展。其次,更加重视暴雨径流与土地资源的协调高效利用。利用黄土高原有利地形和降水特点,将保持水土与调控暴雨径流、补充灌溉作物、发展高附加值产业结合起来,既可实现对自然降水的有效保持与充分利用,又有利于发展高效生态工农业,推动地区经济发展。这将成为改善生态环境与提高土地生产力、建设资源节约型、环境友好型和谐社会的一个新的结合点。黄土高原生态环境建设的现实实践证明了这一结论。

例如,位于延安市南 3km 处的黄土高原燕沟流域,流域面积 47km²,主沟长 8.6km,流域内梁峁起伏、沟壑纵横,地形复杂,土地类型多样,流域水土流失面积 35.7km²,占总面积的 76.2%,土壤侵蚀模数为 9 000t/(km²·a),属于强度水土流失类型区。1997 年以来,该流域在延安市各级政府的大力支持下,延河流域水土保持世界银行贷款项目延安市办公室将试验示范区全流域列为综合治理项目区,加大综合治理的补贴比例和额度,延安市政府和中国科学院、水利部水土保持研究所及国家节水灌溉杨凌工程技术研究中心等单位在财力物力上对试验示范区建设给予支持,科技部农业科技成果转化资金人工高效汇集雨水利用技术转化与工程示范、黄土高原中部丘陵区中尺度生态农业建设综合研究、中国科学院西部行动计划等项目,通过生物、工程、化学调控及农艺等径流调控措施,对降雨径流进行截、集、拦、蓄、用全方位服务于该流域节水型生态农业研究。通过短短的几年治理,燕沟流域社会环境发生显著变化。燕沟流域辖 14 个行政村,693 户,2 932 人,人口密度为 64 人/km²。1997 年耕地面积 1 831.3hm²,其中坝地 111.8hm²,梯田 94.86hm²,坡耕地 1 617.67hm²,坡耕地占农耕地总面积的 88.7%,大于 15°的坡耕地占到总耕地面积的 57.2%,人均基本农田仅 0.06hm²。农、林、牧的用地分别为流域土地面积的 39.1%、23.8%、26.1%。1997 年底人均耕地 0.63hm²,粮食平均单产1 095kg/hm²,人均纯收入不足 800 元。总体而言,生活处于温饱型阶段。由于以种植业为主体的农村经济受年降水量及季节分配不均的影响显著,居民人均收入年际波动幅度较大。通过治理,截至 2004 年,流域治理度达到 73.3%,植被覆盖度达到 78.4%,人均收入达到 2 000 元,个别村庄发展雨水利用工程,收集雨水为工业、石油供水增加收入,人均年收入达到 10 000 元。

燕沟流域通过以调控降雨径流、高效利用水土资源为核心的水土流失治理,极大地促进了该流域资源节约型、环境友好型社会的建立。主要表现在以下几个方面:

(1)为农村产业结构调整、农民收入增加和山区经济发展进一步创造了有利条件。调控降雨径流、高效利用水土资源,例如集雨节灌工程的实施,使当地农业种植结构从传统、单一的粮食种植向粮、果、菜、花卉等综合发展;农村产业结构从单一的种植业,向农、林、牧、副、渔业全面发展。宝塔区高坡村等地,通过实施"水窖+高附加值作物+养殖+沼气"四位一体循环经济模式,极大地促进了该村的经济发展和精神文明建设,为建设社会主义新农村打下坚实基础。

(2)解决了干旱缺水山区的基本生存问题。集雨工程的建设有效地调控了水资源的时空分配,解决了缺水地区分散农户的人畜饮水问题和贫困农户的温饱问题,以一方水土养活了一方人。延安市通过实施集雨工程,先后解决了40多万人、30多万牲畜的饮水困难。

(3)促进了社会稳定、民族团结和农村精神文明建设。集雨节灌工作的开展,密切了党群、干群关系,减少了用水纠纷,稳定了社会秩序,广大群众称之为"爱民工程"、"富民工程"。通过房前、屋后集雨工程的建设,发展"水窖+养殖+高附加值作物+沼气(太阳能)"等四位一体农业,农村生活、卫生状况得到很大改善,有力地促进了农村精神文明建设。

(4)对保持水土和改善生态环境发挥了重要的作用。集雨节灌使农作物单产有了较大提高,传统的广种薄收开始让位于精耕细作,部分地区出现了退耕还林、还草的现象。过去荒山、荒坡没人管,绿化不好搞。现在有了水,群众争着承包荒山、荒坡,栽种优质水果,不仅收入可观,还有效地促进了水土保持、绿化工作的开展。这对于减少水土流失、建设生态农业和保护环境,都具有十分重要的意义。

(5)有利于加快西部地区发展。集雨节灌工程的实施,带动了西部山区农村产业结构的调整以及农村经济的发展,这对于加快西部地区的发展步伐,实现我国跨世纪的宏伟目标具有重要的现实意义。

就黄土高原生态环境建设涉及的一些主要问题,只有通过调控降雨径流、高效利用水土资源才能彻底解决。

首先,生态环境建设涉及的水土保持林草措施保存率提高问题。从整个黄河中游地区看,由于降水量小,大部分地区仅靠天然降水难以满足林木生长对水分的要求,大量降水形成径流而流失,进一步加剧了缺水的程度,形成造林成活率低、保存率低、效益低的状况。这一地区山高坡陡,地形支离破碎,要想扭转造林工作的被动局面,较为可行的办法只能是就地截获异地拦蓄和充分利用地表径流,为林木生长提供尽可能多的水分。黄河中游地区利用地表径流发展林业的措施,可以通过工程整地、就地或异地利用降雨径流来实现。据试点小流域典型调查,没有进行整地的造林,其存活率仅24.8%～26.8%,而甘肃定西县官兴岔和陕西志丹县杨砭沟两条试点小流域,由于采取了工程整地,聚集、利用了坡面径流,造林保存率达到 84% 和 80.5%,种草保存率达 82% 和 60%。

其次,建设环境友好型社会,必须解决建设者(人及畜)的饮水问题。黄土高原严重的干旱缺水,直接影响了当地人民群众的生活。据估算,目前黄河中游地区有 400 多万人存在饮水困难。如宁夏南部山区,面积为 3.85 万 km^2,共有 183 万人,平均年降水量在 400mm 以下,目前有 87% 的地区、46% 的人口不同程度地存在饮水困难。

根据黄河中游地区的水源条件,解决人畜饮水困难的有效途径是充分利用现有降水资源,通过布设各种蓄水工程,就地拦蓄地表径流,既可减少水土流失,又可缓解缺水矛盾。在年降水 400mm 地区,按径流系数 10%、有效集流利用 70% 计,则每年每公顷土地可拦蓄水量 $280m^3$。根据有关资料,干旱地区平均每人每天需水约 $0.01m^3$,大家畜每头每天需水 $0.01\sim0.02m^3$。据此计算,拦蓄 $1hm^2$ 的地表径流量,可解决 70 多人或 40 头大家畜的全年用水。许多成功的实践证明,只要坚持修筑拦蓄工程,就地蓄积天然降水产生的径流,缺水问题是能够得到解决的。环县山城乡北渠原自然村,全村 22 户,107 人,52 头大家畜,541 头小牲畜。该地年均降水量仅 370mm,历年来人畜饮水十分困难。从 1973 年开始大力发展水窖,目前全村共建水窖 83 眼,总容积 $1\ 693m^3$,每年总蓄水量 $1\ 534m^3$,除去渗漏和泥沙量,实际蓄水量 $1\ 330m^3$,而全村全年人畜总需水仅 $860m^3$,这样彻底解决了人畜饮水的困难。

最后,能为脱贫致富奠定基础条件。黄土高原地区素以贫困落后而闻名。据统计,全国共有 273 个贫困县,而其中有 84 个县位于黄土高原地区,占全国总贫困县的 25.6%。近年来,通过大力开展水土保持工作,情况逐渐有所好转,但仍然有相当一部分地区,人均产粮徘徊在 250kg 左右,甚至有的只有 150kg 左右。黄土高原地区之所以贫困落后,除了严重的水土流失和社会、历史的因素外,干旱缺水是一个重要原因。要想改变贫困面貌,促使群众尽快脱贫致富奔小康,必须重视解决水的问题。从现实条件出发,解决这一问题的办法,主要是充分利用现有降水资源,特别是发挥收集地表径流的增产增收作用,使各业生产有较大的发展,群众的生活才会有显著改善。

据对黄土高原第二期 32 条试点小流域验收的情况统计,凡经过 5 年左右的试点治理,在优化布置降雨径流调控利用工程后,不但有效地控制了水土流失,而且各业生产都有了较大发展,特别是林、牧业产值增长较快。一般林、牧业产值占总产值比例由治理前的 22% 提高到 32.3%。1987 年人均粮食达 418.5kg,人均纯收入 336.6 元,分别比试点前增长 30% 和 42%。宁夏海原县关庄试点小流域，地处干旱的黄土丘陵沟壑区第五副区，年均降水量370mm，最少年份仅152.8mm。1982年粮食每公顷产仅570kg，人均产粮220kg，人均收入45.7元。1983年开始试点治理后，该小流域从固沟保堳着手，打坝造地，充分利用地表径流，发展径流农业，经过5年的试点治理和3年的巩固完善，1990年人均产粮达到415kg，人均收入249.9元，土地生产率168元/hm^2，分别比试点前提高了89%、400%和760%。黄土高原径流调控和高效利用水土资源的试点经验说明，该技术是黄土高原地区解决干旱缺水与水土流失、促进当地资源节约型和环境友好型社会建立的一个重要技术支撑条件。

地表径流调控与水土资源持续高效利用理论具有坚实的根基、鲜明的独特性和旺盛的生命力，同时又是检验实践正确与否的科学依据，是全新的水土保持理论，是成功防治水土流失的科学指南，是水土保持学科和水土保持事业发展的依据。它是水土保持实践和理论发展的必然；是解决黄土高原干旱缺水与水土流失、治理与保护水资源环境和全面建设小康社会的客观要求。本书的问世，就是希望能为解决如何在本地区实施雨水集蓄利用工程、调控降雨径流、高效利用雨水资源、发展高效节水农业、提高灌溉水的利用率和农田水的利用效率，并最终解决水资源短缺问题提供理论与技术上的新探索。之所以将本书称为水土保持新论，是因她为中国水土保持科学的发展注入了新的理念与思想，我们期望她能引领21世纪中国水土保持科学的创新与发展，并为在黄土高原地区迅速恢复植被、绿化荒山、减少水土流失带来新的希望。

参考文献

[1] 吴普特，汪有科，冯浩，等．21世纪中国水土保持科学的创新与发展．中国水土保持科学，2003，1(2)：84～87
[2] 黄自强．黄土高原水土保持近期方略．水土保持学报，2002，16(5)：82～85
[3] 钱宁，万兆惠．泥沙运动力学．北京：科学出版社，1986
[4] 唐克丽，等．中国水土保持．北京：科学出版社，2004
[5] Lynch J M, Bragg E. Microorganisms and Soil aggregate Stability. Adv. Soil Sci, 1985 (2): 133～171
[6] 朱显谟．黄土—土壤结构剖面构型的形成及重要意义．水土保持学报，1994，8(2)：1～9
[7] 刘元保，唐克丽，周佩华．黄土高原坡面沟蚀的类型及其发生发展规律．中国科学院水土保持研究所集刊，1998(7)：9～18

[8] 周佩华,窦保璋,孙清芳．降雨能量的试验研究初报．水土保持通报,1981,1(1):51～61
[9] 王万忠,焦菊英．黄土高原降雨侵蚀产沙与黄河输沙．北京:科学出版社,1996
[10] 李靖．黄土高原地区农业水资源可持续利用的问题与举措．中国农业科技导报,2000(4):29～33
[11] 巨仁,宋桂琴,李锐．水土保持规划治理的回顾与展望．水土保持通报,1996,16(1):3～10
[12] 山仑,李银锄．黄土高原的水土流失防治和综合治理．干旱地区农业研究,1984(3):1～10
[13] 卢宗凡,梁一民,刘国彬．水土保持科学研究的基本思路．水土保持通报,1994,14(1):7～11
[14] 刘江．全国生态环境建设规划．北京:中华工商联合出版社,1999
[15] 姚文艺,李勉．黄土高原土壤侵蚀及综合治理研究评述．中国水土保持,2005(4):15～17
[16] 郭廷辅,段巧甫．水土保持径流调控理论与实践．北京:中国水利水电出版社,2004
[17] 徐萌,山仑,彭琳．黄土高原地区农用水资源及其合理利用．自然资源,1992(3):38～42
[18] 吴普特,黄占斌,高建恩,等．人工汇集雨水利用技术研究．郑州:黄河水利出版社,2002
[19] 朱显谟．再论黄土高原国土整治“28 字方略”．土壤侵蚀与水土保持学报,1995,1(1):4～11
[20] 刘小勇,吴普特．雨水资源集蓄利用研究综述．自然资源学报,2000,15(2):189～193

第二章　何为新论

第一节　新论的构建

黄土高原环境恶化的最显著特征是干旱缺水与暴雨引发的水土流失两害共存。黄土高原水土保持与生态环境建设必须解决这一突出矛盾。只有通过调控降雨径流,消除侵蚀动力,变降雨径流为可用水资源,才能从生态环境建设高度达到水土资源高效利用。因此,掌握降雨径流侵蚀运移规律,调控降雨径流使之服务于水土资源高效利用,不但是黄土高原水土保持的理论基础和出发点,同时也是黄土高原水土保持规划、设计、环境建设、评价、管理的最终目标。

一、构建新论必须考虑的基本问题

构建黄土高原新的理论体系必须明确产生水土流失的原因。产生水土流失的原因复杂但主导因素明确。大量研究成果表明,黄土高原严重的水土流失是自然因素与人为因素共同作用的结果。黄土高原坡陡沟深、土质疏松、暴雨集中,干旱频繁,植被稀少。这5项自然因素的存在有利于水土流失的产生和发展。但是在远古时期,黄土高原大部分地面有茂密的林草覆盖,水土流失轻微,处于自然侵蚀状态。黄土高原从自然侵蚀发展为加速侵蚀,主要是近3 000年来人类经济活动破坏了林草植被造成的。在诸多的人类经济活动中,破坏最剧烈而影响最深远的是毁林毁草作燃料和陡坡垦种。目前一些水土保持工作薄弱地区这种现象还依然存在。

构建黄土高原新的理论体系必须明确影响水土流失因素中起支配作用的因素。暴雨径流是黄土高原水土流失最重要的动力条件。据统计[1],山西平均年暴雨5~6次,陕西8~9次,夏秋降水多以暴雨形式出现,雨量和强度均比较大,有的几场暴雨或一场暴雨的雨量相当于多年平均值的数倍。暴雨多、强度大的这种气候极易产生水土流失。如1967年7月4~8日延安发生罕见暴雨,暴雨历时约20h,降雨量215mm,造成的侵蚀量平均达到5 988.4 t/(km^2·a);安塞县云召山1977年7月5~6日降暴雨143.5mm,暴雨侵蚀模数达到28 500t/(km^2·a)，是该流域多年平均侵蚀模数的1.94倍。在暴雨条件下，大量的表土在降雨径流的强烈侵蚀下，汇至江河，造成黄河及其支流含沙量大，洪峰高，河道淤积严重，防洪形式严峻。

黄土高原水土保持在解决水土流失问题时，必须同步解决干旱与水土流失的矛盾。干旱缺水、植被稀少、土质疏松为水土流失准备了丰富的物质。该区长期干旱缺水，降水偏少，全年降水量在200～600mm之间，全区平均年降水量为429mm，且60%～70%集中在7、8、9三个月，年季分布不均，由东南向西北递减，水资源十分紧张。西北黄土高原(包括河套)土地面积占全国的6.9%，耕地面积占全国的12.2%，而水量仅占全国的1.8%。干旱和地表水的短缺加剧了对地下水的过度开采，如陕西关中地下水超采面积达2 590km^2；甘肃民勤盆地地下水位已由20世纪50年代的1～3m降到现在的13m以下。地下水位下降导致了地表植被衰亡，据1991年统计，甘肃民勤县70年代营造的1.73万hm^{2}沙枣林，已有6 500hm^{2}成片死亡，5 800hm^{2}衰败；天然灌木林由7.24万hm^{2}减少到2.37万hm^2；人造灌木林有近1/3死亡。

解决黄土高原干旱与水土流失并存的矛盾必须对黄土的各种特性进行了解。黄土颜色棕黄，性质疏松，质地较为均匀，多属粉沙壤土至粉沙黏土，是多柱状且具“点棱接触支架式多空结构[2]”，易遭冲刷，抗蚀、抗旱能力低，这为流体侵蚀创造了很好的条件。黄土是经风吹移堆积的，颗粒多集中为不粗不细的粉沙粒(粒径为0.05～0.002mm)，含量超过60%，砂粒和黏粒的含量都很少。同时土壤经过耕垦和流失，有机质含量低。土壤中颗粒的胶结主要是靠碳酸钙的作用，有机质和黏粒的胶结作用很小。碳酸钙是可被慢慢溶解的，同时水又容易渗进碳酸钙和土粒的接触界面，所以土壤很容易在水中碎裂和崩解，导致严重冲刷。

降雨径流是产生黄土高原土壤流失的主要动力之一，径流本身也是流失的主要对象；同时，水土流失的结果也加剧了区域干旱缺水现象的严峻程度。对于该地区如果能够通过降雨地表径流调控的方法消除水土流失的冲刷作用力，又能采取一定的技术措施对降雨地表径流加以综合利用，则不仅达到了防止土壤流失的目的，又缓解了区域干旱缺水的矛盾，进而有利于生态的恢复。这样则可以达到一举几得的效果，同步实现水土资源的高效、安全利用。

二、新论的本质

调控降雨径流，高效利用水土资源，建立和谐的黄土高原生态环境是黄土高原水土保持最本质的特征。现在社会上人们对水土保持的内涵存有误解，一是认为植树造林就等于水土保持，二是把水土保持综合治理视为拼盘[3]。事实上，水土保持与其他相关学科的最大区别是能够科学调控和合理利用坡面径流，按照径流调控理论，削弱导致水土流失的原动力，在不同降雨条件下，有序地汇集和分散降雨径流，达到控制水土流失、高效利用水土资源、重建和保护生态环境的目的。

黄土高原数千年特别是新中国成立 50 多年来的水土保持实践表明，小流域治理是黄土高原水土流失治理的关键，但任何单一的治理措施或任何单一的水土保持工程，或是杂乱无章的、主观的措施配置，即拼盘式的所谓综合治理，都不能达到真正意义上控制水土流失、高效利用水土资源的目的。这是我国水土保持理论和水土保持综合治理取得的最主要经验，也是黄土高原水土保持新论构建的现实基础。

用调控降雨径流高效利用水土资源理论诠释综合治理措施的内在关系，丰富和完善水土保持的内涵，就能把人们的主观愿望和自然规律融为一体，从而使治理措施的选择和布设由盲目走向科学。水土保持学科有了丰富的实践和坚实的理论基础，就会不断促进水土保持事业的发展。这是构建黄土高原水土保持的内在动力。

从以往水土保持科学技术仅仅重视土壤资源的保护与利用的相对狭隘的学术观点，转变到调控降雨径流、高效利用水土资源[4]、建设和谐的黄土高原生态环境作为水土保持科学技术的出发点和主要目标，就可以围绕该目标构筑新的黄土高原水土保持学科体系。因此，建立和发展以水土资源合理高效利用与生态环境可持续发展为主要目标的新的水土保持科学理论与技术体系，应是目前黄土高原水土保持科学技术自主创新与发展的方向。

区别于传统的以保土为目标的水土保持理念，以调控降雨径流为技术手段，以同步解决黄土高原干旱与水土流失并存的矛盾为研究切入点，以高效利用水土资源，建立和谐生态环境为目标，构成黄土高原水土保持新理论的研究内容。这个基于降雨径流调控的黄土高原水土保持新理论包括四部分内容，即理论基础、调控技术、优化配置及效益评价(见图 2-1)。

首先值得指出的是，黄土高原水土保持新理论是以研究消除降雨径流引起的水土流失为核心的，因此其产汇流规律、降雨径流消蚀机理(也就是降雨径流的阻力规律)、水沙平衡原理构成其理论基础。产汇流规律是研究径流运动的理论基础，阻力规律研究是调控利用降雨径流的应用基础，而水土平衡原理则构成调控降雨径流理论研究目标。

其次，消除降雨径流的侵蚀动力，必须要有相应的调控降雨径流、消除土

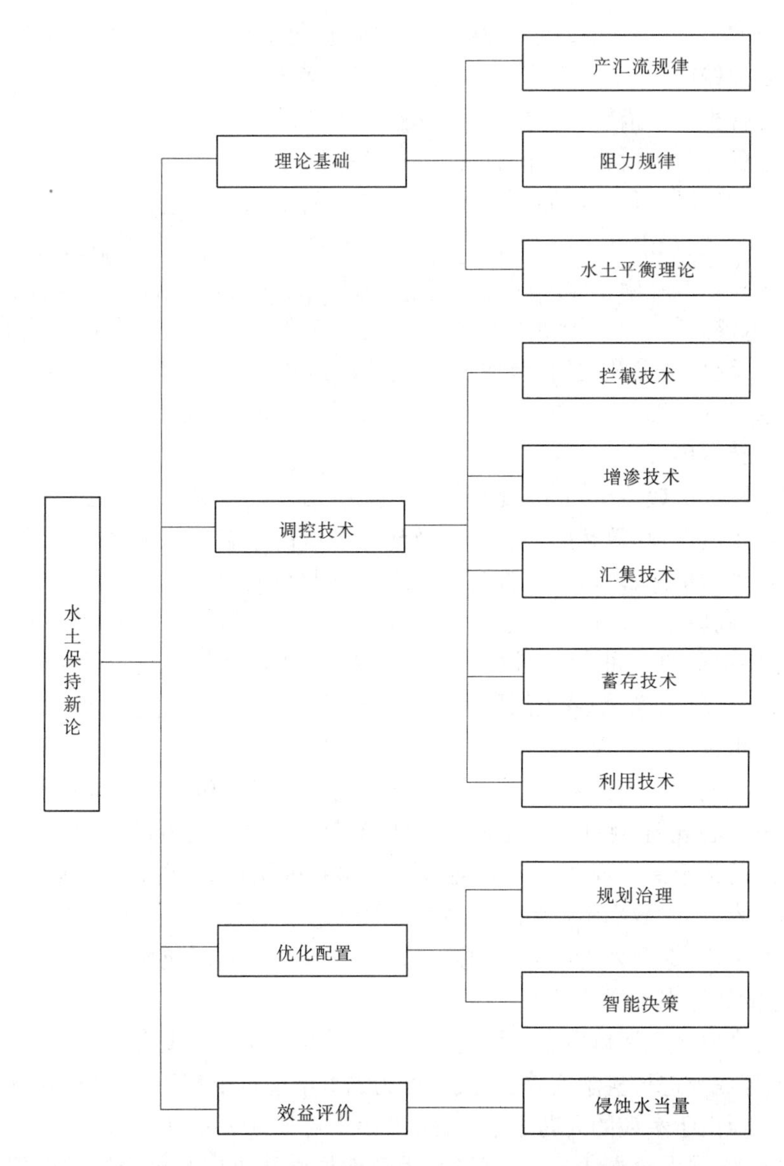

图 2-1　黄土高原水土保持新理论结构框架

壤侵蚀、高效利用水土资源的技术。

根据黄土高原水土保持正反两方面的实践经验，调控技术体系可以分为降雨径流的拦截、入渗、汇集、蓄存及利用技术。拦截，包括通过不同的生物措施和工程措施对降雨、径流的拦截，以便减缓和消除水土流失动力，达到保持水土的目的；入渗，是通过生物措施、工程措施、化学控制措施及农艺措施，减缓土壤表面侵蚀力，增加土壤入渗，提高土壤水库蓄水的能力；雨水汇集技术，是指通过各种工程措施，汇集黄土高原降雨形成的超渗产流技术；蓄存技术，是指通过各种蓄水设施，对降雨径流进行蓄存，以便时空调节和高效利用。利用技术是指通过各种先进的节水技术，对有限的雨水资源进行高效利用。值得指出的是，实践中五大技术常常是通过某种措施，同时综合利用的。例如，林草措施在拦截降雨径流的同时，增加土壤表面阻力，降低地表径流的水流流速，增加入渗，减少土壤侵蚀。再比如，兴建淤地坝工程，即是对降雨径流的拦截、汇集、蓄存、入渗及利用措施的综合利用。虽然如此，仔细分析不同措施的技术要素，降雨径流的拦截、入渗、汇集、蓄存及利用五大技术构成降雨径流的五大调控技术单元。

水土流失造成黄土高原千沟万壑的地貌，治理黄土高原必须以治理千沟万壑的水土流失、高效利用水土资源及建设和谐的生态环境为目标。以小流域综合治理为单元，以地表径流调控与水土资源高效利用为核心进行综合治理，是黄土高原水土保持的一条重要经验。根据小流域不同地貌单元在小流域、区域中担负的不同经济、社会及生态功能，对不同调控降雨径流措施进行合理规划、优化配置，是黄土高原生态环境建设的重要前提条件。实践表明，黄土高原水土保持治理必须重视水土保持规划。黄土高原水土保持规划必须以降雨径流调控为理论基础，水土资源高效利用与生态和谐建设为治理目标。只有通过精心规划，优化配置不同径流调控措施，才能取得好的治理效果。在黄土高原的水土保持规划工作中，必须要以调控降雨径流、高效利用水土资源为重要内容，小流域降雨径流调控数学及物理模拟优化配置不同径流调控措施为重要手段，综合采用遥测、遥感、地理信息等高技术对流域治理进行智能决策，才能做好水土保持规划。

黄土高原水土保持生态环境建设，是一项极其复杂的生态经济工程。因此，对治理成效进行科学的综合评价，可为国家治理黄土高原进行决策提供重要依据。但由于牵涉的问题过于广泛，多年来对如何客观地评价小流域综合治理的成效，在评价方法上，一直没有满意地加以解决。基于径流调控理论，利用调控率[3]及侵蚀水当量的概念，对黄土高原水土保持生态环境建设的治理效应进行探索研究，较好地反映了通过降雨径流调控消除黄土高原降雨径流侵蚀动力，高效利用水土资源的效应。

第二节 动力学概念模型

水土流失与干旱缺水并存是黄土高原区域经济社会发展面临的两大难题。通过降雨径流调控消除水土流失动力,并对径流加以高效利用,同步解决区域所面临的两大难题,是 20 世纪 90 年代中期提出的学术观点。通过十余年研究与实践[3~7],对这一观点有了更加深刻的认识和理解,认为很有必要运用动力学观点对这一问题进行更深入的探讨,以便于更加明晰研究思路与重点。

从动力学观点出发,实施降雨径流调控与利用,有四个环节或过程,即:径流调控消除水土流失动力,径流利用及其利用量,如何规划实施,实施后的环境效应评价。如何调控降雨径流、如何利用、如何实施、如何评价结果,均涉及技术问题,但不在本节讨论之列。本节仅从动力学概念出发,从理性分析入手,论述上述过程应遵循的客观规律,并构建有动力学理念的框架性概念模型。

一、降雨径流调控消蚀机理模型

由于降雨径流产生的水土流失动力即侵蚀力主要为雨滴打击力和水流的冲刷力。降雨径流调控的目的就是为了消除或减少降雨径流对土壤的侵蚀力。如果用 τ_i、τ_c 分别表示不同调控措施调控后的降雨径流侵蚀力及土壤临界侵蚀力,调控降雨径流应当满足的动力条件为:

$$\tau_i \leqslant \tau_c \tag{2-1}$$

从能量角度出发,通过对降雨径流动力进行调控,减少雨滴降落和水流冲刷动能,就能减轻土壤侵蚀,增加土壤入渗,缓解干旱。如果分别用 E、E_i、ΔE 表示降雨径流总能量,通过不同调控措施分别消耗能量及剩余能量,则有如下方程:

能量方程

$$E = \sum_{i=1}^{n} E_i + \Delta E \tag{2-2}$$

连续方程

$$P = \sum_{i=1}^{n} P_i = R + F + V \tag{2-3}$$

式中：P、P_i 分别为降雨量、次降雨量；R、F、V 分别为径流量、入渗量和蒸发量。

方程(2-2)、方程(2-3)表明，通过径流调控，有效增加 E_i，减少侵蚀土壤能量 ΔE，降低土壤侵蚀，实现水土资源高效利用。因此，应结合土壤侵蚀动力学研究，加大降雨地表径流调控与水土资源同步利用机理的研究力度，着重从降雨地表径流与土壤资源的高效利用角度出发，研究降雨地表径流的调控消蚀作用机理，为降雨地表径流调控与水土资源同步高效利用技术的研究及应用提供理论依据。重点研究不同区域降雨地表径流的发生与发展过程、侵蚀力作用机制，在此基础上，进一步研究改变地表下垫面条件后，即不同调控措施下的地表径流的产流、产沙、汇流、入渗特征等，并进而探讨如何同步实现水土资源高效安全利用的机理与理论依据。

二、降雨径流调控利用潜力模型

降雨径流调控利用潜力大小关系径流调控及水土资源高效利用的效益。不同的降雨径流调控措施，在不同区域对降雨径流进行调控的作用不同，其降雨径流调控利用量服从下述方程：

$$W = W_S + W_R + W_P + W_e \tag{2-4}$$

$$W_S = \int_0^t w_s(t) \cdot \mathrm{d}t \tag{2-5}$$

$$W_R = \int_0^t w_r(t) \cdot \mathrm{d}t \tag{2-6}$$

$$W_P = \int_0^t w_p(t) \cdot \mathrm{d}t \tag{2-7}$$

式中：W 为降雨的总量；W_S 为土壤蓄水量；$w_s(t)$为土壤蓄水量函数；W_R 为径流蓄量；$w_r(t)$为径流蓄量函数；W_P 为工程蓄水量；$w_p(t)$为工程蓄水量函数；W_e 为损失量。

方程(2-4)、方程(2-5)、方程(2-6)及方程(2-7)表明，基于水土资源高效利用的目标不同，可以通过地表径流调控的手段，增加土壤蓄水、径流蓄水、工程蓄水，减少损失量，缓解干旱缺水与水土流失的矛盾。因而，应从降雨地表径流的高效、合理与完全利用角度出发，研究区域可能利用的降雨量，并将其作为降雨地表径流调控与利用的潜力。研究降雨地表径流调控与利用潜力理论，其主要目的在于有计划、有目标地科学合理调控降雨地表径流，做到水土资源安全、合理与有效利用，并为进一步同步实现水土资源高效利用提供理论基础。这也是水土保持科学技术研究中的一个重要内容。研究的内容宜从潜力的基本概念、理论、计算方法与模型、系统计算软件等多方面统筹考虑，并特别注意高新技术在研究中的应用。

三、基于降雨径流调控理论的水土保持规划模型

以往的水土保持规划，一般都不提规划的理论依据，只提规划的指导思想。实际上，理论依据是水土保持规划十分重要的问题。当编制规划有明确的理论依据时，规划的指导思想、目的、防治途径及其具体措施的优化配置等方面才清楚无误，规划成果才会反映客观实际，才有新意，才易于被参与治理者接受。

黄土高原水土保持规划的最主要的目的应当是，通过一系列径流调控措施，调控降雨径流，有效解决干旱与水土流失，合理高效利用水土资源，改善生态环境，为实现可持续发展服务。降雨径流调控的本质是，积极利用地形地貌及水土资源环境，通过合理调控，消除降雨径流动力危害，高效利用水土资源。这为水土保持的指导思想、原则、目的、选择防治途径、措施配置及规划合理性检验指明了方向。

如果以地表径流调控及水土资源高效利用为水土保持规划的主要目标，应有以下目标及约束方程：

目标方程

$$W_{u\max} = w_s(x_i) \tag{2-8}$$

$$G_{s\min} = g_s(x_i) \tag{2-9}$$

约束方程，除方程(2-1)、方程(2-2)、方程(2-3)外，还应符合

$$W_{u\max} \leqslant P \tag{2-10}$$

上述方程中，$W_{u\max}$、$w_s(x_i)$分别为降雨径流的最大利用量和不同径流调控措施的径流利用函数；$G_{s\min}$、$g_s(x_i)$分别为不同径流调控措施下的最小产沙量及产沙量函数。

通过联解上述方程，可对各种措施的优化配置进行研究，达到调控径流、高效利用水土资源的目的。值得研究的是，不同调控措施的径流调控函数$w_s(x_i)$、产沙量函数$g_s(x_i)$的形式如何确定及效果验证。

以往水土保持规划出现失误的一个重要原因是无法对规划的各种水土保持治理措施进行及时有效的检验。即使利用一些所谓的数学模型检验，也存

在着数学模型的验证问题。事实上由于问题的复杂性,根据其他地区建立的模型,不经过验证就在所规划地区进行应用往往是无法达到满意结果的。新近,以降雨地表径流调控理论为基础建立的物理模拟试验技术,为黄土高原水土保持规划设计提供了一种新的验证手段。

四、降雨径流资源化环境效应

通过不同的径流调控措施对降雨径流进行调控,必然会对研究区域内外生态环境产生影响。径流调控的目标是在高效利用降雨径流的同时,改善生态环境,且对区域外环境效应达到最小。要满足上述要求,本流域对维持相邻地区的环境影响量的多年平均应为常数。比如一个小流域在大的流域中必然担负一定的生态功能,从这个角度出发,为维持下一级流域的生态用水,该小流域在保证本流域生态用水的前提下,应当担负为下一级流域供水的任务。从降雨径流调控的角度出发,调控降雨径流的时空分布(如削减洪峰,改季节河流为常年河流等)的结果应当保证该小流域对下一流域有一定的贡献量,即向下一级流域供应的流量应满足:

$$Q(t) > 0 \tag{2-11}$$

式中:$Q(t)$为流量;t 为时间。

对生态修复的影响应保证引起侵蚀破坏的各种力的合力[8~13]在研究区域为零,即有:

$$\sum_{i=1}^{n} F_i = 0 \tag{2-12}$$

式中:F_i 为研究区域各种侵蚀力的合力。

对于水土流失地区,在长年径流作用下,土壤流失量应为最小,即应有:

$$W_{smin} = \min W_S(R) \tag{2-13}$$

降雨利用率应为最大,即应有:

$$\eta = \max W(p_i) \tag{2-14}$$

只有通过地表径流调控措施和技术,且满足上述生态约束条件,才能真正实现降雨地表径流调控与水土资源同步安全高效利用,才能确保区域生态环境的良性循环与可持续发展。

基于上述降雨径流调控的黄土高原水土保持概念模型的研究分析,可得如下结论:

(1)调控降雨径流,实现水土资源高效利用,同步解决黄土高原水土流失与干旱并存这一矛盾,是有理论基础的。

(2)降雨径流调控消蚀机理、利用潜力、基于降雨径流调控理论的水土保持规划、降雨径流资源化环境效应等四个方面的概念模型,不但是调控降雨径流、高效利用水土资源的理论依据,同时为治理实践指明了方向。

第三节 技术体系

21 世纪黄土高原水土保持科学技术创新与发展的主要标志之一,就是要跳出以往水土保持科学技术仅仅重视土壤资源保护与利用的相对狭隘的学术观点,将水土资源的有效保护与高效利用作为黄土高原水土保持科学技术的研究核心,并围绕上述目标构筑新的水土保持学科体系。因此,建立和发展以水土资源合理高效利用与生态环境可持续发展为核心的新的水土保持科学理论与技术体系,应是 21 世纪中国水土保持科学技术研究与发展的重要任务。

黄土高原水土保持科学技术体系经过近一个世纪的研究与发展,已经初步形成了自己的基本框架结构,但从现代水土保持科学技术的发展,以及水土保持生态环境工程建设角度考虑,这一基本框架结构仍需要进一步丰富与完善。无论从以往的研究思路、技术开发与应用角度去考虑,还是从黄土高原水土保持复杂性及新近的实践来看,我们均迫切需要建立和完善现代中国水土保持科学技术体系的框架结构。因此认为,在构筑这一技术体系框架结构时应首先确立水土保持科学技术应该以水土资源的高效、合理及安全利用为目标,以降雨地表径流的调控或土壤侵蚀动力控制与水土资源安全高效利用为研究主线,从水土保持科学的理论基础、水土保持的主要技术与措施、水土保持的区域规划、水土保持工程设计、水土保持环境效应,以及水土保持科学管理诸方面去进行研究与思考。

就黄土高原水土保持技术体系而言,由于降雨地表径流是产生黄土高原土壤流失的主要动力,径流本身也是流失的主要对象之一;同时,水土流失的结果也加剧了区域干旱缺水现象的严峻程度。对于该地区,如果我们能够通过降雨地表径流调控的方法消除水土流失的冲刷作用力,又能采取一定的技术或措施对降雨地表径流加以综合利用,则不仅达到了防止土壤流失的目的,又缓解了区域干旱缺水的矛盾,则可以达到一举双得的效果,同步实现水土资源高效、安全利用。因此,创新和发展降雨地表径流调控理论,丰富和完善降雨地表径流调控与水土资源同步高效、安全利用技术体系,已经成为黄土高原水土保持技术创新与发展的重要内容之一。

因此,黄土高原的径流调控体系,应当是按照水土保持学、水力学、水文学和系统工程学等原理，利用降水径流的可贮性、可移动性、可抑蒸性和时空上的可再分配性，把各项径流调控工程和径流利用技术进行优化组装，以降雨径流为主要水资源，拦截与增渗结合、集流与存贮用结合，具有集水、贮水、供水、节水及高效利用功能的系统。

21 世纪的黄土高原水土保持技术体系，还应当是能够有效地降低暴雨径流侵蚀、高效利用水土资源、人与自然环境和谐相处的体系。这个体系具备运用一系列生物、工程、农艺、化学控制措施，对暴雨径流采取动力拦截、强化入渗、径流汇集、径流蓄存、径流利用，即对降雨径流采用“截、渗、集、蓄、用”的方式，改变降雨、坡面径流的运行过程，削弱其速度，降低其侵蚀力，从而减轻水土流失，同时又可以对雨水在时空上进行有限的人工调节，使宝贵的降水资源得到充分合理和有效的开发利用功能，该系统在干旱地区可弥补降水资源的短缺，可作为干旱半干旱地区解决水资源贫乏的主要途径，又是改善水资源环境、保护、利用水资源的基础工程。其技术体系框架如图 2-2 所示。

动力拦截技术，就是通过生物截雨降蚀，工程截流增渗降蚀、农艺截流增渗降蚀等措施，减少降雨击溅动能，降低径流侵蚀流速，从而为增加土壤入渗降低土壤侵蚀打下基础；强化入渗则是通过化学、工程、林草及农艺等增渗技术，强化土壤入渗，充分发挥黄土高原土壤水库巨大的蓄水功能；径流汇集则是通过强化增流和强化入渗技术，收集降雨径流，为调控降雨径流时空分布打下基础；径流蓄存技术则是通过微型蓄水工程、旱地蓄水技术、微型水库及水库蓄水工程，调节径流资源的时空分布为高效利用径流资源打下基础；径流利用技术包括水质净化后的雨水资源的生活、生产等各种高效节水利用技术。

值得指出的是，在水土保持实践中，一定要根据径流调控与水土资源高效利用原理，通过物理、数学的方法，对小流域或区域治理进行优化。因为“截、渗、集、蓄、用”的各种径流调控工程的具体措施很多，各种措施在这个地方适用，在别的地方未必适用。就一个具体流域的径流调控体系的组成，应坚持因地制宜、局部服从全局的原则，本着减少水土流失、高效利用水土资源的原则，把降雨径流通过截流、增渗、收集、存贮、利用等措施，分散拦蓄，综合利用。

径流调控工程，是在我国黄土高原山区和丘陵地区及其他干旱半干旱水土流失地区，拦蓄径流、涵养水源、调节用水、保持水土、变害为利、改善和保护水资源、促进农、林、牧业生产和经济持续发展的重要生态工程。建设一个多层次、全方位、多功能、高效益的径流调控体系，充分利用径流资源，对其进行高效、集约、持续利用，不但为减少水土流失、缓解水资源紧缺提供了有效的解

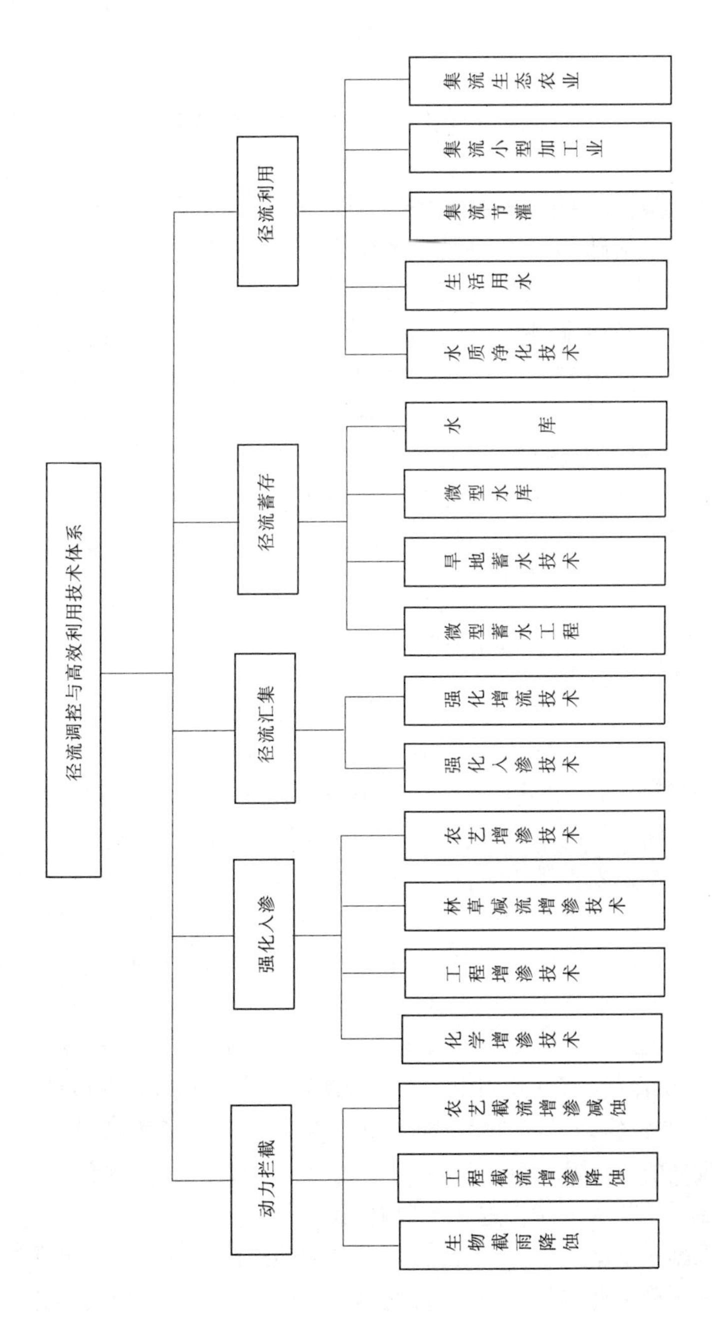

图 2-2　径流调控体系框架图

决途径,同时为山丘区和干旱半干旱地区的小流域经济、水土保持产业化的可持续性发展,拓宽了更为广阔的前景。

第四节　侵蚀水当量

基于黄土高原降雨径流调控与水土资源高效持续利用的水土保持,既有坚实的理论基础,又有完备的技术体系,在实践中也取得了不同程度的成功。然而,黄土高原水土保持生态环境建设是一项极其复杂的生态建设工程,实践中如何对降雨径流调控与水土资源持续利用的治理成效进行科学的评价,以便为进一步治理决策提供依据,就是一个亟待解决的重要问题。但由于牵涉的问题过于广泛,多年来对如何客观地评价小流域综合治理的成效,在评价方法上,一直没有得到满意的解决。基于径流调控理论,采用侵蚀水当量的概念,对黄土高原水土保持生态环境建设的治理成效进行探索研究,较好地反映了通过降雨径流调控消除黄土高原降雨径流侵蚀动力、高效利用水土资源的效应。

一、构建评价指标的思路

水土保持的科学内涵在于实现水土资源的有效保育和持续高效利用。大量科学研究发现,水土流失严重区域多发生在半干旱地区。干旱地区降雨量偏少,多年平均降水量基本在250mm或200mm以下,缺乏通过降雨径流产生水土流失的诱发因子和外在动力条件;而湿润地区尽管降水量较多,具备产生水土流失的诱发性动力条件,但由于其植被覆盖度大,具有良好的涵养水源与调节降雨产生径流的能力,一般不易形成大的、较强烈的径流冲刷,因而亦难以产生强烈的水土流失。这样,水土流失与干旱缺水成了孪生姐妹。水土流失严重区域位于半干旱缺水地区。

水土流失与干旱缺水形成了一对矛盾,一方面由于干旱缺水制约区域经济的发展,而另一方面,则由于水土流失致使大量降水资源以坡面径流方式白白流失,难以实现全部降水就地拦蓄入渗。这一对矛盾已成为半干旱地区可持续发展的"瓶颈",尤以我国黄土高原地区为甚。新的评价指标应该反映黄土高原干旱与水土流失这一典型地域特征。

根据土壤结构研究发现,黄土是典型的点棱接触支架式多孔结构[2],具有较大的不稳定性,遇水极易失稳崩解。这种点棱接触支架式多孔三相土体,受到降雨所产生的地表径流冲刷,极易发生土壤侵蚀,亦即我们经常所说的水土流失。正是这一内因，使得黄土本身具有典型的微弱土壤抗冲性，这一点已被众多学者研究所证实[14~19]。这也正是朱显谟院士在研究黄土区土壤侵蚀规律时，极力倡导将土壤抗蚀性与土壤抗冲性加以区分，并应着重研究黄土区土壤抗冲性，以示充分体现黄土区土壤侵蚀之实质，走自主创新之路，而不应盲目跟踪模仿苏美土壤侵蚀研究之根源所在。

在实地观测及大量野外研究结果中，我们亦可进一步发现黄土区土壤侵蚀主要是由少数几场大的暴雨所引起，一般在汛期，其侵蚀产沙量占全年侵蚀产沙量的60%～80%，甚至更高。这一方面与黄土高原短历时、高强度的降雨水文特征有关，这种暴雨方式，易产生较强的超渗地表径流，形成较大的坡面地表径流冲刷力，导致强烈的水土流失。但也与黄土本身的结构特征有着密切的关系，这正是造成黄土区土壤侵蚀与水土流失严重的根本原因。

从外动力角度分析，黄土区强烈的水土流失，很显然是由降雨所产生的地表径流诱发的径流冲刷力所致。这种动力作用过程，不仅侵蚀冲刷了肥沃的表层土壤，而且使得本身就缺水的区域以地表径流方式消耗掉宝贵的水资源，使得区域旱情更为严重。这正是黄土区土壤侵蚀与水土流失的基本特征。

基于上述多年研究黄土高原土壤侵蚀与水土保持的经验及其探索，在20世纪90年代中期，我们就提出降雨径流调控与高效利用的理念与方法，即通过采取多种方式对降雨形成的地表径流进行调节与控制，达到消除产生土壤侵蚀与水土流失动力的目的，实现水土流失的有效防治；并通过对已调控的径流采取有效合理利用的方法与技术，达到缓解干旱缺水的目的，最终实现同步解决上述两大难题的目标。

基于上述思想，我们初步构建了动力拦截（消除降雨动力）、强化就地入渗（减少径流）、径流汇集（控制径流）、径流蓄集（对降雨径流时空分配进行调节），以及径流利用（缓解干旱缺水）为核心的五大技术，如图2-3所示。新的评价指标应能反映上述理论与技术特征。

二、侵蚀水当量及其计算方法

（一）绝对侵蚀水当量

对于一特定区域或流域，降雨径流调控减少水土流失、缓解干旱缺水的效应，表现在流域降水径流资源的保有量与侵蚀产沙量发生变化。采用二者的比值即侵蚀水当量指标，来表示给定流域的降雨径流调控效果。如下式：

$$E_R = \frac{\Delta P}{S} \tag{2-15}$$

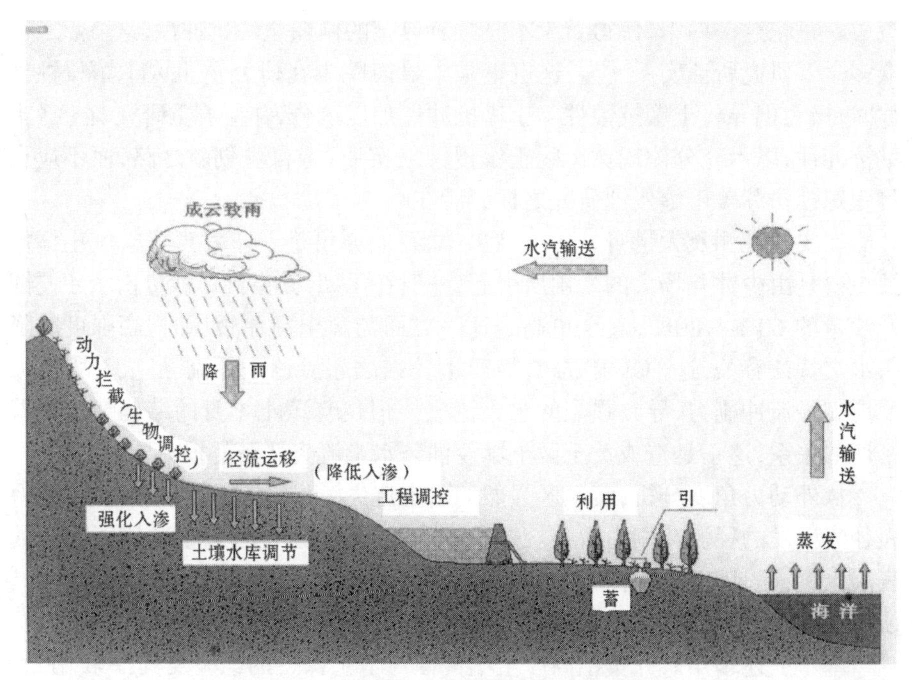

图 2-3　降雨径流调控技术体系示意图

式中：E_R 为侵蚀水当量，m^3/t；ΔP 为流域降雨资源量保有值，m^3；S 为流域侵蚀产沙量，t。

ΔP 可用下式计算：

$$\Delta P = \frac{1}{1\ 000}\sum_{i=1}^{n}\bar{i}t_iA - \sum_{i=1}^{n}R_i \tag{2-16}$$

式中：$\bar{i}$ 为流域内 t 时段降雨平均雨强，mm/min；t_i 为 i 时段降雨历时，min；R_i 为 i 时段降雨所产生的径流总量，m^3；A 为流域面积，m^2。

S 用下式计算：

$$S = \frac{1}{1\ 000}\sum_{i=1}^{n}\overline{S}_iR_i \tag{2-17}$$

式中：$\overline{S}_i$ 为 i 时段径流泥沙平均含量，kg/m^3；R_i 为 i 时段径流量，m^3。

侵蚀水当量 E_R 的物理意义为单位侵蚀产沙量所诱发的流域降水资源保有量，是指经过降雨径流调控以后，所产生的单位侵蚀产沙量对流域所拥有的降水资源量的调控值。

ΔP 实际是指实施调控后流域内所贮存的降水资源总量，而 S 则为其总产沙量。为便于研究,考虑到 ΔP 是指流域内实际贮存的降水资源总量,我们将其称为绝对侵蚀水当量。

(二)相对侵蚀水当量

为了更进一步研究降雨径流调控的效果,对于有对照流域,引入一个相对侵蚀水当量概念。可用下式表示:

$$E'_R = \left| \frac{\Delta P'_1 - \Delta P'_2}{S'_1 \quad S'_2} \right| \tag{2-18}$$

式中:E'_R 为相对侵蚀水当量,m^3/t;S'_1 为对照状况即未实施调控前,流域侵蚀产沙量,t;S'_2 为进行调控后流域侵蚀产沙量,t;$\Delta P'_1$ 为对照状况即未实施调控前,流域内降雨资源保有值,m^3;$\Delta P'_2$ 为调控后流域内降雨资源的保有值,m^3。

$$\Delta P'_1 = \frac{1}{1\ 000}\sum_{i=1}^{n} \bar{i}\ t_i A - \sum_{i=1}^{n} R_{1i} \tag{2-19}$$

式中:$\bar{i}$ 为流域内 i 时段平均雨强,mm/min; t_i 为 i 时段降雨历时,min;A 为流域面积,m^2;R_{1i} 为调控前 i 时段流域所产生的径流量,m^3。

$$\Delta P'_2 = \frac{1}{1\ 000}\sum_{i=1}^{n} \bar{i}\ t_i A - \sum_{i=1}^{n} R_{2i} \tag{2-20}$$

式中与上述公式符号相同的意义同前,因为是同一研究流域,故 $\bar{i}$、t_i、A 均相同;R_{2i} 为调控后 i 时段流域所产生的径流量,m^3。

同理:

$$S'_1 = \frac{1}{1\ 000}\sum_{i=1}^{n} S'_{i1} R_{1i} \tag{2-21}$$

$$S'_2 = \frac{1}{1\ 000}\sum_{i=1}^{n} S'_{i2} R_{2i} \tag{2-22}$$

式中:S'_{i1}、S'_{i2} 为调控前、后 i 时段流域径流平均含沙量,kg/m^3。

E'_R 的物理意义则为单位侵蚀产沙量所诱发的流域降水资源相对保有量。

如将式(2-19)、式(2-20)代入式(2-18),则有:

$$E'_R = \left| \frac{\sum_{i=1}^{n} P_{2i} - \sum_{i=1}^{n} P_{1i}}{S'_1 - S'_2} \right| \tag{2-23}$$

令

$$\sum_{i=1}^{n} P_{2i} - \sum_{i=1}^{n} P_{1i} = \Delta P'$$

$$S'_1 - S'_2 = \Delta S'$$

则式(2-23)变为：

$$E'_R = \left|\frac{\Delta P'}{\Delta S'}\right| \tag{2-24}$$

考察式(2-24)，我们可以发现，$\Delta P'$实际上是调控后流域内降雨径流的贮存增量，而$\Delta S'$实际上是调控后流域内侵蚀产沙的减少量。从这个意义上理解，E'_R实际上就是实施调控后流域拦截单位泥沙所减少的降雨地表径流量。通俗理解就是拦截单位泥沙所需要消耗的流域出口断面处的径流量。这亦可以从另一方面理解降雨径流调控的水沙关系，也正是我们称其为相对侵蚀水当量的原因。

(三)侵蚀水当量指标的作用

绝对侵蚀水当量和相对侵蚀水当量指标都可较好地反映降雨径流调控效果。对于绝对侵蚀水当量，如以流域为对象，它实际上反映流域经过调控后所保有的降水资源量与流域侵蚀产沙量比值。前者为流域调控后拥有的水资源量，即降水资源量减去流出流域的总径流量；后者则为调控后流出流域出口的总泥沙量。很显然，E_R越大，说明该流域贮水量较多，即拥有水资源量较多，而产沙量越少；反之，则说明贮水量较少，而产沙量较多。对于前者，说明调控效果较好，治理度较高，后者则反之。

这样我们不仅可以利用E_R表述降雨径流调控效果，还可以用它来衡量水土保持治理效果，用E_R一个指标即可对其流域治理效果进行评价，E_R大者，则治理效果好，E_R小者，则治理效果差。还可进一步依据各个流域自然状况，分别制定不同流域达标E_R，将它作为一个治理标准指标，就形成了一个标准指标体系。以后对于流域治理验收时，其治理度、水土保持减沙效益、侵蚀产沙状况，甚至流域内雨水资源利用状况，均可用这一指标进行衡量。这样，可以大大减少工作量，而提高工作效率。

对于相对侵蚀水当量，如以流域为研究对象，可以起到与绝对侵蚀水当量相同效果，还可用来对其调控前后效果做定量比较，特别是可以计算人们常常忽视掉的，且非常有价值的拦截单位泥沙量，所需要减少的地表径流量，亦就是我们常说的拦截单位侵蚀产沙量，到底需要消耗多少径流量。

三、实例分析

以黄土高原多沙粗沙区的8个重要支流为例，对其实施调控前后流域的绝对侵蚀水当量进行定量分析，表2-1列出了8个重要支流不同阶段的降雨

表 2-1　不同流域降雨径流及其泥沙统计

流域名称	统计年份	年均降雨量（mm）	集水面积（km^2）	径流量（亿 m^3）	泥沙量（万 t）
偏关河	1956～1969	475.3	1 915	0.647	1 950.08
	1970～1979	409.2	1 915	0.371 9	1 265.6
	1980～1989	402.1	1 915	0.215 9	701
延河	1956～1969	565.21	5 891	2.385 6	5 942.38
	1970～1979	480.86	5 891	2.062 2	4 682
	1980～1989	508.05	5 891	2.081 3	3 192
秃尾河	1956～1969	470.26	3 253	4.300 8	3 017
	1970～1979	381.85	3 253	3.826 3	2 975
	1980～1989	361.60	3 253	3.027 8	997
皇甫川	1956～1969	470.92	3 199	2.072	6 079
	1970～1979	421.48	3 199	1.757 7	6 243
	1980～1989	395.55	3 199	1.271 6	4 283
湫水河	1956～1969	493.65	1 873	1.170 2	2 889.27
	1970～1979	432.27	1 873	0.831 8	2 290.4
	1980～1989	422.58	1 873	0.521 6	931.3
佳芦河	1956～1969	482.39	1 121	0.995 3	3 016.6
	1970～1979	371.91	1 121	0.77	1 806.3
	1980～1989	382.03	1 121	0.462 2	460
窟野河	1956～1969	465.41	8 645	7.804 3	13 179.1
	1970～1979	434.35	8 645	7.022 5	11 394
	1980～1989	382.9	8 645	5.024	6 706
清涧河	1956～1969	534.1	3 468	1.549 2	4 730.08
	1970～1979	448.74	3 468	1.503 2	4 269
	1980～1989	469.3	3 468	1.167 4	1 448.5

径流以及泥沙情况。利用式(2-15)～式(2-17)分别求出上述流域绝对侵蚀水当量,并将其列成图 2-4。从图 2-4 可以看出,经过降雨径流调控与综合治理后,上述流域绝对侵蚀水当量 E_R 均有不同程度的增加,说明经治理后的流域与治理前相比,其贮水量较多,即拥有水资源量较多,产沙量较少,调控效果和治理度都有一定的提高。但对于不同流域由于调控效果与治理程度不同,导致其绝对侵蚀水当量具有一定差别。如偏关河、延河、秃尾河、湫水河、佳芦河

和清涧河流域绝对侵蚀水当量 E_R 增加幅度较大，调控效果与综合治理程度较高；而窟野河和皇甫川流域 E_R 增加幅度较小，调控效果与综合治理程度较差。

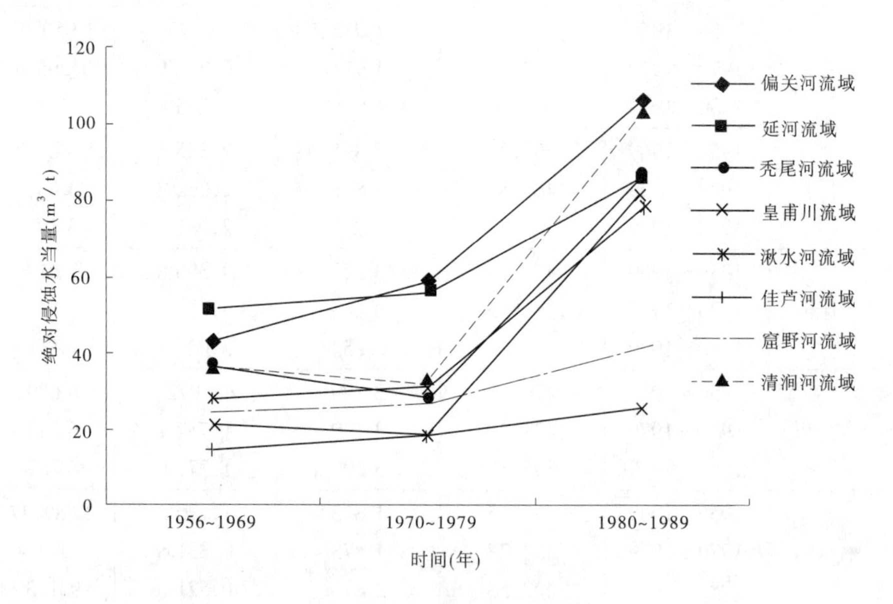

图 2-4　不同流域在不同治理阶段的绝对侵蚀水当量

同样以上述 8 个重要支流为例，以 1956～1969 年作为实施调控前的对照，对其实施调控前后流域的相对侵蚀水当量进行定量分析。利用式(2-18)～式(2-24)分别求出不同调控阶段流域的相对侵蚀水当量，并将其列成图2-5。从图 2-5 中可以看出，经过调控与综合治理后，上述流域的相对侵蚀水当量均有不同程度的变化。治理阶段不同，相对侵蚀水当量不同，70 年代与 80 年代相比较，秃尾河、清涧河、皇甫川流域变化最为突出，偏关河、延河、湫水河流域变化次之，佳芦河、窟野河流域变化最小。

基于以上分析，可以认为：①降雨径流调控与高效利用是同步解决黄土高原半干旱地区干旱缺水与水土流失两大难题的一种可行思路与方法，值得深入研究；②降雨径流调控效果评价是该方向研究的重要课题，所提侵蚀水当量指标有一定的科学性和实用性，不仅可作为评价降雨径流调控效果的有效指标，而且还可作为流域水土保持与生态建设效果评价的一个综合性指标；③建议依据各流域自然条件，对黄土高原侵蚀水当量进行进一步探讨，建立侵蚀水当量标准，以期作为治理与建设的指导与验收参数。

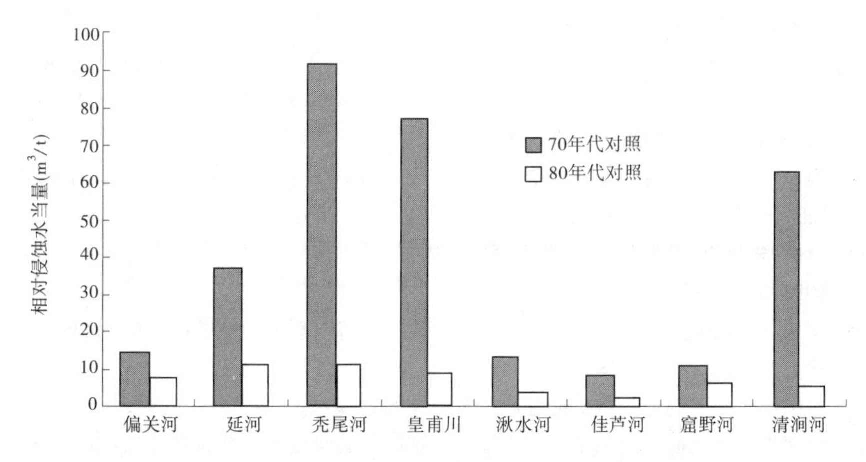

图 2-5　不同流域在不同治理阶段的相对侵蚀水当量

参 考 文 献

[1] 白志礼,穆养民,李兴鑫．黄土高原生态环境的特征与建设对策．西北农业学报,2003(3)

[2] 朱显谟．黄土—土壤结构剖面构型的形成及重要意义．水土保持学报,1994,8(2):1～9

[3] 高建恩．地表径流调控与模拟试验研究．中国科学院研究生院博士学位论文,2005:70～79

[4] 郭廷辅,段巧甫.径流调控理论是水土保持的精髓.中国水土保持,2001(11)

[5] 吴普特,汪有科,冯浩.21 世纪中国水土保持科学的创新与发展.中国水土保持科学,2003,1(2)

[6] 高建恩、吴普特,等.黄土高原小流域水力侵蚀模拟试验设计与验证.农业工程学报,2005,21(8)

[7] 高建恩,杨世伟,等．水力侵蚀调控物理模拟试验相似律的初步确定．农业工程学报,2006,22(1)

[8] 王兆印,等.植被—侵蚀动力学的初步探索和应用.中国科学(D 辑),2003,33(10)

[9] Lal Global erosion by water and crbon dynamics. In: Lai R. Kimble J M. Levine E. et .eds."Soils and Global Change",Boca Raton.CRC/Lewis Publishers.FL.1995.131～141

[10] Lal. Kimble J. M. Soil Conservation for Mitigating the Greenhouse Effect. In Blume H P. Eger H. P. Eger H. Fleischhauer E, er al. eds."Towards Sustainable Land Use". Germany , Carena Verlag GMBH. 1998. 185～192

[11] Svirezhev Y M. Simplest dynamic model of the global vegetation pattern. Ecological mod-

elling, 1999,124:131～144

[12] Maley J. Brenac P. Vegetation dynamices, palaeoenvironmerts and climatic changes in the forsts of western Cameroon during the last 28 000 years BP. Review of Palaeobotany and Palynology, 1998,99:157～187

[13] Thornes J B. Environmental systems-patttens, processes and evolution. In:Gregory K J. Eds. Horizon in Physical Geography. Macmillan, 1985. 26～27

[14] 李勇,朱显谟,田积莹,等．黄土高原土壤抗冲性机理初步研究．科学通报,1990,35(05):390～393

[15] 李勇,朱显谟, 田积莹．黄土高原植物根系提高土壤抗冲性的有效性．科学通报,1991,36(12):935～938

[16] 刘国彬．黄土高原土壤抗冲性研究及有关问题．水土保持研究,1997,4(5):91～98

[17] 蒋定生．黄土区不同利用类型土壤抗冲刷能力的研究．土壤通报,1979(04):20～23

[18] 吴普特．黄土区土壤抗冲性研究进展及亟待解决的若干问题．水土保持研究,1997,4(5):59～65

[19] 周佩华,郑世清,吴普特,等．黄土高原土壤抗冲性的试验研究．水土保持研究,1997,4(5):47～58

[20] 王万忠,焦菊英.黄土高原水土保持减沙效益预测.郑州:黄河水利出版社,2002

第三章　方法与手段

地表径流调控研究的方法与手段,指通过试验观测、过程模拟来研究径流调控过程、机理。值得指出的是,降雨径流资料的获得是研究径流调控的基础,因此观测方法在研究径流调控中占有重要地位。为了有效获取坡面土壤侵蚀及沟道径流、泥沙输移等资料,通常采用下述几种观测方法对降雨、径流、侵蚀进行观测。

(1)在降雨方面,主要观测研究天然降雨特别是暴雨侵蚀力以及人工降雨对天然降雨的模拟,以便研究暴雨对裸露地表的侵蚀作用,以及防止雨滴溅蚀的措施。主要方法有[1~2]:①间接求算法,用滤纸色斑或面粉球法先测定雨滴的直径和雨滴的密度,计算雨滴末速度和功能,求算降雨的侵蚀力。②埃利森金属圆筒法,取直径为77mm、高50mm的金属圆筒,筒底部焊接一个金属网,在网上放一薄层棉花,棉花上放沙或土壤,然后置于浅水中,使土样保持近于饱和含水量,降雨前后重量的差值即为溅蚀量。③弗里观测法,观测盘长100cm、宽30cm、高10cm,放在1:20的斜坡上,盘中放满过筛的黏壤土,保持一定的湿度,降雨后,将从盘中溅出的土粒收集在盘下的槽中,以此求算土壤流失量与降雨侵蚀力的关系式。④野外对比观测法,在坡面上选取自然因子一致的长4.4m、宽1.5m的两个小区,在一个小区上覆盖纱布,以消除降雨动能;另一个小区土壤裸露,直接受雨滴击溅,观测对比两者的降雨侵蚀作用与土壤流失量。⑤人工降雨模拟法,为了在较短时期内模拟天然降雨试验,以便控制降雨量、强度、水土保持措施、坡度、坡长及土壤物理化学性质等因素,研究降雨对土壤侵蚀的影响,通常采用人工降雨方法模拟天然降雨,主要研究人工降雨与天然降雨的特征相似。

(2)在径流研究观测方面,主要的方法有两种。一种方法是径流小区观测法,主要是通过建立径流小区,观测坡地上的径流及土壤流失量,以研究水土流失影响因素及水土保持措施调控降雨径流及减水、减沙的作用;另一种方法是水文法,即通过对干、支沟断面径流泥沙观测,研究小流域泥沙来源部位、径流、泥沙年内和年际变化、水沙变化趋势等。

(3)在侵蚀地貌观测及侵蚀量观测方面,常用的方法有几种。

其一是微地形水准测量法,分为间接测量法和直接测量法两种。间接测量法是用观测地点附近的地物与该处地面高程的相对变化,测定不同土地类型下的侵蚀情况。直接测量法是使用一组固定标记,或在观测点地面埋设钢针(顺坡和横坡向)观测微地形高程变化及其侵蚀量或沉积厚度。这种方法适用测定不同土壤类型的侵蚀量,更适用于非农地的测定。这是目前较精确的方法之一。

其二是在侵蚀微地貌观测中应用较多的体积量测法。该法适用于测定细沟、浅沟及切沟的侵蚀量。可以通过测量坡面上不同部位侵蚀沟纵横断面的变化,推算某一区域的侵蚀量。此法缺点是测得的土壤侵蚀量偏小10%~30%。此外还可用立体摄影测量法。在研究较大面积切沟侵蚀时,也可采用形态测量。

随着科学技术的进步,从20世纪80年代以来,遥感技术和放射性同位素技术也相继用于土壤侵蚀与泥沙流失量观测。遥感技术的应用主要包括:①探测含沙量和水土流失状况,方法是用全色、彩红外相片的密度仪测量负片曝光密度,建立密度与实测含沙量的关系。②确定小流域地理参数,进行流域径流与产沙模型研究,美国在田纳西河流域设有15个不同地貌特征的径流试验小流域,用遥感信息确定各自的地理参数进行流域模型研究。③进行大范围土壤侵蚀调查。1982年中国首次用卫星MSS磁带图像绘制江西省兴国县1/10万的土壤侵蚀图。80年代后期,中国利用遥感技术在全国范围内进行了第一次土壤侵蚀调查,1990年国务院公布调查结果,全国水力和风力两种侵蚀形式的土壤侵蚀面积达367万km^2。2000年全国土壤侵蚀遥感技术调查面积为356万km^2。关于放射性同位素技术的应用,如从20世纪90年代开始,我国及一些国家采用测定^{137}Cs等同位素的方法,来间接推求土壤侵蚀与泥沙流失量。

基于上述观测方法,可以通过不同的研究手段对水土流失及径流调控过程进行研究。

第一节　定位观测

径流侵蚀土壤的发生、发展和演变过程,是自然因素和人为因素综合影响作用的结果,因此必须在野外和田间进行观测研究。其中,设置径流小区或以流域面积小于50km^2的沟道小流域为单元进行径流侵蚀、调控过程、径流泥沙量的观测为主要手段,研究了解观测断面处水文要素的变化,分析其变化的原因,进而研究影响水土流失因素的物理机制及水土保持措施的效应,了解宏观变化。需要注意的是测验的理论、设备和手段要适应高浓度输沙和水沙情况的急剧变化。

美国通用土壤流失方程 USLE 即基于美国 24 个州、50 个地区共计 1 万多个径流小区和流域的年观测数据,经统计分析建立,其中包括部分人工降雨条件下径流小区观测资料[3]。其标准径流小区规定坡降为 0.09,坡长 22.13m,宽度 2m,连续保持清耕裸露休闲状态,且施行顺坡耕作的小区。

我国自 1919 年开始在黄河干、支流建立水文观测站;1942 年在天水水土保持试验站开始设立径流小区的土壤侵蚀定位观测;自 20 世纪 50 年代起逐步建立了以沟道小流域为单元的侵蚀产沙动态监测。“七五”期间,刘宝元等系统整理了黄河流域(截至 1984 年)的定位观测资料,包括 6 450 个水文站年、461 个小流域和 1 413 个小区年的观测资料,建立了数据库,编制了黄河水沙时空图谱[4],为系统研究黄土高原的径流调控与水土资源高效利用规律和建立适于我国的径流调控与预报模型,奠定了重要的基础。

一、径流小区试验布设与观测

(一)径流小区试验场的选择与布设

径流小区试验场的布设一般适宜于进行不同调控措施的水土流失规律及防治措施的单因子影响研究。场地宜宽,每个处理能布设 1～2 个重复,以选择代表自然状态的坡面为宜,略加平整即可。图 3-1 为中国科学院、水利部水土保持研究所国家节水灌溉杨凌工程技术研究中心杨凌径流调控观测站的径流小区及标准小区布设情况。

(1)径流小区的布设。标准径流小区常规面积为 5m×20m,顺坡呈直形坡状态。小区边界墙一般用水泥板制成,高出地面 15～20cm,入土深 30～50cm。小区下端设置集水槽,其断面设计以能通过小区最大来水来沙量为宜;集水槽下部修建蓄水池,即径流泥沙沉积池;或设计一定容积的分水箱与集水槽相连接。距边界墙四周边缘约 0.5m 处,修建保护带或排水沟(如图 3-1(a))。20 世纪 80 年代,配合人工模拟降雨,试验研究也常采用 2m×5m 或 2m×10m 的小区(如图 3-1(b))。

(2)不同坡长径流小区的观测(如图 3-1(c))。黄土丘陵沟壑区的梁峁坡面的土壤侵蚀类型呈明显的垂直分带性规律[5,6]。不少研究者[7～11]根据片蚀、细沟侵蚀、浅沟侵蚀和沟谷侵蚀发生的侵蚀部位,分别布设了上坡(片蚀、细沟侵蚀)、下坡(浅沟侵蚀)和谷坡的径流小区;或以不同坡长(20m、40m、60m 等)布设径流小区,定量化研究不同侵蚀带的土壤侵蚀、上坡来水来沙对下坡侵蚀产沙的影响、梁峁坡面侵蚀产沙对谷坡侵蚀产沙的影响，特别是研究证实了控制坡面产流产沙可削减沟谷侵蚀量1～2倍。以上的径流小区，除坡长变化外，其宽度均按标准小区布设如图3-1(c)。

(a)标准径流小区

(b)试验径流小区

(c)变坡径流小区

图3-1　径流小区与定位监测

(3)自然坡面径流小区的布设。标准小区多为直形坡，在黄土丘陵沟壑区，即使在大于25°坡度情况下的裸露坡面，加之有限的20m坡长，一般只发生细沟侵蚀，其侵蚀量远小于实际梁峁坡面上大于25°陡坡地的侵蚀量。因为在梁峁坡面的耕地上，在大于15°～20°情况下，即发生浅沟侵蚀。当发生浅沟侵蚀时，坡面总侵蚀量即可增加2～3倍，且在梁峁坡上发生浅沟的面积可占坡面总面积的70%左右[12,13]。据此，张科利在25°的坡耕地上，以浅沟的集水面积为单元，布设了面积为10m×78m的大型自然坡面径流小区，经1987年汛期的观测，浅沟侵蚀量可占坡面总侵蚀量的79.01%[14]。包含浅沟侵蚀的自然坡面径流小区的观测，弥补了标准小区的不足，对重新评价黄土丘陵沟壑区坡、沟侵蚀量及治坡与治沟的决策有着重要意义。基于以上研究，唐克丽等在子午岭林区以浅沟集水面为单元，布设了大型自然坡面径流小区观测场，追溯林地与林地开垦，研究梁峁坡开垦与谷坡开垦情况下土壤侵蚀发生发展的规律[16]。

(4)黄土丘陵沟壑区林区径流小区的布设。试验场设在子午岭天然次生林区洛河的三级支流——瓦窑沟小流域。该地区森林植被恢复前已遭强烈侵蚀，开垦地浅沟侵蚀发育活跃；另一方面植被恢复后已形成林木生长繁茂、林灌单层状结构明显的地面，如果仅以100m² 标准小区布设，远不能反映实际生态环境和侵蚀。基于以上原因，在林区共设计9组处理的大型径流场：①梁坡林地；②梁坡林地开垦农地；③梁坡开垦休闲裸露地；④谷坡林地；⑤谷坡开垦农地；⑥谷坡开垦休闲裸露地；⑦梁坡+谷坡林地；⑧梁坡+谷坡林木砍伐迹地；⑨梁坡+谷坡开垦裸露休闲地。径流场面积为250～2 200m²；此外，补充了两个面积为100m² 的标准径流小区作对比观测[16]。

按照1日最大降雨量为50mm情况下，计算不同面积径流场的产流、产沙量修建蓄水池，或设计集水箱的容积及分水箱的分水孔数(1/9～1/11)和分水孔径[17]。

以上小区的布设不仅进行了林地不同开垦年限侵蚀量变化的监测，同时取得了坡面开垦后的产流产沙对谷坡侵蚀的影响，对评价林地保持水土效益及坡、沟开垦的侵蚀机制，取得了宝贵的资料。

因此，根据试验研究的需要，在布设标准径流小区的基础上，可补充布设必要的大型径流场或自然坡面径流场。

(二)径流小区调控降雨径流研究的观测项目[10,17,18]

(1)基本观测项目。调控降雨径流过程中土壤侵蚀产沙量的测定，包括降雨量、降雨强度、径流量、侵蚀产沙量、含沙量及降雨前后土壤水分剖面变化。按次降雨、日降雨、汛期及全年进行小区产流、产沙量的动态监测。下垫面土壤性质及土地利用状况的测定，包括土壤抗冲、抗蚀性、作物或林草植被的覆盖度、冠层截留量及根系的固土效益等。

(2)选择性观测项目。降雨后细沟侵蚀和浅沟侵蚀量的测算；为进行土壤侵蚀对水、土资源影响的评价，降雨试验前后采集土样、径流、泥沙样，以备物理、化学、生物特性的测定；降雨再分配和水分循环监测，包括气温、土壤蒸发、土壤湿度、风速、风向、大气相对湿度等。

(三)降雨径流侵蚀调控模拟试验与野外定位监测试验场

为了深入研究降雨径流侵蚀调控机理与应用技术，我们结合中国科学院、教育部水土保持生态环境研究中心人工降雨大厅室内研究，先后在杨凌节水博览园和岭后建成完整的降雨径流侵蚀调控模拟试验系统研发基地，先后建成1m×2m可变坡度径流模拟试验槽4个，5m×2m径流模拟试验小区12个，长16m、高3.3m、宽3m的上缓下陡组合式坡度径流模拟试验小区1个，在五泉建立了24个5m×20m标准径流小区(见图3-1)，为研究坡面地表径流产生过程以及径流调控技术和材料提供试验平台。

在上述各类坡面研究的基础上，建成1:100比例尺的黄土高原燕沟康家圪塄小流域模型(见图3-2)，在小流域尺度上对降雨径流侵蚀调控模拟及试验技术、调控措施优化配置及对环境影响进行系统研究[19,20]。模型设计主要满足径流调控需要，结合已往经验，选用正态模型，考虑几何相似、降雨产流相似、入渗相似等，适当考虑冲刷相似。

二、沟道小流域不同径流调控措施观测[21]

以小流域内各类坡地及沟道为对象，通过布设相应的观测设施，对径流泥

图 3-2　延安燕沟康家圪捞小流域正态模型

沙进行系统测定，用以研究检验调控降雨径流、高效利用水土资源的效果。小流域水土流失观测是建立小流域产流产沙数学模型、实体物理模型、研究小流域治理优化模式、分析计算水土保持措施综合效益、规划设计水土保持工程的基础性工作。

(一)小流域综合调控站网布设

除特殊需要(如研究泥沙输移规律)外，观测小流域面积选择以不超过 $50km^2$ 为宜，其自然条件和土地利用状况需具有代表性。规划时遵循大流域套小流域、综合套单项、大区套小区的原则，并在观测小流域内选 3 个相似且相邻的支沟小流域，一个小流域有综合治理调控措施，一个为无措施对比小流域，另一个过 1～2 年后再实施综合治理措施。如果需要且条件许可，可增加一组支沟小流域实施其他方案的综合分析。对比小流域应在受人类活动影响小的自然状态下，以水土流失自然成因研究为主，建立反映径流调控作用的流域产流产沙数学模型，进行参数优选及地区综合分析。对综合治理小流域，在自然状态改变下进行各影响要素研究，探求人类径流调控活动的影响效应。观测前对研究的小流域进行地形测量，对地质、地貌、土壤、植被、土壤侵蚀及土地利用现状等进行调查，并绘制成图。

(二)径流场(小区)布设和观测设备

径流场布设要服从研究目的及课题设计。选择在地形、坡向、土壤、植被等方面有代表性的场地，场地坡度要均匀，如是林地，应保持地面的枯枝落叶层。为了便于管理，场地布设宜相对集中。根据研究目的及地形、人员等条件,确定试验小区数目和试验内容,一为无措施的参照小区,其他为采取不同措施小区。中国早期设置的小区一般宽 5m、长 20m(水平投影距)。20 世纪 80 年代,配合人工模拟降雨试验常采用 2m×5m 或 2m×10m 的小区。观测设施、仪器包括护埂、承水槽、集水池以及自记雨量计、自记水位计和定时自动取沙装置。大型径流场使用的设备有 H 形量水槽、自记水位计与自动取沙设备,H 形量水槽配有集水槽与分水箱等设备。

(三)沟道径流站选址设计与测验方法

根据站网布设规划,对观测断面进行具体设计,包括断面选位、测流方案确定、测流建筑设计和测验仪器选择等。断面需设在主沟及支沟出口附近,以控制集水区径流泥沙。地点选在沟道顺直、沟床稳定、无回水影响的地段,必要时进行整理。测验方法应按沟道可能出现的最大、最小流量,悬移质及推移质含沙量等进行选择。方便、精确的方法是测流槽和溢流堰,如槛呈三角形的量水槽的测验范围为 0.1～630mL/s,在流量大、河槽固定的沟段测流可用流速仪,或用核测法、磁测法。在有水闸、溢流坝等水工建筑物的地方,可率定建筑物的水位—流量关系用于计算。在水流汹涌、岩石堆积、地势复杂的石山区沟道,可采用溶液法或用光学流速仪测流。测定悬移质含沙量用常规法,也可用同位素含沙量计或光电测沙仪。测定推移质有机械采样器、推移质测槽、示踪测验等方法,也可实行单站遥感、多孔巡测及流域集控系统等自动测报方式。

(四)其他观测项目

包括流域降雨量、水面及陆地蒸发、土壤含水量、土壤理化性质、入渗情况等,以便揭示水量平衡要素物理过程的实质。

结合沟道小流域综合治理,除布设径流小区外,同时在流域出口处布设控制断面,进行径流量和泥沙量的观测,或设置地貌形态相似的治理沟与非治理沟进行对比观测。

(五)燕沟小流域径流调控观测实例[22]

燕沟流域位于延安市南 3km 处,东经 109°20′～109°35′,北纬 36°21′～36°32′,属黄土高原丘陵沟壑区第Ⅱ副区。主沟长 8.6km,流域内梁峁起伏,沟壑纵横,地形复杂,土地类型多样。流域大致呈东南—西北走向,地面割裂严重,坡陡沟深。海拔 986～1 425m,最大高差 439m,沟壑密度 4.8km/km^2,主沟纵比降为 2.41‰。土地坡度构成情况[22]:≤5°占 5.50%,5°～15°占 17.90%,15°～25°占 27.60%,大于 25°占 49.00%(见表 3-1)。

表 3-1 燕沟流域地面坡度组成

项目	坡度					
	<5°	5°~15°	15°~25°	25°~35°	>35°	合计
面积(hm^2)	257.8	839.2	1 293.9	1 312.6	984.5	4 688
比例(%)	5.50	17.90	27.60	28.00	21.00	100

流域内成土母质为黄土,土壤以黄绵土为主,占90%以上。有机质含量为0.96~1.88g/kg,全氮0.464g/kg,速效磷4.2mg/kg,土壤基本属于半熟化状态,肥力低下。1997年有天然次生林434.7hm^2,占流域面积的9.3%;人工林507.8hm^2,占流域面积的10.8%,主要由刺槐、杨树以及柠条等灌丛组成;经济林面积174.1hm^2,占总面积的3.7%。林、果植被面积为流域面积的23.8%。

流域水土流失面积35.7km^2,占总面积的76.2%,土壤侵蚀模数为9 000 t/(km^2·a),属于强度水土流失类型区。

1997年以来,该流域得到了延安市各级政府的大力支持,延河流域水土保持世界银行贷款项目延安市办公室将试验示范区全流域列入综合治理项目区,加大综合治理的补贴比例额度,延安市政府、中国科学院、水利部水土保持研究所、国家节水灌溉杨凌工程技术研究中心等在财力物力方面对试验示范区建设给予支持,黄土高原中部丘陵区中尺度生态农业建设综合研究、中国科学院西部行动计划、科技部农业科技成果转化资金等项目对该流域节水生态农业给予全方位研究。为了有效治理及检验该小流域调控径流、高效利用水土资源效果,为治理黄土高原丘陵沟壑区治理小流域提供技术支撑,对该流域降雨径流侵蚀进行了全方位的监测,包括在主沟赵庄、四岔铺、庙河、桃花坪、鸡蛋峁沟及南庄河等布置水文监测断面,监测水文泥沙变化情况。分别在燕沟沟口、四岔铺、鸡蛋峁、吴枣园、麻塌、杨家畔、南庄河等7处布置雨量站,监测降雨变化。选定该小流域内的康家圪塄等数条小流域作为治理对比流域,并建立径流试验场进行监测。此外对该小流域土壤含水量、土壤理化性质、入渗情况等进行专题研究,以揭示水量平衡要素物理过程的实质(见图3-3)。

通过该小流域水土流失监测,获得了大量的降雨、径流、泥沙、土壤等资料,为该流域的有效治理提供了依据。

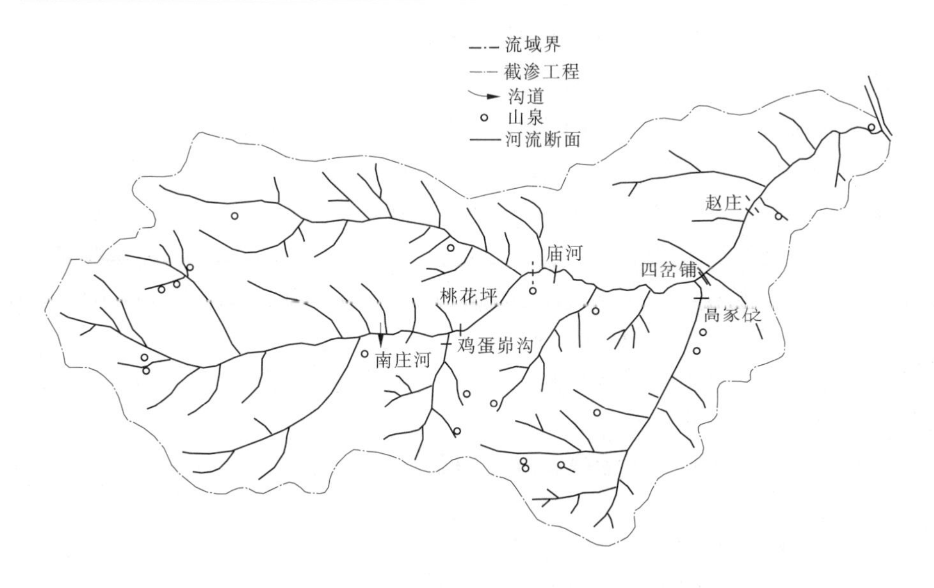

图 3-3　黄土高原燕沟小流域径流调控观测点布置图

第二节　降雨模拟试验技术

地表径流调控模拟试验包括两部分内容:其一,用于研究降雨侵蚀的人工降雨装置;其二,产生水力侵蚀的下垫面。野外径流小区是研究土壤侵蚀过程的基本手段,但一般需经历较长时期的野外观测,才能取得必需的分析数据。据黄河水利委员会天水水土保持科学试验站的观测资料统计[11],1945～1957年的13年内共降雨1 266次,其中发生径流的降雨只有82次,占总降雨次数的6.7%。山西省王家沟流域,年均降水量500mm,1955～1981年的年均产流降雨量为220mm,其中有三年基本未产流。应用人工模拟降雨装置,则能加快研究进程,缩短研究周期,在较短时间内能获得需要的规律性资料。

一、人工降雨装置

美国早在20世纪30年代就开展了野外人工模拟降雨试验,50年代后有了较快的发展,在野外设置的径流小区进行人工降雨试验,为USLE方程的建立补充了大量数据。我国基于黄土高原土壤侵蚀的严重性,中国科学院水土保持研究所自20世纪60年代开始了人工降雨装置的研制,经过不断改进,目前已有数代产品得到推广。首先,牟金泽等研究制成了由不同直径出流孔板为喷头的侧喷式人工降雨初型装置。在此基础上，陈文亮、巨凤生等通过不断改进和完善，于 20 世纪 80 年代初正式推出了适于我国应用的侧喷式野外人工降雨装置。之后，全国不少地区以此装置为原型，进行了局部改装，均成功地开展了试验。例如，黄河水利委员会西峰水土保持试验站和黑龙江省水土保持试验站开展了野外移动式人工模拟降雨试验；中国科学院地理研究所在引进了上述侧喷式人工降雨装置后，经改装成为适于野外大面积试验场地应用的组合式侧喷人工降雨装置，成功地进行了 400 多次人工降雨模拟试验。此外，中国科学院地理研究所从加拿大引进的下喷式模拟降雨装置，在野外也成功地进行了大量不同因素影响下侵蚀过程的研究，并在湖北、广东等其他地区得到较为广泛的应用[10]。

(一)便携式侧喷人工降雨装置

1.原理

在一定水压条件下，通过更换专用侧喷式喷头内不同孔径的挡水板，并将各个喷头组合排布即可形成设定区域内不同雨强的均匀降雨(见图 3-4)。

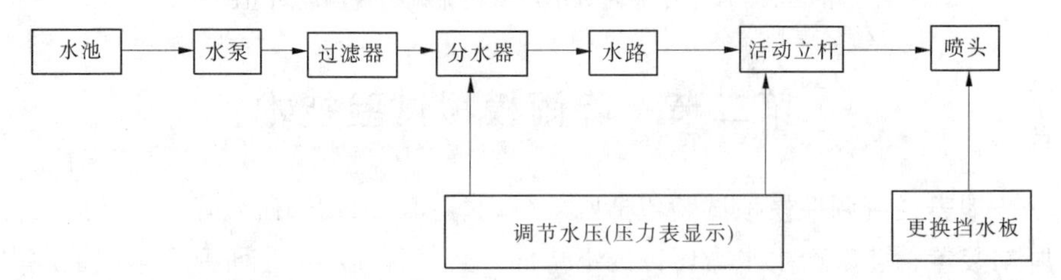

图 3-4　野外便携式侧喷人工降雨装置系统原理图

2.系统组成及主要构件功能

便携式侧喷人工降雨装置系统主要由供水系统、调压系统、降水系统等三大系统组成(见图 3-5)。各系统中又包括一系列构件。

(1)喷头。喷头由喷头体、出流孔板、碎流挡板及其支架、螺钉等构件组成(见图3-6)。侧喷式降雨的原理，为水流经过供水接管射流到喷头孔板，由孔板的锥形面和锥顶上的集流孔进行集流。集流形成水柱，水柱射向碎流挡板，再经挡板被分散，形成近似扇形碎流面喷射、散落形成降雨。孔板是一个锥顶角为 156°的锥形面板，锥顶角上有出流孔，孔径有 1.5、3、4、5、6、7、8、9、10、11、12、13、15mm 等多种规格。不同规格孔板的不同组合，在同一压力下，可以模拟 40 余种不同雨强的降雨。降雨强度可控制在 0.05～3.0mm/min 范围内。野外试验时多采用 ϕ9、ϕ11、ϕ13mm 和 ϕ15mm 的喷头，雨强控制和均匀度较好，雨滴中数直径和动能可达到天然降雨的 70%～80%。

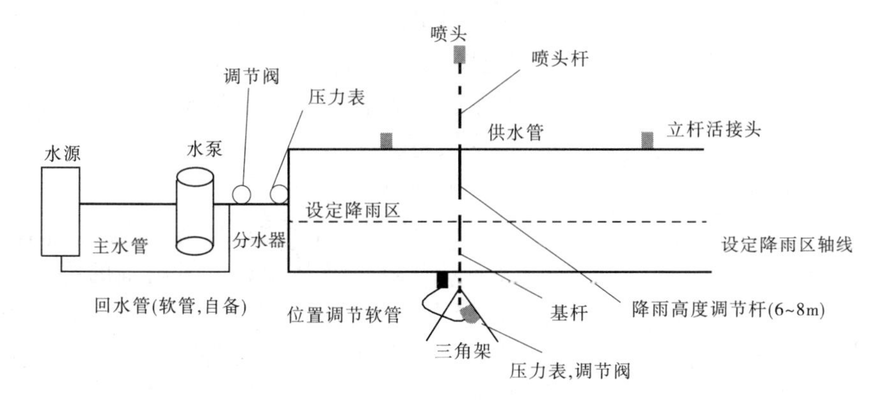

图 3-5　野外便携式侧喷人工降雨装置图

(2)降雨装置座架。该座架高 2m,底面为三角支撑,中心距为 0.6m,喷头供水接管 6m,可调高度 1.2m(见图 3-7)。喷头设计高度为 8～9.2m,加上喷头喷高 1～1.5m,实际降雨高度超过 10m。供水接管采用轻型铝合金管,长度 2m 左右,可连接成所需长度。

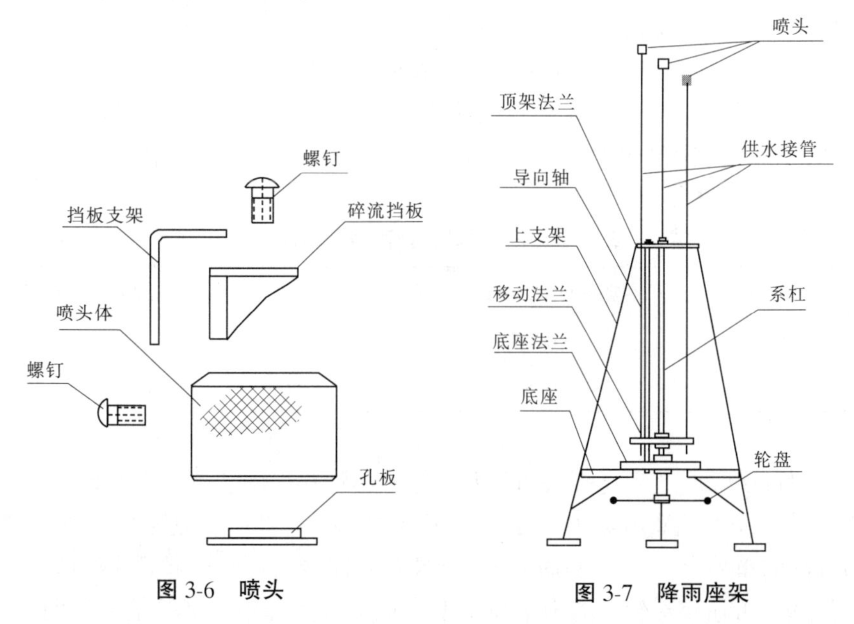

图 3-6　喷头　　**图 3-7　降雨座架**

(3)供水系统。供水系统因试验场地不同而异。一般通过水泵从水源取水,将水通过 ϕ65mm 的出水管压入分水器,再通过分水器上装的三组阀门控制,用 ϕ25mm 的胶皮软管与喷头供水接管相连接,给降雨喷头供水。如降雨

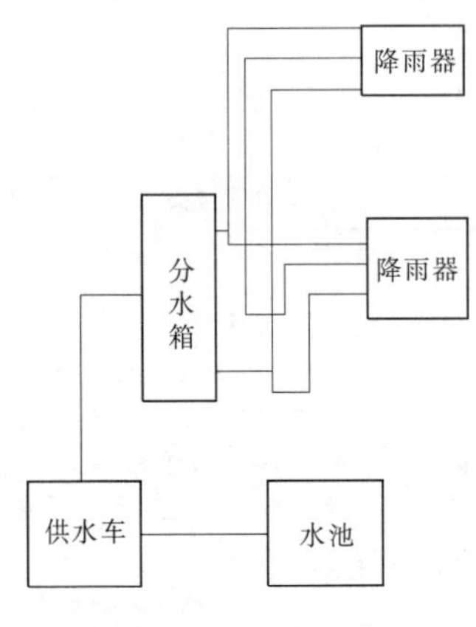

图 3-8 供水系统

区远离水源，可由供水车（消防车）运送供水（见图3-8）。由供水车开启水泵，通过 ϕ100mm 吸水管将池塘、水库的水吸入消防车的水罐，运往试验区。

侧喷式降雨装置[25]供水可控压力为0.5～2.8kg/cm^2，降雨高度 8～10m，可满足95%以上雨滴降落接近天然雨滴的终点速度，降雨有效面积为 2m×7m。可进行单组或两组对喷，对喷时形成重叠降雨区，降雨面积随之变化。该装置的主要优点是安装简便、易于装卸和运输，尤其是雨滴大小和降雨强度的变化与天然降雨接近，不因压力雨强增大而改变雨滴直径，最大雨滴直径 5mm。其缺点是在野外试验时受风的干扰较大，必要时可配置相应的防风篷。

（二）下喷式模拟降雨机

中国科学院、水利部水土保持研究所黄土高原旱地农业与土壤侵蚀国家重点实验室人工降雨大厅降雨采用下喷式旋转喷射式喷头（原产美国），其喷水原理是：具有一定压力的水流进入喷头之后，推动喷头内部一个螺旋形的叶片转动，最后以 120°的角度喷出。降雨强度由喷头孔径大小控制，孔径愈大，降雨强度愈大（见表 3-2）。

表 3-2 下喷式喷头降雨强度率定

喷头孔径(mm)	降雨强度(mm/min)	喷头孔径(mm)	降雨强度(mm/min)
1.9	0.18～0.57	3.6	0.75～1.92
2.5	0.37～0.88	4.4	1.17～2.50

中国科学院地理研究所从加拿大引进的竖管式降雨装置与上类同[10]，但喷头不同。该装置采用美国 SPRACO 锥形喷头，下喷式模拟降雨机由一套4.57m 高的单独直立竖管、90cm 长的延伸管和连接在延伸管末端的喷嘴构成（见图 3-9），可在相对较低的降落高度下模拟出天然降雨。试验结果表明，当试验水压 67kPa 时，降雨均匀系数为 0.897，此时单个降雨机产生 0.7 mm/min的雨强，两组降雨机对喷的降雨强度为 1.2mm/min。

以上两种降雨装置都得到较广泛的应用，且在应用中各地区根据具体情

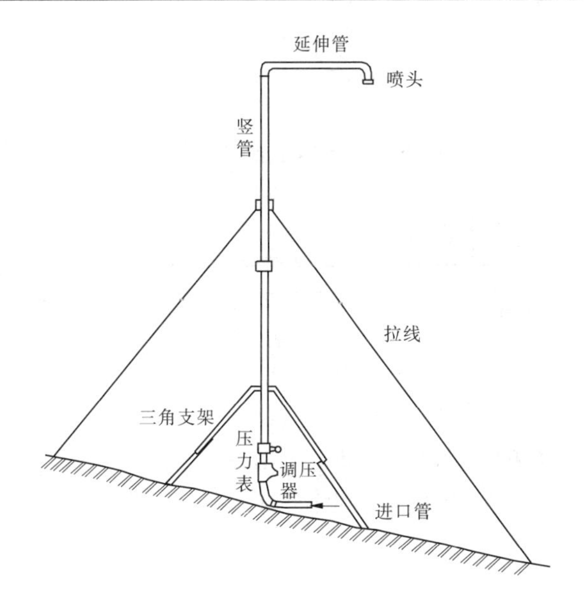

图 3-9　下喷式模拟降雨机示意图

况均有一定的改进。

(三)SR 型野外人工模拟降雨装置

基于侧喷式降雨装置座架高,受风的影响较大,中国科学院、水利部水土保持研究所陈文亮等在参考美国野外下喷式人工降雨装置的基础上,于 20 世纪 90 年代又成功地推出了 SR 型组合式野外人工模拟降雨装置[24]。

SR 型野外人工模拟降雨装置是一种多喷头、多单元组合式的往返摆动间歇降雨装置。这是在综合参考前人研究成果基础上,自行研制的一套简易式降雨装置,由喷头、座架、驱动机构、动力系统及供水系统五个部分组成。

(1)降雨喷头。采用美国的 V－80100 扁平型喷头,出水孔径 6.4mm,设计的喷水量随压力而变。在压力为 0.5、1、2、3、4、5kg/cm^2 情况下,流量依次为 18、23、32、39、45、50L/min,每个单元降雨装置由 2 个喷头组成。

(2)降雨座架。该座架由支架、变角度接板和梁架等部分组成。梁架长 5m,宽 1m。喷头、驱动机构、供水、排水管等安装在此梁架上(见图 3-10)。降雨座架为框架式结构,采用组合式装置,使用轻型铝合金材料。每个单元约重 50kg,桁架 1m×5m、高 2.2m,支架间距离分别为 3m 和 2.2m,1 个单元有效降雨面积 2m× 5m。支架与梁架连接处,安装变角度接板,安置时可调整在 0°～25°的坡地上工作。

(3)驱动机构,由电动马达、马达箱、传动连杆、行走轨道等部分组成(见

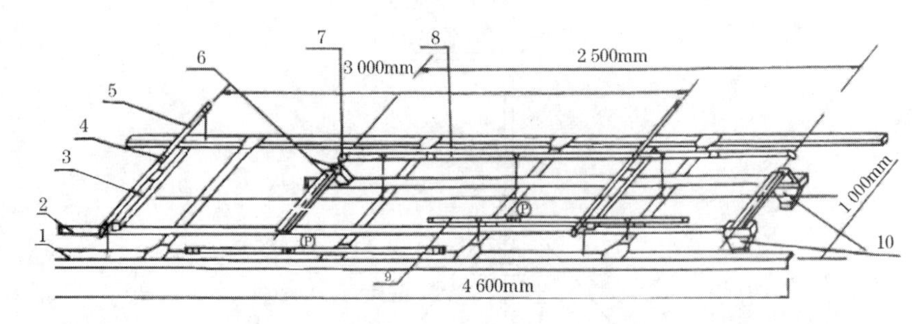

图 3-10 管道回路布设

1.座架;2.回水管;3.水槽;4.喷头(1);5.水管;6.拦水槽;
7.喷头(2);8.摆动水管;9.供水管;10.回水漏斗

图 3-11)。传动连杆的转动轴柄转动半径 10cm,与摆杆连接,摆杆摆动角 81°。摆杆的另一端与行走拉杆连接,行走拉杆往返距离 14cm。

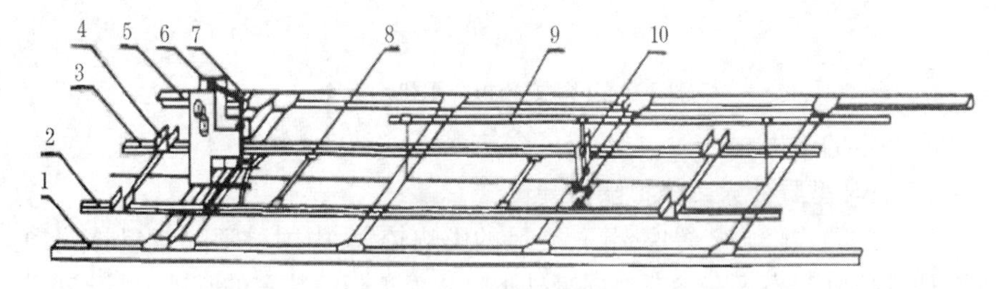

图 3-11 传动系统

1.座架;2、3.拉杆;4.水槽座架;5.传动马达;6.马达座架;
7.传动连杆;8.行走轮架;9.摆动杆;10.换向传动连杆

(4)动力系统。主要包括发电机组(单相交流同步发电)及线路设备等。

(5)供水系统。根据野外条件,可用消防车供水箱运输供水;靠近塘坝、河、沟,采用水泵供水,或临时修建引水蓄水系统。根据设计喷头摆动宽度是 2.4m,去除 20%的无效降水区,则有效降雨小区的宽度为 2m。照此计算,每个单元(2m×5m)按雨强每小时 240mm,则每小时的用水量为 2.88m³。4 个单元组合总有效面积[4×(2m×5m)],即在小区宽 2m 基础上,试验坡长可达 20m,每小时总用水量为 11.52m³。

降雨分布的均匀性及雨滴降落终点速度与天然降雨的相似性,是人工降雨装置模拟的关键。据美国学者的研究,天然降雨雨滴大小的分布为 0.25~6mm,其相应的终点速度为 1.0~9.2m/s。SR 型人工降雨装置的降雨高度 2.4m,防风效果优于降雨高度为 10m 的侧喷式装置。在供水压力为 0.2~

$2kg/cm^2$、降雨强度为 1～2.5mm/min 时，雨滴直径 0.1～3mm，少数达 4mm，雨滴中数直径为天然降雨的 80%，基本上能获得相应的终点速度。SR 型人工降雨装置为组装式，降雨有效面积可控范围 2m×5m～2m×20m，由轻型材料组成，易于安装、拆卸，运输方便，适于野外工作。

(四)微喷头组合式人工模拟降雨装置

基于侧喷式降雨装置座架高，受风的影响较大，中国科学院、水利部水土保持研究所及国家节水灌溉杨凌工程技术研究中心在参考上述人工降雨装置的基础上，于近年又成功地推出了微喷头组合式野外人工模拟降雨装置。

微喷头组合式人工降雨装置如图 3-12 所示，用内径 15mm 薄壁钢管沿集流槽四周护栏围成高 4.0m、宽 3.0m、长 6.0m 纵横交错的支架网，在侧面向顶部直至另一端安装多个直径为 25mm 的支管并分别安装控制阀，在下部有供水管及总阀门。在顶部每一支管上间隔 0.66m 安置一个旋转式微喷头，微

图 3-12　微喷头组合式人工降雨装置

喷头组合喷散率定结果表明,降雨强度为 0.44～2mm/min,均匀度达 80％以上,完全可以满足降雨径流小区模拟试验的要求。

二、人工降雨模拟系统

人工降雨模拟系统由水源、动力、净水、调压、输水、降雨等 6 个子系统组成。基本原理是,抽取水源的水,经过净化、调压,形成具有稳定压力的水流,通过管道输向降雨装置,通过各种人工降雨装置,最后形成符合要求的降雨。人工降雨模拟系统有野外与室内人工降雨系统之分。野外人工降雨受风影响较大,但实际中的降雨多伴有风的发生。如果研究降雨径流机理,希望对单个降雨因素进行深入的机理研究,则希望避免风的影响,多在室内进行。中国科学院、水利部水土保持研究所、中国科学院地理研究所、西安理工大学和北京林业大学水土保持学院等,先后建立了不同规模的人工降雨模拟实验室。特别是中国科学院、水利部水土保持研究所在研制野外人工降雨模拟装置的同时,为弥补野外试验的某些不足,在 20 世纪 60 年代初即设计建立了室内人工降雨径流侵蚀调控模拟实验厅雏型;经不断改进,于 90 年代初在国家重点实验室支持下,建成了国内规模最大的人工降雨土壤侵蚀模拟实验大厅,创建了先进的技术设备条件[25]。

该降雨大厅为单跨度、单层高建筑,长 48m、宽 27m、高 23m,总面积 1 296m^2。全厅分为 4 个降雨区,分别采用下喷式和侧喷式降雨装置。靠大厅一边高 7m 处,建有降雨控制室(见图 3-13)。

(1)下喷区。下喷Ⅰ区和下喷Ⅱ区各布设 64 个降雨点,每个降雨点安装 4 个直径大小不同的喷头组成喷头组,喷头直径分别为 1.9、2.5、3.6、4.4mm。Ⅰ、Ⅱ两个降雨区共安装了 512 个喷头。有效降雨区总面积为 32.5m×24m,可以作为一个降雨区运行,也可分为 16.25m×24m 两个降雨区分别运行,视模型的规模而定。降雨高度 16m,可控制雨强 15～250mm/h。

(2)侧喷区。侧喷式降雨区即采用野外侧喷式人工降雨装置的喷头,分别按 2 个降雨区安装 2 个喷头组合。侧喷式喷头安装高度离地面 14.5m,再加上喷头高 1.5m,降雨高度总计 16m。2 个降雨区各由两组喷头对喷,其有效降雨区面积(对喷结合区)各为 2m×7m。

降雨装置由喷头和供水管网系统组成。试验时通过控制室计算机自动调控喷头及其连接的管网系统,达到所需雨强、雨量、降雨的时间及降雨区。每个喷头均连接管网系统供水,即由总管、干管、支管组成的管网系统。下喷区的 128 个喷头,各自均连接固定的管网系统,通过操纵管网系统,以控制降雨

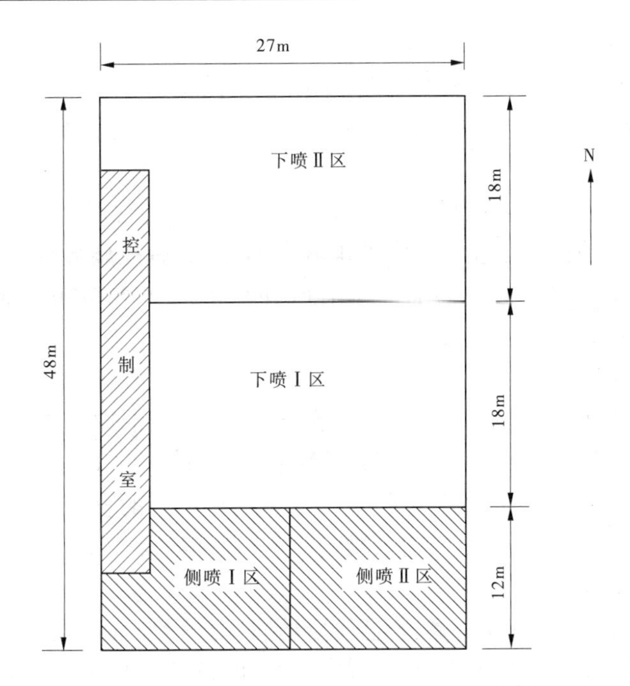

图3-13　人工降雨大厅规模和降雨分区示意图

量和降雨区。为保持试验时雨强的平稳,由特设的蓄水池和泵房供水。蓄水池长13.6m、宽6.8m、深3.5m,可蓄水300t。

目前该降雨大厅的人工降雨特征的计算机自动化控制已基本得到解决,为了保证数据的确切、可靠,有必要在试验正式开始前进行雨强和雨滴动能的率定,这方面已有公认的测定方法。土壤侵蚀模拟试验过程中观测流量、流速,尤其是径流、土壤入渗、土壤侵蚀产沙量。全过程的自动化动态监测正在研制中,尚未取得成熟的办法,目前多采用常规的容积法或称重法取样。

三、降雨径流专项试验研究的测定方法

进行降雨径流侵蚀调控的定位观测和模拟试验还必须结合一些专项试验测定方法,例如雨滴特征、坡面径流流速、土壤抗冲性的测定等。

(一)雨滴特征的测定[1,11]

观测雨滴大小及其分布是研究测算降雨动能和计算降雨参数的依据,是进行降雨侵蚀试验(包括天然降雨和人工降雨)必须测定的基本数据。常用的方法有如下几种。

1. 雷达观测法

此方法可实时、大面积地观测包括雨滴粒径及其分布在内的一些降雨基本特性，一般在气象方面用于天然降雨的观测，不适合人工降雨等实验研究。

2. 摄影法

摄影法是实验室内观测人工模拟降雨的一种较为常用的方法，观测中，先用高速摄影机拍摄出正在下落中的雨滴的相片，然后在显微镜下量测出该雨滴的粒径。摄影法能方便准确地测出降雨的雨滴大小与分布情况，但高速摄影仪造价太高，在一般降雨试验中很难使用。

3. 浸入法

浸入法是用盛有油料的容器接盛雨滴，通过测量油中水珠直径来确定雨滴的大小。由于油与水不融合，且油比水轻，因此落入油中的雨滴因表面张力的作用而变成球形水珠，这样就可直接测量出该雨滴的直径。浸入法适用于测量粒径较小的雾滴或雨滴，对大雨滴不适用。

4. 面粉团法

面粉团法是用盛有面粉的容器接盛雨滴，雨滴渗入面粉形成面粉团，然后通过测量面粉团的重量来确定雨滴的大小。面粉团烘干后的重量与雨滴粒径之间的关系可以预先率定，于是通过称量每次降雨后面粉团的烘干重量即可求出相应雨滴粒径的大小。面粉团法所需的测量仪器成本低廉，测量成果较可靠，它适用于高强度的降雨，但每次测量中都须让面粉球在取样器中自然风干一天，然后放在烘箱内 105℃条件下烘 48h，再用高精度电子天平逐级称量，在野外使用很不方便，且不适用于测量粒径太小的雨滴。

5. 色斑法

色斑法是历史悠久、应用最广泛的一种雨滴粒径测量方法。该法是基于"水滴在同一材料上形成的色斑大小与水滴的粒径大小成正比"的假定，预先率定好水滴粒径与色斑粒径之间的关系，然后通过量测雨滴在相同材料上形成的色斑大小推知相应的雨滴粒径。很早就有人[70,71]介绍了色斑法的应用，该法可以观测到粒径极小的雾滴，国内多采用此方法间接推算雨滴直径来了解雨谱特性，并拟合出雨滴谱分布关系曲线。但在实践中，这些传统测量方法在试验和数据处理时非常困难，比如小雨滴色斑直径的测量。单个雨滴直径的测量，以往的方法是将色斑在透明的硫酸纸上描下来，并据所描绘的图案把坐标网格纸剪下，在电子天平上称出网格纸质量 m_1，通过 m_1 与单位网格纸的质量 m_2 的对比，可以计算出该图案的面积 A_1，然后根据 A_1 值换算出色斑直径的大小[72]。上述测量工作相当烦冗，量测成果也会存在较大的误差。

进行室内模拟试验时,需要模拟小雨滴,以往传统色斑法的缺陷无法对小雨滴进行精确的测量。针对此问题,我们利用 CorelDRAW 软件,采用十字交叉法量出色斑直径,然后取平均值,进而通过 Excel 用率定的公式换算出雨滴直径,这不仅大大减小了工作量,同时增加了观测精度。其操作方法是通过雨滴取样器(见图 3-14),收集降落在涂有染料滤纸上的雨滴色斑,通过测算雨滴直径,再计算降雨动能,其程序如下:

(1)制备涂料滤纸。取 1∶10 的曙红与滑石粉混合研磨的粉末,均匀地撒在普通圆形中速定性滤纸($\phi=150$mm)上,用毛刷或棉球涂匀粉末备用。

(2)雨滴取样器的制备。此为带有活动孔盖的"U"形木盒,如图 3-14 所示。取样器的盖用薄木板制成,盖的中央有一个与滤纸相同直径的圆孔,可来回抽动。取样器底盒呈"U"形,边高 50mm。

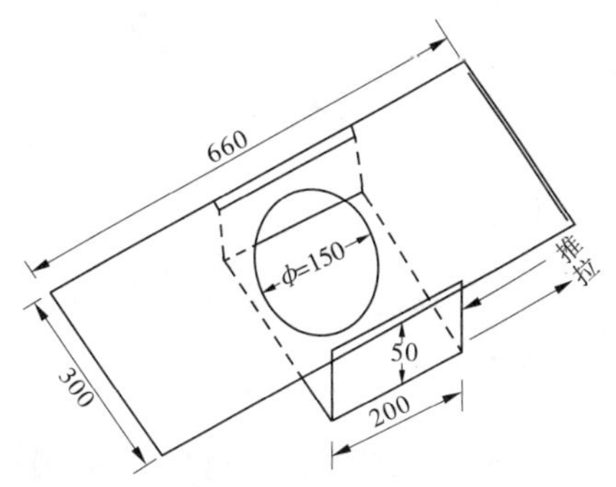

图 3-14　雨滴取样示意图　(单位:mm)

(3)取样。将已制备的涂料滤纸固定在"U"形底盒中部,推动孔盖遮住滤纸。降雨时,左手执盒,右手将孔盖拉出,雨滴就通过圆孔落在涂料滤纸上,形成大小不同雨滴色斑,然后取出备用;再重复搁放滤纸测定。将滤纸编号,记录取样时间、地点、雨强等。

(4)率定。雨滴在滤纸上所形成色斑的直径与雨滴直径的关系受滤纸的性能和滤纸厚度的影响,一般需要率定。可用普通医用注射器针管和不同型号的针头充当雨滴发生器,对于直径小于 2mm 细小雨滴,在针头上缠上一根细小的棉线。先向针管内注入一定量的水,装上针头,然后将针管内的水通过针头滴在涂有混合粉末的滤纸上,同一针头取 10 个点,滴时保持水滴滴在滤纸上的距离,距离太近水滴在滤纸上浸润相互间有影响,误差大。滴水前在万分之一天平上称取针管加针头和水的重量,计算所滴水的净重。待滤纸干燥后,把不同直径水滴滴过的滤纸分别按 1∶1 扫描进计算机。为了使小雨滴留下的色斑在放大时不失真,扫描分辨率最好用 300 以上。然后用 CorelDRAW 软件放大处理(见图 3-15)。

CorelDRAW 是一种平面设计软件,矢量化能力较强。由于图片是按 1∶1 扫描,在对图片进行放大测量时,不会变形,即测量结果为原有图片上色斑真

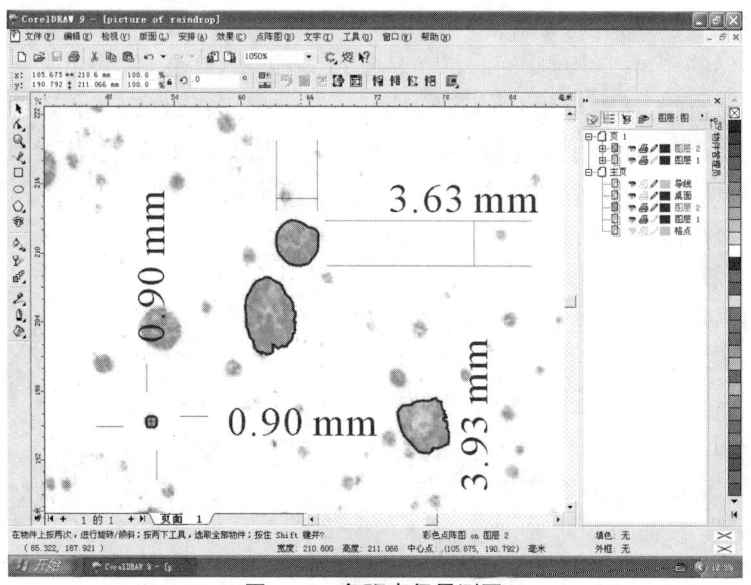

图 3-15　色斑直径量测图

实直径的大小。在每次测量后,如图 3-15 那样把测量结果的矢量值保留在图上,方便每次查阅。

进入 CorelDRAW 系统,先将扫描文件导入到编辑窗口中:文件 + 导入(扫描存放的图片)——图层 3-15,可以对图层 1 重新命名,但不能改变图片比例)。

将图层 1 设置为不可编辑,并在物件管理员窗口新建图层 2,然后把图片放大,用标尺量出每个色斑直径 D_i,每个色斑多量几次取平均值,再求出色斑直径。所测量的结果将自动保存在图层 2。若扫描图片上色斑太密,为了方便记录测量结果,可以对图片先进行分区,然后逐一对每个区域的色斑进行测量。

用净水重量除以色斑个数,计算出单个水滴的重量 W,然后,假定水滴是球体状的,算出水滴直径 d,即

$$d = \left(\frac{6W}{\pi\gamma}\right)^{\frac{1}{3}} \tag{3-1}$$

式中:γ 为水的容重。

对上述人为控制的不同水滴直径和水滴色斑直径进行关系率定,求得 d(雨滴直径)和 D(雨滴色斑直径)的经验公式为 $d = 0.36D^{0.73}$,相关系数为 0.990。

(5)测量与计算。根据雨滴取样滤纸上的色斑图谱,量出每个色斑的直

径,并分别统计出各种直径雨滴的个数;根据公式 $d=0.36D^{0.73}$,由色斑直径 D 算出雨滴直径 d;由雨滴直径 d 求出雨滴质量 m(mg);雨滴降落速度用修正的沙玉清公式(当 $d<1.9$mm)或修正的牛顿公式(当 $d>1.9$mm);以公式 $E=\frac{1}{2}\times mv^2$ 计算降雨动能,由总雨滴质量和总雨滴动能,换算为每平方米面积上 1mm 降雨的动能。

(二)坡面径流流速的测定

在野外径流小区或室内人工降雨进行坡面侵蚀试验时,研究坡面产流及水流流速是最基本而又重要的问题,通常采用颜料示踪和盐液示踪两种方法。颜料示踪可采用高锰酸钾等有色溶液,用滴管滴入坡面水流或细沟水流,同时计时,测算水流至确定测点或终点的流速。盐液示踪法一般采用 20% NaCl 溶液计时滴入坡面水流或细沟流,待通过测定点导电率计的记录,即可确定盐液通过一定距离的流速。

蔡强国等在室内外模拟降雨试验时,进行了盐液示踪和颜料示踪两种方法测流速的比较。研究结果表明,对于测定最大流速来说,这两种测定方法的结果比较接近;盐液示踪法对确定细沟水流或一般坡面线流的平均流速,优于颜料示踪法[10]。高建恩等在进行小流域水力侵蚀调控模拟试验时,采用两种方法结合分别测定表面流速和平均流速,结果表明两者各有优缺点,颜料示踪法简便直观,但精度较差;盐液法受干扰因素较多,但精度较高[19]。

(三)土壤抗冲性的测定

所谓土壤的抗冲性,是指土壤对抗径流冲刷破坏的能力。黄土结构疏松,其所发生的水蚀过程常常是流失和冲刷同时进行,而且冲刷过程非常强烈,常常大大地掩盖了流失的强度。张俊民、伟启璠等在解释广西百色和广东电白等地的红壤分散系数很小(即抗蚀性弱)而侵蚀却很严重的原因时也认为:“这些土壤遭受侵蚀,一般不是采取悬移的方式,而是采取推移的方式,形成沟状侵蚀。”我国朱显谟院士是黄土土壤抗冲性研究的开拓者,早年即开展了不同利用方式下土壤抗冲性的研究,并发现植物根系在增强土壤抗冲性方面的巨大作用,并认为“黄土与黄土区土壤的渗透性强和抗冲性弱的特征,完全与黄土的沉积方式有关,黄土堆积以后,更由于植被的生长而使前者获得巩固和提高,并使后者得到相应的改善。”另外,蒋定生、周佩华、李勇和吴普特等对土壤抗冲性的测试方法、评价指标、黄土高原土壤抗冲性变化规律,影响因素等方面也进行了较有成效的研究[26~32]。

国外也有相类似的提法和研究,诸如埃利森(Ellison,1947)曾提出,可以将土壤的抗溅蚀力和抗冲刷力分开测定，这一提议后来得到奥文斯（Ovens，1969）的响应。苏联古萨克（Fyccak，1946）进行了流水冲刷磨碎过筛土样试验，尔后又采用人工降雨方法在室内冲刷整段标本试验。考斯加柯夫（KOCTЯKOB，1960）从河床泥沙起动角度出发，定义水的密度 ρ、河渠水深 H 及河流水力比降 I 三者之乘积为土壤抗冲性。

土壤抗冲性的研究已有 50 余年的历史，但是，在测试方法和评价指标方面尚不统一，至今尚无一种规范化的定型测试装置。

1954 年，朱显谟等将采集的 3cm×4cm×4cm 大小的原状土块，置于木板上，木板倾角为 10°，在小河中用 3cm 厚度的流水进行冲刷。这种方法的优点是模拟了土壤遭受冲刷时的实际情况，其缺点是坡度、水层深度、流速大小不易控制。

古萨克（Fyccak，1946）曾设计了一种 $8^{Л}$ 型水槽，槽身长 60cm，宽 1.7cm，高 10cm，槽底纵剖面为抛物线形，分装样室（容积 $100cm^3$）、静水池及供水桶（马利奥特容器）三大部分。试验时，将风干磨碎通过直径 1mm 筛孔的土样装入装样室，然后将土样润湿，再放水冲刷，观测冲走全部样品所需的时间和水量。由于土样经过风干磨碎过筛，不是原状土，植物根系的固土抗冲作用不能体现，因而所得结果与实际情况不太相符。随后，古萨克又采用室内人工模拟降雨方法，将从野外采集来的整段原状土样，进行降雨冲刷。

1963 年，蒋定生设计了一种原状土冲刷水槽[26]，以供测定土壤的抗冲性。它由流水槽、装样室、静水池、整流栅、坡度调节架、自动供水梭和取土器等部分组成（见图 3-16）。

试验时，首先将土样（3cm×4cm×20cm）放入装样室中，土样上盖一滤纸，用吸管吸水将土样慢慢湿润 1～2min。将水槽调整到所需要的坡度上，然后放水冲刷。在每一级坡度上，用 4～5 种不同流量冲刷土样，每种流量冲刷土样的个数为 4～6 个。每次冲刷前后，土样都进行称重，并采集土壤水分样品，以便计算被冲走的土量。冲刷结束后，记录冲刷的时间和水量。这种方法的优点是装置结构简单，能采集原状土样，冲刷的水量和坡度可以调节，所得试验结果与实际情况吻合。

随后，李勇又对此种方法作了某些改进。诸如，加大了取土器的尺寸，以期消除边界条件的影响；供水装置采用双桶二级供水，以保持供水压力恒定；冲刷流量的选取，参照了黄土高原常见的短历时暴雨标准，故而更为科学。

此外，周佩华、吴普特等还采用野外实地入水冲刷方法、径流小区法来研究土壤抗冲性[28～33]。

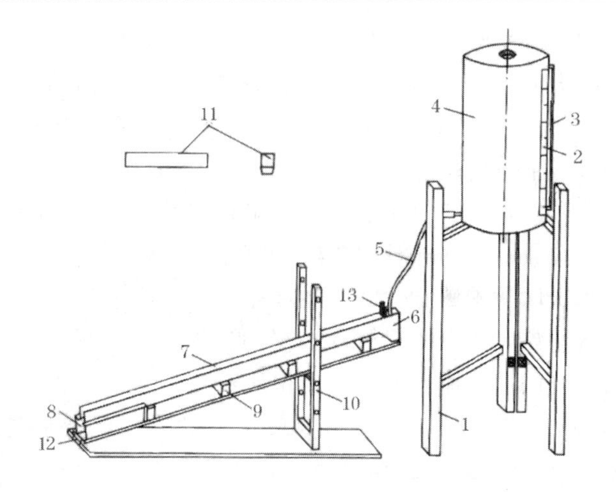

图 3-16　抗冲实验装置示意图

1.放水桶架;2.标尺;3.玻璃管;4.盛水桶;5.放水管;
6.静水室;7.原状土冲刷水槽;8.装样室;9.垫木;
10.坡度架;11.采土器;12.蝶蛟;13.整流栅

综上所述,土壤抗冲性的研究方法还不统一,各家所得的资料可比性较差。当前,迫切需要确定一种较好的方法和装置,并使之规范化,以推动土壤抗冲性研究的深入发展。

第三节　实体模型模拟

在水土保持工作中,工程技术人员面临的一个主要问题是,恰当预测降雨径流过程,以便在农田基本建设,特别是在小流域治理规划设计中采取有效的调控措施减少水土流失,充分利用水土资源。黄土高原小流域在自然情况下及在修建调控工程后所发生的演变过程,对人类生产活动影响甚大,有必要做出预报,作为制定工程规划并进一步控制这一演变过程的依据。小流域水力侵蚀模拟正是预测这一演变过程的重要研究手段,它包括数值模拟和实物模拟(以下简称数模和物模)两个组成部分。数模和物模的实际应用可以分别追溯到 60 年前和 120 年以前。但是,理论上发展得比较完善,实践上得到广泛应用,还是最近 40 年的事。

在数模处于初级阶段,难以定量回答复杂实际问题的同时,物模得到了迅速发展。国外水工模型试验从列恩纳多·达·芬奇(Leonar da Vinci,1452~1519)创立开始,已有数百年的历史。从佛汝德(W·Froude)在 1870 年进行船舶模型试验,并提出著名的佛汝德相似律起,已有近 130 多年历史;从雷诺(O·Reynolds)1885 年运用佛汝德相似律进行默西(Mersey)河模型试验起,也有近 120 年历史。由于物模相似准则很容易从不同力一般表达式的对比关系导出,而白金汉(J·Backingham)提出的用于求一般相似准则 π 的定理也已在 1914 年问世,再加上即使研究十分复杂的水流和侵蚀泥沙运动的三维问题,在物模中也不存在像数模中那样难以克服的困难,物模在较长时期内得到了初步的发展。在水土保持领域,这种方法使得研究者能控制降雨的时空变化,了解降雨和汇水区参数对地表径流过程和侵蚀过程特征的影响,达到为农田基建及小流域治理提供量化依据的目的。由于小流域水蚀过程十分复杂,构造严格侵蚀数学模型的模拟结果尚不能令人满意,因此有必要通过实验继续研究。从理论上讲,室内实验中使降雨输入和水蚀细沟形状在几何上相似已基本解决,因而有可能避免野外观测资料在空间变化上的复杂性。

黄土高原多年来的治理开发实践证明,实施以小流域为单元多学科协同攻关的治理模式,是加快黄土高原综合治理的重要手段,并且取得了良好的水土保持效益、经济效益和社会效益。但是,由于采用的小流域试验方法是根据大量的、长期的观测资料,经过统计分析来寻求事物的内在规律,因此资料可比性差,试验周期长、投资大,特别是由于实际流域治理的不可重复性和对规划缺乏科学的检验,无法预测规划的可行性,如果规划出现技术上的失误,就会造成巨大的经济损失。为此,需要研究一种简化小流域地表径流调控试验周期和投资,并且能在短期内检验在小流域内实施各种径流调控措施的方法,而采用以小流域为单元的模型试验方法恰好能满足这一要求。它是按照一定比例尺构建小流域试验模型,并配置各种调控治理措施,在人工降雨条件下,重现大暴雨引发的水土流失现象,观测模型流域产流产沙的变化过程,借以寻求小流域综合治理的优化方案。

首先应当强调,一个模型(无论是物理模型还是数学模型)都只能在一定程度上反映实际水文过程的某些特征。由于知识或经费上的原因,模型不可能完全重现实际过程。实验就是要通过模型近似了解实际流域的水文响应。因此,模型误差是不可避免的,问题的关键是如何认识误差和采取科学合理的方法控制误差。

前人通过大量水力学及河工实验,总结出了无因次的雷诺数和佛汝德数,在忽略次要作用力条件下,解决了比尺问题,使得模型与原型之间的水文响应在一定条件下相似,而能为原型的水工、河工设计提供定量依据。数十年来,水工及河工模型实验已为大坝、溢洪道、河堤等水利工程提供了有力的科学依据，经济效益显著。这也为地表径流调控实验相似性的研究提供了一定理论基础和解决问题的思路[34]。

一、国外的研究情况

Mamisao[35]在研究农业流域土地利用影响时，提出了模拟流域特性实验的动力相似问题。他通过因次分析推导了正态佛汝德定律的无因次参数，但在分析中将几个无因次量集中到“糙率”项中。其要点是：时间比为 $t=h/r$（t 为时间，h 为雨深，r 为雨强），模型几何形状和降雨强度为变比尺。但由于几何尺寸与雨强相互独立，用简单推理公式分析畸变雨强的影响，模型难以检验。他还发现模型响应过快，因而总径流量估计值偏高。

20 世纪 60 年代末，著名水文学者周文德等在美国 Illinois 大学进行了大量室内水文实验[36]，研究暴雨移动对地表径流影响，以及坡面漫流运动波理论等基本问题，得出若干有价值的结论，但其理论依据同样是系统响应相似，避开了结论由模型向原型转换的难题。

Chery[36]以 1:75 的正态比尺建立模型，实验所用水量极小。尽管严格依据佛汝德定律进行实验，但径流过程却不能重复实现。他在研究报告中指出：在何种程度上室内模型能代表或模拟天然流域系统，是个值得深入探讨的问题。

关于水文实验，Grace 和 Eagleson[37]于 1964 年全面分析了室内变比尺模型在动力相似上的要求，并推导出动力方程的无因次参数。与水工模型相比，由于地表渗透增加了问题的复杂性，无法同时满足重力、黏滞力、表面张力对比尺的要求。因而，进行实验时不得不选择主要因子来确定模型比尺。此后，对模拟准则和缩尺比率进行了若干研究，但至今未能取得突破。

国外研究同时表明，由于流域水文动力过程相似存在着较多的难点，当水量太小，径流过程就较难模拟。这要求模型不宜做得太小。虽然如此，国外的研究者利用实体模型，在假定原型与模型水文响应相似的条件下，取得一系列有价值的成果。

二、国内的研究现状

我国从 20 世纪 50 年代初开始，就采取一系列的重要措施，开始进行流域模拟研究。朱咸等[38]利用室内不透水流域模型对单位线的基本假定进行验证研究，提出了流域汇流的非线性现象，为单位线在实用中的非线性改进，提供了科学依据。他们实际上假定了模型与原型的系统响应相似，取代复杂的水动力学相似，定性说明了流域汇流的非线性，但实验结论不能定量转换到实际流域中直接应用。西安理工大学自 1983 年以来进行了大量坡面降雨漫流及侵蚀实验[39]，仍以“模型与原型”的系统响应相似假定为基础。依据这些实验资料的整理分析，得出一系列有价值的成果。同时指出，土壤侵蚀是一个相当复杂的过程，相似性研究工作需要付出较大代价。

20 世纪 90 年代，雷阿林等[40~42]先后对土壤侵蚀试验中的降雨相似及土壤相似问题进行了初步研究。由于作者忽略了寻求模型模拟是时空所限的一种研究措施，也忽略了球体及类似物体在流体中运动（沉降）机理已经解决的事实，忽略了作用于物体运动各种力所起的作用不同，用一般的孤立的牛顿力学及阻力规律等探讨雨水的降落规律，模糊了模型与原型是相似而不是相等，模型误差是不可避免的这一基本法则，认为模拟只能是 1∶1。很难想象，模型经过几十倍缩小后，降雨必须是 1∶1 来模拟。至少，该结论是值得商榷的。13 年后，作者又提出“如果原状土的降雨入渗和产流产沙过程与扰动土（模型土）的相应过程趋于一致时，即认为二者有相似的侵蚀过程与特点，后者可代替前者，其结果亦可应用外推于前者之上”。作者在承认可对特定条件模拟土壤相似的同时，又忽略了模型原型的比尺效应。

蒋定生等[43]借用水工、治河、泥沙模拟实验技术，虽然认为“在坡面及沟道汇流过程中，紊流得到充分发展，在流体流动过程中，重力影响是重要的”这一重要结论，但在实际试验中仍然假定系统水文响应相似研究小流域水沙变化及调控规律。此后，石辉、田均良等[44,45]和袁建平等[46]分别采用上述技术或配合示踪法，对黄土高原小流域水沙分布规律、不同措施对小流域径流泥沙影响进行了研究。上述实验虽在假定水文响应相似的条件下进行，都证明采用物理模拟试验研究小流域降雨径流产流产沙存在三维性强、改变条件容易、模拟直观的突出优点。

近年，有关黄土高原小流域水力侵蚀模拟研究，通过中国科学院、水利部水土保持研究所知识创新学科领域前沿“黄土高原小流域地表径流调控模拟试验技术研究（C23013700）”、科技部农业科技成果转化资金“人工高效汇集雨水利用技术转化与工程示范（2002710070913）”、科技部国家西部专项“黄土高原小流域地表径流调控与模拟试验研究（2002BA901）”及国家“863”计划节水农业重大专项子课题“新型高效雨水集蓄与利用形式研究（2002AA2Z4051）”等项目的支持与攻关，在小流域水力侵蚀产沙模拟试验研究所必需的野外小流域选择、资料观测、室内模拟试验所遵循的水动力学机制、相似的控制性指标、试验方法、验证试验等方面，取得一定进展[19,20,34]。特别是相似性控制指标系统的初步建立,使得室内模拟试验由水文响应相似发展到可以初步定量地预测原型。相关成果在其后介绍。

第四节　数学模拟

数学模拟方法正在成为研究流域侵蚀调控问题的重要手段。以往的研究主要是通过野外和实验室的实际观测或水力模型试验,即通常所说的河工模型试验。在当前,已经有越来越多的理论和应用研究借助于数学模拟来进行。这两种手段相辅相成,互补长短,将给今后水土保持研究的发展带来深刻影响。

广义说来,凡是通过数学提法来定量描述特定的物理过程并回答某些理论或实际问题的方法,都是数学模拟方法。数学模拟的实现可以通过电子计算机,也可以通过其他物理装置。电子计算机按工作方式可以分为模拟计算机和数字计算机,前者以连续方式来模拟物理现象,而后者则以离散方式来模拟物理现象。模拟计算机价格比较便宜,但通用性和精确度都不如数字计算机,所以,在数学模拟中广泛采用的主要是数字计算机。有些物理现象虽然本质上不相同,但对它们的数学提法都颇为相似,借助于这种相似,人们可以利用一种物理现象来模拟其他的物理现象,例如渗流或热传导问题的电场比拟。尽管它们都是通过物理装置进行模型试验,但所测量的结果却是通过数学控制方程的相似,来换算到完全不同的另一种物理现象,这也属于数学模拟。实现这些模拟的物理设备,可以看做是一台模拟计算机。我们今天已有高效能的数字计算机来解方程组,已经不必再借助于这类模拟。因此,我们今后提到数学模拟,一般都是指数字计算机上所实现的数值模拟。

径流调控的数值模拟表示在对降雨径流进行有效调控作用下产流、侵蚀产沙的发生、发育、演化过程及侵蚀量与其主要影响控制因子间定量关系的数字表述。它是对降雨径流调控作用合理测算的有效途径,可以为降雨径流调控作用下的流域侵蚀产沙预测、水土保持规划、水土流失的动态监测以及土地利用与管理等提供科学依据。

与水力模型相比,数学模型有一些突出的优点。首先,流域降雨径流调控及所涉及的降雨、径流、侵蚀输沙运动是大范围的环境问题,实体模型在实现与原型的相似方面存在许多难以克服的困难。其次,水力模型往往需要占用规模巨大的场地、耗费大量设备、材料和人力,费用高昂,加之水力模型的建造往往只适用于某一特定问题,改变问题或者改变边界条件,往往需要全部或局部拆除,重新设计建造,因而试验的周期较长。此外,在运行中还需要随时注意消除或补偿环境因素引起的误差(如气温变化以及模型沉陷等),水力模型的这些困难在数学模型看来,都比较容易处理。数学模型的所有条件都以数值给出,不受缩尺和试验条件的限制,可以严格控制并随时改变边界条件及其他条件;随着计算机的迅速升级换代、功能不断加强、成本不断降低,相对来说费用比较便宜。数学模型具有通用性,只要研制出适合的应用软件,就可以应用于不同的实际问题,因而数学模型具有高效的特点。数值模拟还具有理想的抗干扰性能,重复模拟可以得到完全相同的结果,这是水力模型难以达到的。但是数学模拟能实现,必须先为它建立整套的控制方程和封闭条件以及有效的计算方法。如果数学描述不能正确反映实际问题,就不能指望数学模拟能够给出合理的结果。目前,径流调控与水力侵蚀的许多重要方面还得依靠经验,这些经验对于数学模型的封闭也是不可少的,如果应用不当,就会脱离实际。因此,数学模拟也是有局限的。要提高它的效能尚有待于水力侵蚀调控及水土保持理论和实践经验的发展。反过来,数学模拟也能为理论研究作出贡献,通过数值试验可以证实或否定某些设想,发现某些规律,目前这类研究还很缺少。

近30年以来,计算机功能的迅速增强和使用的日益普及,推动了有关水土保持特别是土壤侵蚀数学模型的蓬勃发展。特别是遥感(RS)和地理信息系统(GIS)开始应用于小流域侵蚀产沙模拟研究,从而出现了基于GIS的侵蚀产沙模型。虽然还没有纯粹基于径流调控作用下的数值模拟模型,但世界各国学者通过科学的实践和总结,提出了大量的土壤侵蚀产沙数学模型,这些模型通过适当改造,突出降雨径流的调控作用,可以作为降雨径流调控模型研发的基础。

事实上,无论是侵蚀产沙模型还是其他水土保持模型,其主要功能都是预报水土流失,指导侵蚀调控措施配置,持续利用水土资源,改善生态环境。从这个功能上讲,一些模型已经初步地考虑了径流调控的作用。总结这类模型[13,14],根据建立模型的方法、途径和应用目的,将这些模型大体分为两类,即经验性模型和机理性模型。

一、国际上降雨径流调控模型的研究[47~53]

(一)经验性模型研究

经验性模型建立在大量观测和试验数据基础之上,对土壤侵蚀影响因素进行分析,采用数理统计的方法,从大量的试验观测数据中拟合出与土壤侵蚀模型有关的方程和参数。经验性模型在试验模拟地区具有较大的准确性和适用性，能反映出本地区的特点，但在推广和外延时受到较大限制。世界各国根据本地区的特点建立了大量经验性土壤侵蚀模型，使用最为广泛的是美国通用土壤流失方程(USLE)。从 1953 年起，基于大量小区观测资料和人工模拟降雨试验资料，美国对落基山以东近万个数据进行分析，1954 年提出了著名的通用土壤流失方程 USLE(Universal Soil Loss Equation)[48]，并于 1971 年确定了 USLE 的最终形式。USLE 一经提出，迅速为美国许多地区及世界各国采用，它是土壤侵蚀模型研究的重大进展。USLE 模型结构简单，参数物理意义明确，计算简单，具有很强的实用性和强大的综合能力，应用相当广泛。其公式结构如下：

$$A = R \times K \times LS \times C \times P \tag{3-2}$$

式中：A 为土壤流失量；R 为降雨侵蚀因子；K 为土壤可蚀性因子；LS 为坡长和坡度因子；C 为作物因子；P 为水土保持措施因子。

这里的作物因子及水土保持因子实际上就是调控径流的因子。当然，由于该模型所使用的数据主要来自美国落基山山脉以东地区，且仅适用于平缓坡地，使其推广应用受到限制。另外，由于该模型只是一个经验模型，缺乏对侵蚀过程及其机理的深入剖析，如仅考虑了降雨侵蚀力因子，而不考虑与侵蚀调控密切相关的径流因子，坡长与降雨、坡度与降雨等有关因子交互作用也被忽略等。

另一个考虑调控较全面的模型是侵蚀生产力评价模评(EPIC)。EPIC 模型是一个连续土壤侵蚀评价模型，同时考虑了水蚀与风蚀，可用来确定农业生产上管理因素的影响。模型中主要的参数包括气象、水利、侵蚀泥沙、养分循环、杀虫剂的破坏、植物生产、土壤温度、耕作、经济植物环境控制等因子。目前，EPIC 模型已用来定量评价土壤侵蚀的程度和在土地生产力方面的影响，并进一步扩展到许多暂时模拟农业管理的程序中，还用来确定管理措施在土壤和水资源方面的影响。

(二)机理模型研究

机理性模型是从侵蚀的机理出发，建立在坚实的物理试验观测分析和数理分析基础之上，以土壤侵蚀过程试验为依据，推导出侵蚀模型的雏形，并用大量试验观测数据来加以拟合、修正和检验，从而使理论模型有更大的适用性，因此机理性模型也称为理论模型。机理性模型又可分为集总型模型和分布型模型。集总模型描述流域的总体或平均行为，模型将空间非一致性影响进行综合或平均，使其通过模型等面积点的参数表现整体的侵蚀模数。分布型模型则能反映时空的变化过程，对于侵蚀过程的空间非一致性有很好的表现。分布型模型比集总型模型更能反映侵蚀的时空变异规律，更能拟合出流域的自然侵蚀过程。GREAMS 模型（Knisel，1980）、ANSWERS 模型（Beasley，1980）、MMF 模型（Morgan，1984）、水流机制模型（Julien，1985）、WEPP 模型（USDA，1988）等都是国际上流行的侵蚀产沙机理性模型。

由于经验模型 USLE 缺乏对侵蚀过程及其机理的深入剖析，20 世纪 70 年代以后，美国应用现代化的试验测试手段和计算机模拟技术，根据细沟间侵蚀和细沟侵蚀的原理及泥沙输移的动力机制，建立了修正的通用土壤流失预报方程，即 RUSLE（Reversed U-niversal Soil Loss Equation）模型[48]。在此基础上，从 1985 年开始，美国农业部投入大量的人力物力进行水蚀预报模型的研究（WEPP）[51]。WEPP 模型是新一代水蚀预报技术开发的计算机土壤侵蚀预报模型，是迄今为止考虑降雨径流侵蚀调控相关物理过程最详细的模型。WEPP 模型是以随机气象过程生成模型、入渗理论、水文学、土壤物理学、作物科学、残茬分解模型、水力学和侵蚀动力学为基础开发的，较全面地考虑了降雨径流侵蚀调控的一些主要方面，有坡面版、流域版和网络版 3 个版本，目前开发较为成功的为坡面版和流域版。WEPP 模型的坡面版和流域版比现有侵蚀预报模型有明显的优越性。由于 WEPP 模型是过程模型，因此它可以估算土壤侵蚀在不同调控措施作用下的时空分布，即全坡面或坡面任一点的净侵蚀量及其随时间的变化。近期 WEPP 模型在完善流域版的同时，开发了在 GIS 技术支撑下的流域水蚀预报模型。

在美国进行水蚀预报模型研究的同时，英国、荷兰和澳大利亚等国也在开发适用于其本国或本地区的土壤侵蚀预报模型。英国 Morgan 等人根据欧洲土壤侵蚀的研究成果，开发了用于描述和预报田间和流域的土壤侵蚀预报模型（EUROSEM—European Soil Erosion Model）。荷兰科学家结合本国的实际和研究成果，开发了 LBSEM（Lim berg Soil Erosion Model）土壤侵蚀模型。LBSEM 模型同 WEPP 模型相比，对土壤侵蚀过程的描述不像 WEPP 模型那样深入和全面。其他国家，如澳大利亚也在开发自己的土壤侵蚀预报模型（Rose model）。

比利时科学家基于切沟发展阶段，开发了切沟侵蚀预报模型，即动态预报模型和静态预报模型[53]。动态预报模型用于估算切沟发育初期（活跃期）的切沟侵蚀量。建立动态模型的理论基础是质量守恒定律和沟床演变，其模型参数主要考虑沟头溯源侵蚀和沟谷扩展。静态模型用于估算切沟发育后期（相对稳定期）的切沟侵蚀量。

二、中国降雨径流土壤侵蚀预报模型的研究进展[54~68]

我国侵蚀调控预报模型的研究始于根据黄土高原径流小区观测资料，建立估算次降雨土壤侵蚀量的统计模型。由坡面开始，逐渐走向流域及区域。20 世纪 80 年代，以美国通用土壤流失预报方程 USLE 为蓝本，根据各地研究区的实际情况，进行修正，建立了若干个地区性的坡面土壤侵蚀预报模型。有代表性的模型如江忠善[54,57,68]、蔡强国[55]、李锐、刘宝元等模型。刘宝元等借鉴美国 USLE 的成功经验，建立了中国土壤流失预报方程，即

$$A = RKLSBET \tag{3-3}$$

式中：A 为多年平均土壤流失量；R 为降雨侵蚀力，$R = EI_{30}$；K 为土壤可蚀性；S 为坡度；L 为坡长；B 为水土保持生物措施；E 为水土保持工程措施；T 为水土保持耕作措施。

该模型的最大优点是，根据我国水土保持措施的实际情况，将 USLE 中的作物和水土保持措施两大因子变为水土保持三大措施因子，即生物（B）、工程（E）和水土保持耕作措施（T）因子；二是模型的结构相对简单，便于推广应用。

流域土壤侵蚀预报模型的研究同坡面侵蚀预报相比，起步较晚。20 世纪 80 年代初期江忠善和宋文经（1980）[5]根据陕北、晋西、陇东南小流域水文泥沙观测资料建立估算次降雨流域产沙量统计模型；牟金泽和熊贵枢（1980）[58]根据陕北子洲岔巴沟流域的观测资料，建立了估算小流域次洪水和全年的产沙量预报经验公式。此后，伊国康和陈钦峦（1989）[59]根据陕西黄土高原等地区的小流域观测资料，建立了以径流模数和流域下垫面综合特征指标为参数的小流域年产沙量预报公式。20 世纪 80 年代中期，以侵蚀产沙物理过程为基础的概念型模型也得到了很快发展。

王星宇等（1987）[60]针对黄土高原丘陵区小流域侵蚀地貌的特点，对梁坡和沟坡两大单元进行概论，并从动力学的角度出发，利用推移质和悬移质输沙公式，建立了估算小流域产沙量的数学模型。汤立群等（1990）[61]和谢树楠等（1996）[62]根据流域径流形成和侵蚀产沙机理，利用水文学和泥沙运动力学的基本理论，构建了物理成因较强的小流域产沙动力学模型。

近几年以来，开发的流域土壤侵蚀预报模型在反映流域侵蚀产沙发生的空间分布方面取得了新的进展。江忠善等（1996）[54]利用黄土高原丘陵沟壑区安塞站径流小区和纸坊沟流域的观测资料，建立了由沟间地单元地块子模型和沟谷地单元地块子模型两部分组成的小流域次降雨地块侵蚀预报模型。

该模型利用 RS 和 GIS 技术建立地形数据库,并在模型中首次考虑了沟间地的浅沟侵蚀因素系数。

由于土壤侵蚀是既受自然因素影响,同时又受到人类活动干扰的过程,并且各种因素之间的交互影响错综复杂,侵蚀产沙中的许多规律尚未得到很好的解释。各种不同尺度的土壤侵蚀模型在模型结构、参数选取和应用对象及范围上都有很大差异。如何选取不同尺度土壤侵蚀模型的参数,并建立不同尺度土壤侵蚀模型之间的定量关系,将成为土壤侵蚀模型研究中亟待解决的问题。

经验性模型今后的研究重点在于如何选取不同侵蚀调控措施的模型参数,以便更好地反映研究地区的降雨径流侵蚀调控实际情况,进而提高经验模型对所研究区域侵蚀预报的精度,并使经验模型具有更好的开放性、动态性和可移植性。在机理性模型方面,将进一步注重理论分析,尤其是从以侵蚀因子为基础的侵蚀预报转向侵蚀过程的量化研究和理论完善。对于 GIS 在土壤侵蚀研究中的应用,不仅受制于数学模型的研究水平,而且也受到 GIS 软件开发、基础数据来源等多方面因素的影响。由于 GIS 所具有的空间性、动态性,从而使土壤侵蚀模型在 GIS 的支持下,能够反映和模拟出流域的侵蚀过程和空间分布。基于 GIS、RS 的土壤侵蚀模型比传统土壤侵蚀模型具有更强大的生命力,是今后研究的重点。

三、黄土高原降雨径流侵蚀调控模型研究的发展方向

(一)降雨径流侵蚀调控预报模型研究的紧迫性和重要性

降雨径流侵蚀调控模型研究是世界土壤侵蚀学科的前沿领域和土壤侵蚀过程定量研究的有效手段。黄土高原降雨径流侵蚀调控或广义的土壤侵蚀预报模型的研究和开发已经走过了近 50 年的发展历程,特别是近 20 年来,较成功地研制和开发了一批适应中国具体情况的坡面和流域降雨径流侵蚀预报模型。但由于降雨径流及土壤侵蚀过程本身的复杂性、影响因素间的相互作用以及进行理论分析、实际观测和室内试验存在的诸多困难,特别是黄土高原降雨径流侵蚀的特殊性、自然环境的复杂性及人为活动影响的深刻性,加之基础数据零散、观测数据不统一、研究协作不得力等原因,至今仍未能建立适用于中国特别是黄土高原具体自然条件的较通用的侵蚀调控预报模型和宏观区域水土流失预测预报模型,已开发的模型在诸如水土保持规划、决策、执法及科学研究方面远不能满足要求。土壤侵蚀模型的研究与开发严重滞后于黄土高原生态环境建设与水土资源可持续开发利用的生产实践需要。

在黄土高原生态环境建设的新形势下,研究开发黄土高原降雨径流侵蚀调控预报模型有着巨大的现实意义。首先,是黄土高原水土保持生态环境建设规划决策的需要。研发黄土高原降雨径流调控数学模型将为黄土高原水土保持规划和土地利用规划提供强有力的技术支持,同时也为黄土高原生态环境建设和水土保持宏观决策的制定提供有力的支持。其次,是水土保持执法需要。法律手段是加速和促进水土保持事业发展的一条重要途径。利用数学模型对降雨径流侵蚀调控进行定量评价必将促进水土保持执法的科学化、准确化和动态化。第三,研发功能强大的数学模型是水土保持科学研究的要求。降雨径流侵蚀调控的机理十分复杂,利用侵蚀调控预报模型进行数值模拟,可以验证一些理念、理论的正确与否,是侵蚀调控机理微观探索的有力手段。诚然,通过侵蚀调控数学模型的开发与应用,也必将极大地促进土壤侵蚀和水土保持学科的发展,并培养大批土壤侵蚀与水土保持学科的高级研究人才和管理人才,促进我国水土保持科学事业的发展。

(二)黄土高原降雨径流侵蚀调控预报模型研究的设想

根据国外土壤侵蚀预报模型发展的趋势和开发研制的成功经验、国内土壤侵蚀物理过程研究成就和侵蚀预报模型的发展现状及国家需求,我国土壤侵蚀预报模型研发应遵循"立足实际,借鉴经验,协作攻关"的原则。

(1)研发目标以开发降雨径流过程模型为主。目前对黄土高原降雨径流侵蚀调控的动力过程、机理已有一定认识,因此目前研究应以能反映侵蚀调控过程的模型为主,应将开发坡面侵蚀调控预报模型、流域侵蚀预报模型和区域土壤侵蚀评价和预测模型相结合,采用 RS 和 GIS 技术,建立水土流失数据库,开发降雨径流调控与水土资源持续利用的水土保持智能决策支持系统。

(2)加强黄土高原降雨径流侵蚀调控的过程机理研究。黄土高原降雨径流侵蚀过程十分复杂,这为开发治理水土流失、改善生态环境的侵蚀调控预报模型提出巨大挑战。要在开发数学模型的同时,加强对降雨径流侵蚀调控过程的研究,特别是需要加强降雨、径流、土壤及生态植物等"四水"的转化及健康调控过程研究,建立"四水"转化调控的过程模型,为建立侵蚀调控预报模型提供技术支撑。

(3)土壤侵蚀预报模型的研究和开发是一个庞大的科学研究系统工程,涉及土壤侵蚀与水土保持学、水文学、水力学、泥沙运动学、土壤学、农学、GIS、计算机科学等多门学科。美国土壤侵蚀预报模型开发研制成功经验中的重要一条就是由农业部牵头,动员科研、教学、生产单位联合攻关。因此,建议应在国家层面,通过重大项目支持,组织多学科、多部门协同攻关,并组建精干队伍,力争在4～5年的时间内开发出小流域降雨径流侵蚀调控预报模型,并以此为基础,利用5～8年的时间开发研制流域侵蚀调控预报模型。

第五节 新技术应用

当前,以信息技术、生物技术、新材料技术等为代表的高新技术迅猛发展,已渗透到经济、社会及人们日常生活的各个领域,在黄土高原水土保持特别是降雨径流调控研究中,也得到广泛应用。如在技术领域,强化入渗及径流收集中新材料及生物技术应用,在研究方法上信息技术特别是"3S"技术应用等。这里主要讨论"3S"技术在黄土高原降雨径流调控中的应用。

"3S"技术是指遥感(RS——Remote Sensing)、地理信息系统(GIS——Geographical Information System)和全球定位系统(GPS——Global Position System)。三者各自独立,但又紧密联系可集成一体化的技术系统。20世纪80年代,在土壤侵蚀调查研究中,遥感技术得到广泛应用;近年来RS与GIS相结合,使常规的土壤侵蚀调查,进一步发挥监测、预报和规划的能力[69,75,76]。GPS的高精度定位技术,在大地测量和精密工程测量等方面已获得成功经验,同时也展示了GPS和RS、GIS相结合进一步研究监测土壤侵蚀类型如片蚀、沟蚀及滑坡、泥石流动态过程,以便采取径流调控及其他水土保持措施进行治理的前景。

一、"3S"技术在降雨径流侵蚀调控利用工作中的应用实践

(一)RS在降雨径流侵蚀调控领域打下了广泛的应用基础

RS(遥感技术)是20世纪60年代发展起来的,主要是指从远距离高空及外层空间的各种平台上利用电磁波探测仪器,通过摄影或扫描、信息响应、传输和处理,研究地面物体的形状、大小、位置及其与环境的相关关系等宏观规律的现代科学技术。其特征是不接触被研究的目标,感测目标的特征信息(这是与GPS的根本区别之处),经过传输、处理,从中提取有用的信息。该特点为准确及时普查资源、预测降雨径流及其他类土壤侵蚀、规划配置合理的径流调控措施提供了坚实的技术支撑。

20世纪70年代以来,遥感在资源环境调查工作中已经显示出巨大的优势。遥感调查能在短时期内完成全国范围内的土壤侵蚀监测,极大地提高土壤侵蚀调查的工作效率和精度。根据遥感技术和土壤侵蚀的特点,必须在野外调查与遥感图斑对比的基础上,将不同时相的遥感图片还原一致,建立统一

的技术体系和技术指标，才能进行土壤侵蚀的动态监测。迄今为止我国先后进行了两次全国土壤侵蚀的遥感调查，并将对全国范围的水土流失进行定期普查，予以公告。

随着遥感信息源的改善、高光谱分辨率和高空间分辨率遥感数据不断更新，以及遥感数据定量分析技术的不断进步和地理信息系统技术的发展，应用遥感方法进行大比例尺资源调查成为可能，可大大提高水土保持工作的主动性。

（二）GIS 为径流侵蚀调控建立了坚实的应用平台

GIS（地理信息系统）是指在计算机硬件支持下，对具有空间内涵的地理信息输入、存储、查询、运算、分析、表达的技术系统。同时它可以用于地理信息系统的动态描述，通过时空构模、分析地理系统的发展变化和深化过程，从而为咨询、规划和决策提供服务。其应用已遍及与地理空间有关的领域，从全球变化、持续发展到城市交通、公共设施规划及建筑选址、地产策划等方面，地理信息系统技术正深刻地影响着甚至改变着这些领域的研究方法及动作机制。地理信息系统不仅是进行资源普查、区域开发规划、国土管理规划、环境资源调查的基础，也是区域决策与现代化管理的有力手段，具有广阔的应用前景。

信息系统的处理对象为空间实体，本质就是对不同类的信息进行分析、处理和加工。它的工作过程（查询检索等）主要是通过研究实体的空间位置与空间关系来进行的，当然也可以是通过研究他们的属性来进行。它对空间数据除管理、检索外，还可进行各种运算和分析。输出形式主要是图形（各种专题图等），也可以是传统的表格、文字、数据。地理信息系统在水土保持领域已得到广泛的应用，历次的遥感调查无不利用地理信息系统来分析、综合遥感信息。国内已有多个基于 ARC/INFO、MAPINFO、MAPGIS 等软件平台的水土保持地理信息系统，在水土保持规划、三区划分、小流域规划设计、雨水利用智能决策等方面发挥着重要的作用。

（三）GPS 使水土保持的实时监测成为可能

GPS 是一种可以定时、测距的空间交会导航系统，是美国国防部于 20 世纪 70 年代规划、80 年代实施、90 年代运营的卫星防御系统的一部分。具有测量和导航功能，可通过接收卫星信息来给出（记录）地球上任意地点的三维坐标以及载体的运行速度，同时它还可给出准确的时间信息，具有记录地物属性的功能。它和传统监测不同的是，操作十分简单方便，只需一人携带仪器经过该地点即可，可大大提高测量的速度。2000 年 5 月，美国取消了选择性提供政策，为水土保持行业应用 GPS 打下了很好的基础。需要注意的是，不同型号的 GPS，测量精度不同。

GPS 测量相对独立，任何一点的测量均是依靠卫星信号定位的，和前后测点无关，因而没有地面通视的要求，也没有误差积累的影响，可以用来测量小范围的径流调控设施或水土流失现象发生的位置、几何特征等，还可监测开发建设项目造成的水土流失情况以及退耕还林的具体面积及分布。

二、“3S”在黄土高原水土保持工作中的集成

RS、GIS、GPS 在水土保持工作中的应用取得成功，使水土保持工作从传统的定性分析发展为定性、定量和定位分析，从单一要素分析过渡到多要素、多变量综合分析，从静态分析发展到动态研究，极大地推动了水土保持事业的发展。为实现 21 世纪人口、资源、环境的协调发展，需要对大量的数据进行及时的处理、分析，以便对问题及时做出决策，显然单“S”已不能很好地适应水土保持发展形势的要求，必须进行“3S”集成应用。

“3S”不是 GPS、GIS、RS 的简单组合，而是将其通过数据接口严格地、紧密地、系统地集合起来，使其成为一个更具有应用价值的大系统。目前两两结合的系统相继应用，为“3S”集成积累了丰富的经验。如我国土壤侵蚀的遥感调查工作就是联合应用 RS 及 GIS 技术手段，采用人机交互方式，以多专题综合分析方法，来实现全国土壤侵蚀状况的快速调查，初步查清了我国水土流失类型、强度的分布与面积。交通、公安及消防等导航技术是 GPS 与 GIS 的联合应用，也是较为普及、易于实现的集成，把 GPS 接收的数据在 GIS 的电子地图上显示，方便地告诉用户当前所在的位置、速度及行走的路线，指引用户完成自己的任务；它在水土保持领域可建成实时监测系统，可以测定防护林、地块的位置，计算其周长、面积、体积、坡度等要素，也可在 GIS 图中将水土保持设施一一标出，为水土保持工作提供便利。

在水土保持工作的“3S”集成中，GIS 是主体，它组织 RS 信息以及其他地理信息（自然地理与人为地理信息），根据水土保持任务的需要，用 GPS 来细化、更新部分信息，经过分析、处理，得出相应的成果并动态地预测水土流失的发展趋势，为水土保持的决策提供科技支持，为小流域综合治理、规划设计提供支持手段。RS 是 GIS 的主要信息源，它大大改善了信息的获取、更新手段；尽管土壤侵蚀的性质和强度并不能完全从遥感获取的地表信息中准确地确定出来，但土壤侵蚀图斑的处理与分类是 GPS 不能取代的。借助于适当的模型及辅助信息，图斑的聚类分析与自动判别在 GIS 上可以实现，这也是

"3S"集成的目的之一。GPS 在"3S"中也可用作信息源,它相对于 RS 来说属于微观尺度,主要用于细化局部区域的信息,作为 GIS 重要的补测、补绘、更新手段;用于地物特征点的测量,可以在 GIS 中配准 RS 图片。这个"3S"集成系统,三个"S"各自发挥着自己特定的作用和功能,使系统在一个有序、协调的有机整体中运行,进而从整体上解决水土保持管理与监测中的有关问题。

三、流域降雨径流利用智能决策系统[77,78]

雨水是解决我国干旱半干旱地区水资源短缺问题、保证区域生存与发展的最主要的水源之一。目前,雨水利用已经从雨水利用的基本理论、基本技术以及环境效应等多个方面开展研究,已经从单纯的生活用水发展到农业用水、生态用水等。2001 年我国在全国水利学会下设了雨水利用专业委员会,也就是说雨水利用逐渐发展成为一门新的学科。但是,目前雨水利用技术研究和实施以单项技术为主,低水平重复现象比较普遍,在雨水资源评价方法、利用技术的适应性及对环境的影响、开发潜力与利用模式、技术标准化、规划管理等方面还存在许多问题,尤其在工程设计及管理方面问题更加突出。此处针对上述问题,提出研究流域雨水利用智能决策系统,从规划、设计及管理角度,提高雨水的利用率,为更好地解决区域生存和发展过程中的水源问题提供帮助。

(一)开发流域雨水利用智能决策系统的总体思路

我国干旱半干旱地区水资源短缺和水资源浪费严重的现象并存,一方面,严重干旱缺水,农业发展和人们生活条件受到了严重的影响和制约;另一方面,大量的雨水资源被浪费、流失,同时成为坡面水土流失的动力,造成严重的土壤侵蚀。另外,在农田基本建设和生态恢复建设方面,投入了大量的人力、物力和时间,修建了大量的梯田,种植了大片的林、草,但是由于缺水造成良田产量低,林草成活率低。通过分析认为,目前的做法主要考虑的是经济和工程上的可行性,基本没有考虑水资源的满足程度和可行性。提出了以雨水资源作为农业、生态建设规划的依据,以经济效益和工程可行性为约束的雨水资源开发利用思路,并建立流域雨水利用智能决策系统。

流域雨水利用智能决策系统就是以区域自然特征、降水特征、社会经济状况为基础,计算出区域雨水资源化潜力,根据该区域的水资源利用特点和用水需求,合理分配雨水资源,提出雨水资源规划利用方案,实现雨水资源的高效、安全利用,满足生产、生活以及生态用水的保证率的规划系统。

它以气象资料、地形资料、土地利用资料为基础,以雨水资源的合理、高效及安全利用为目标，以优化决策计算、科学规划为主要手段，以有效、规范地实施上述综合配套技术体系为支撑，借助地理信息系统(GIS)、遥感技术(RS)、全球定位系统(GPS)、专家系统(ES)及计算机辅助设计系统(CAD)等技术，开发流域雨水利用智能决策系统。系统框架见图 3-17。

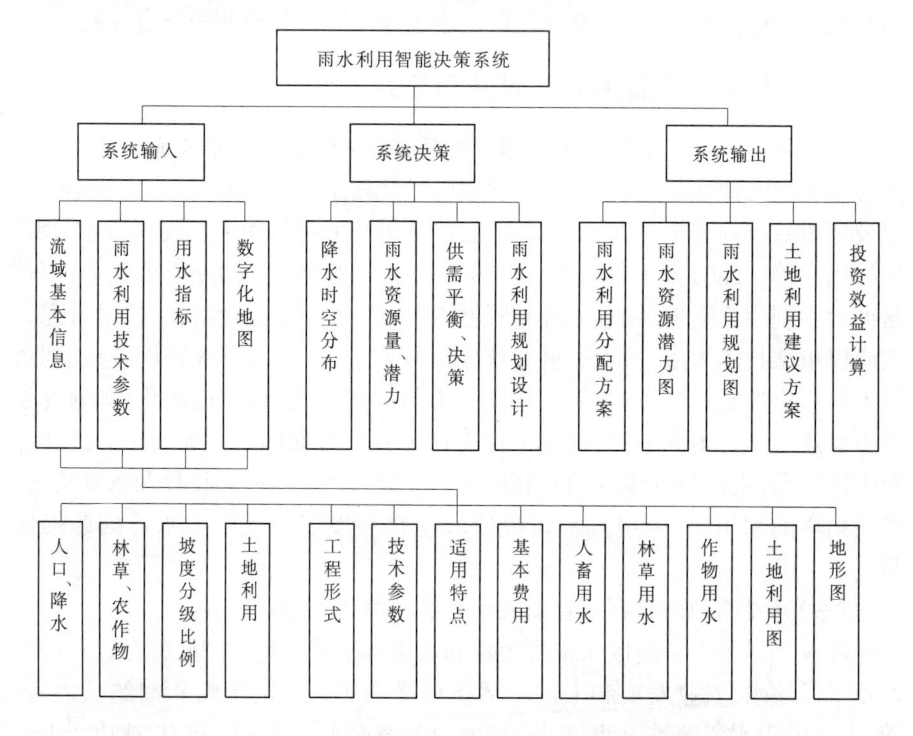

图 3-17 流域雨水利用智能决策系统框架图

首先，分析计算规划区域的雨水资源特点、雨水资源利用现状，以及水资源的主要利用途径和方式，计算该区域的雨水资源化潜力。

然后，考虑当地的地下水以及地表水，以满足当地生活、生产、生态用水一定保证率为目标，以经济最优为约束，进行决策规划，提出雨水资源的利用分配方案。

最后，对上述计算结果进行评价，提出规划方案，供当地雨水资源利用设计。

该系统将具有以下功能，即输入给定区域基本参数信息，就可通过系统模式优化通用算法及计算程序，决策出给定区域宜采用的技术与配套措施，输出相应的技术布局图与操作规程，以及投资与效益分析等。

(二)基本资料

1. 图形资料

1)土地利用图

进行数字化土地利用图测绘或者对土地利用现状图数字化处理获得数字化土地利用图、属性编辑,属于不同土地类型的属性及相应参数,转化为系统可以接受的格式。

2)地形图

进行数字化地形图测绘或者对地形图数字化处理获得数字化地形图,确定坡度分级标准,将数字化地形图转化为坡度图,并编辑属性,对不同级别的坡度范围输入属性值和相关参数,标准化为系统接受的格式。

3)分区图

建立行政分区或流域分区的区划单元图,作为标准规划单元,小流域可以不考虑分区图。

2. 生产资料

20 年以上的日降水资料,用以分析计算流域的降水特性;5 年以上的农业种植面积及作物种类、农作物产量、农作物用水量资料,分析流域作物水分生产效率和平均粮食单位面积产量等参数。

流域雨水资源利用措施的数量、位置及类型,用以计算流域雨水资源开发利用现状和雨水利用率,雨水资源利用程度。

3. 指标资料

包括生态、生活、生产用水指标。如单位面积林草的平均最小耗水量、不同降水频率条件下的人畜用水指标、用粮指标,各种农作物的平均产量等。

不同坡度雨水的利用效率、不同技术措施的利用效率、不同利用类型的技术效率等。

(三)流域雨水利用智能决策系统的开发

该系统采用 Delphi 语言作为基本开发工具进行基本代码的编写和数学计算任务;借助地理信息开发平台 super map 系统的开发模块 SO 作为地理信息的运算工具,进行地理图形数据计算,如应用图层叠加原理,将流域地貌图转化成坡度图,和流域土地利用图叠加形成新的图层作为计算基本单元;AUTOCAD软件作为规划设计图形的处理和运算工具,分别计算出各个区划单元的雨水资源量;参照国家或地方用水定额,结合当地的实际情况和各类雨水利用技术措施的效率参数,分别计算出人畜需水量、农业需水量和生态需水量。运用优化决策模型对雨水资源进行分配计算,并进行雨水利用工程的规划设计,系统流程见图 3-18。

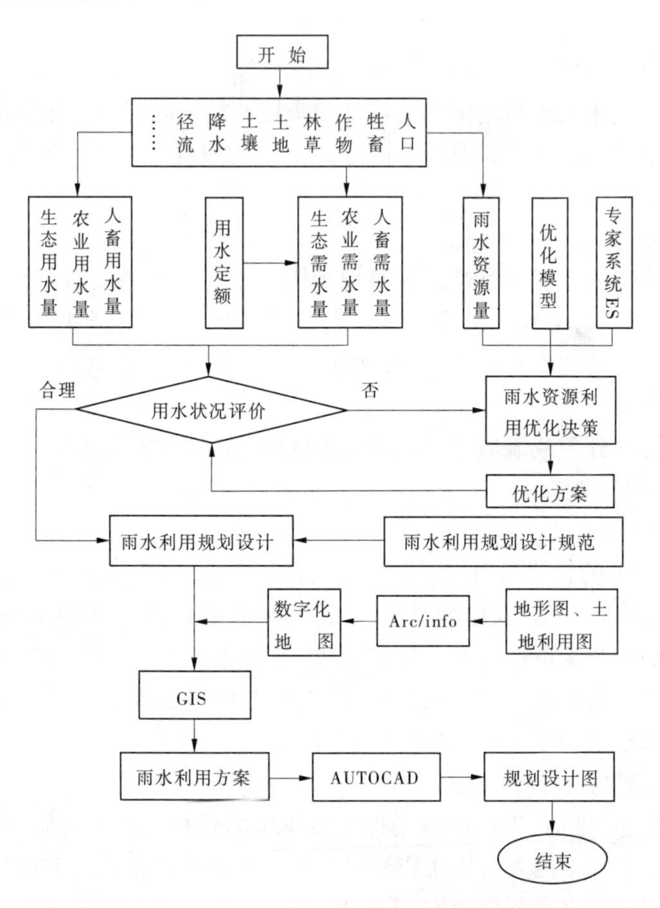

图 3-18 系统开发流程图

(四)基本运算模型

1.雨水资源总量

雨水资源量就是从形成降水到降水结束的整个过程中产生的水体的总量。

$$W = \sum i \cdot A_l + \sum \left[\int_T \int_{A_Z} (f + r) \mathrm{d}T \mathrm{d}A_Z \right] + S \cdot A_Z \qquad (3\text{-}4)$$

式中:W 为整个流域的雨水资源量,m^3;A_l 为流域内裸地和水面面积,m^2;A_Z 为流域内植被覆盖面积,m^2;T 为计算时段的长度,d;f 为流域内平均入渗速率,m/s;r 为流域内平均地表径流系数;S 为植被截流量。

在实际计算过程中,将整个流域分解成多个小的计算单元,在每个计算单元内,设定降雨强度和土壤渗透系数都是均一的。对于小流域可以认为降水分布是均一的,按照土壤渗透以及植被状况划分计算单元。对于大流域,先按照降水强度分区,然后再在每个区划单元按土壤入渗状况划分计算单元。对于降水资料和渗透资料不齐全区域,可以借鉴相邻区域和插值计算,确定降雨强度和土壤渗透系数,冯浩研究提出了以流域降水量为计算依据的方法。

2.流域雨水资源化潜力计算

计算公式如下:

$$P_r = \lambda_P \left[\frac{A_n \cdot k_{\max}}{A} + \lambda_S \cdot \left(\rho_{\max} \cdot \frac{A_d}{A} + \frac{W_{nR}}{W} \right) \right] \tag{3-5}$$

式中:P_r 为雨水资源化现实潜力,%;A_n、A_d 分别为就地利用和异地利用的适宜面积,m^2;A 为区域总面积,m^2;W 为区域雨水资源总量,m^3;W_{nR} 为就地利用区的地表径流流入异地利用区域的水量,m^3;$\rho_{\max}$、$k_{\max}$ 分别为最大集流效率和最大土壤平均入渗率;λ_P 为降水特征参数;λ_S 为地形特征参数。

3.流域雨水利用程度计算

计算公式如下:

$$D_r = \frac{1}{W}(W_L + W_H) + \frac{1}{A}\sum_{x=2}^{X}(k_x A_{Ix}) \tag{3-6}$$

式中:W_L 为延时雨水利用量,m^3;W_H 为综合雨水利用量,m^3;X 为即时利用技术的总数;k_x 为第 x 个即时利用技术的雨水转化率,%;A_{Ix} 为第 x 个即时雨水利用技术面积,m^2。

4.生活需水量计算

计算公式如下:

$$W_{生活} = k_2(n_{人} \cdot w_{e人} + n_{牲} \cdot w_{e牲}) \cdot T \tag{3-7}$$

式中:$W_{生活}$ 为流域规划的生活需水量,m^3;$k_2 = f_2(p)$,是降水频率对粮食产量的影响系数,即在不同降水频率条件下人畜用水量的保证率,%,p 为水文频率;$w_{e人}$ 为人口日平均用水定额,m^3;$w_{e牲}$ 为牲畜日平均用水定额,m^3;$n_{人}$ 为规划年的人口数;$n_{牲}$ 为规划年的标准牲畜数;T 为供水时间,d。

5.农业需水量

计算公式如下:

$$W_{农业} = \frac{k_1 \cdot \rho \cdot (n_{人} \cdot e_{人} + n_{牲} \cdot e_{牲})}{WUE} \tag{3-8}$$

式中:$W_{农业}$ 为流域规划的农业需水量,m^3;$k_1 = f_1(p)$ 是降水频率对粮食产量的保证系数，即在不同降水频率条件下农业用水量的保证率，%；$e_{人}$ 为人口日平均用粮定额，kg；$e_{牲}$ 为牲畜日平均用粮定额，kg；ρ 为规划年的区域粮食自给率，%；WUE 为流域平均作物水分生产效率，kg/m^3。

（五）用水供需分析

1. $W_{需} > W + W_{其他}$ 的情况

该情况为规划总需水量 $W_{需}$ 大于该流域最大雨水资源可利用量与规划开采的地下水、地表水之和 $W_{其他}$。因此，无法单纯通过开发雨水资源来满足未来规划用水需求，只有通过降低粮食自给率或者生态用地面积来确定新的规划方案。

2. $W_{需} < W_{现状} + W_{其他}$ 的情况

该情况下为规划需水量比目前雨水利用量 $W_{现状}$ 与规划开采的地下水、地表水之和小，仅从总量角度而言，无需新的雨水利用规划，完全可以满足用水需求，但若生态需水、生活需水以及农业需水与现状分别有差异的话，只需要调整生态用地、生活用地以及农业用地面积来满足规划用水需求，应用土地利用规划原理，结合雨水开发利用技术现状确定新的规划方案。

3. $W + W_{其他} > W_{需} > W_{现状} + W_{其他}$ 的情况

该情况为雨水利用现状无法满足未来规划要求，但规划要求的水量能够通过充分开发利用雨水资源来满足，可以分为如下四种情况进行规划。

(1)第一种情况。流域生态现状和生活用水现状满足规划要求，而农业用水现状无法满足规划要求，但流域农业区的最大雨水可利用量大于规划要求，即只需要进行农业雨水利用规划，通过增加农业雨水利用技术措施，提高农业雨水资源的利用率来实现。

(2)第二种情况。流域生态现状和农业用水现状满足规划要求，而生活用水现状无法满足规划要求，但流域生活区的最大雨水可利用量大于规划要求，即只需要进行生活雨水利用规划，通过增加生活雨水利用技术措施，提高生活雨水资源的利用率来实现。

(3)第三种情况。流域生态现状能够满足规划要求，而生活、农业用水现状无法满足规划要求，但流域生活区和农业区的最大雨水可利用量分别大于规划要求的生活需水量和农业需水量，即只需要分别进行生活雨水利用规划和农业雨水利用规划，通过增加雨水利用技术措施，提高雨水资源的利用率来实现。该情况也就是上述两种情况的简单叠加。

(4)其他情况。流域生态、生活、农业用水现状均无法满足规划要求，但流域最大雨水可利用量分别大于规划要求的需水量，需要通过综合调整生活、农业、生态用地比例，提高雨水利用技术措施的数量和利用率来确定新的规划方案。

应用该系统对陕北纸坊沟流域的雨水利用进行了优化计算，符合上述第三种情况。在目前人口、经济增长以及水土保持规划治理情况下，未来5年内雨水资源基本能够满足用水需求，分配比例为生活∶农业∶生态＝1∶3∶6。

总之，所提出的流域雨水利用智能决策系统能够从流域水资源可利用量的角度，实现生活、农业、生态用水和土地利用结构规划调整，避免了过去没有考虑水资源情况下规划结果造成的工程资源和社会资源的浪费，使规划结果既能够满足要求，又能够保证水资源的供给。该系统的建立为干旱半干旱区雨水资源的合理、安全开发利用提供了技术支撑，为雨水资源规划的定量化计算打下了基础。

四、基于径流调控的黄土高原水土保持工作中"3S"技术应用展望

"3S"技术的发展热点主要是集成、网络化和智能化。集成，指"3S"的有机结合。对于基层管理，GPS和GIS的集成具有直接意义。对于较高层次的管理，RS和GIS的集成意义更加明显。

网络化，是信息社会化的必由之路。今天的网络化工作可以利用Internet，在网上实现各级各类机构和公众对各种监测资料不同程度的共享，加强部门内部、部门之间及社会的联系交流，降低管理工作的成本，提高效率。

智能化，是信息化管理的未来发展趋势，其主要内容是要在数据采集、信息提取、制图等方面提高智能程度，减少人工处理量。

基于上述认识，"3S"技术在黄土高原地区水土资源高效持续利用工作中的以下方面具有广泛的应用前景。

(1)水土资源遥感调查。调查是应用的基础，随着遥感技术的发展，分辨率进一步提高，RS可用作"3S"的主要信息源，GIS作为组织手段，利用GPS进行实时定位，如用于配准RS图片的地物特征点，用GPS数码相机在野外典型侵蚀类型区采集详细的图片信息，在GIS基础上统一图斑的侵蚀分类、分级判读的解译标准，利用计算机进行自动判读，完成水土资源遥感调查，在黄土高原地区可为采取以调控降雨径流为中心的水土保持措施规划治理提供基础资料。特别是对小流域，在卫星图片的基础上，选定适当区域，通过低空无人驾驶飞机、GPS、摄像机、扫描仪、遥测遥控设备进行野外测量，利用GIS进行内业处理，配合图形、图像处理系统，可以实时地进行小规模的水土流失动

态监测、水土保持措施及成果的验收评估等；还可用于估计水土保持林、草的长势及产量，调查包括土壤含水量在内的水土资源分布情况等。

(2)提高水土保持规划工作效率。“3S”在小流域综合治理工作中，利用遥感图片作为底图，在地形控制点用GPS进行测量，得出三维地形，在GIS中开发一系列设计、制图模块，可完成小流域规划设计工作；借助于网络技术，可以向相邻流域传递有关信息，实现图形信息综合、数据统计汇总等工作，大大改善水土保持工作的方便程度。

(3)径流调控水土保持工程建设。把GPS的接收主板与计算机的主板集成到一起，形成一个便携式设备，既可在内业完成规划设计工作，又可完成水土保持与生态工程的野外施工放样工作，也可用于施工监理，随时监测工程进度。当然，因为GPS的导航功能，不用担心在野外迷失方向。

(4)径流调控工程验收、效果监测与监督执法。借助于“3S”系统，可以对不同区域径流调控治理等水土保持工程实施情况进行验收评估，如在“3S”系统中显示出退耕还林、还草，新建高标准基本农田的具体分布及面积对比情况，由于定位功能，再也不会出现一个成果多次验收、多次计算的事情。还可监测开发建设项目扰动地表造成土壤侵蚀以及治理情况，监测毁林开荒、滥垦乱伐、过度樵采等情况。

“3S”具体应用远远不止上述列举的几种。有一点可以肯定，“3S”将给水土保持监测和管理工作带来巨大的实用价值。但是，由于目前对“3S”技术了解得不够全面，大部分人员只能用到制图功能，把3S尤其是GIS和CAD等同起来，“3S”当中强大的数据获取、面积量算、空间分析、查询检索、统计报表、定位检测等功能没有得到充分发挥、“3S”技术应用的效益也没有充分表现出来，所以需要进一步推广“3S”技术，实现“3S”技术的信息化、自动化、智能化和高效化。鉴于“3S”应用将成为生态系统建设和资源调查的主要手段，具有很强的公益性，国家应该将其作为基础设施来建设，并提高到可持续发展的战略高度来认识，建立自己的卫星导航和遥感系统，开发集成的“3S”系统，稳步前进，逐步提高。

参考文献

[1] 舒若杰，高建恩，吴普特，等.基于计算机绘图软件的雨滴测定新方法.中国水土保持科学，2006，4(3)：63～69

[2] 窦保璋，周佩华.雨滴观测方法.水土保持通报，1982(2)：44

[3] Wischmeier W H, Smith D D. Predicting rainfall erosion losses a guide to conservation planning. Aguiculture Handbook 537, U.S. department of Agriculture Washington, D.C, 1978
[4] 刘宝元,唐克丽,焦菊英,等.黄河水沙时空图谱.北京:科学出版社,1993
[5] 承继成.关于坡地剥蚀过程的分带问题.见:中国地理学会.1963年全国地貌学术讨论会论文汇编.北京:科学出版社
[6] 陈永宗.黄河中游黄土丘陵区坡地的侵蚀发育.地理集刊(第10号).北京:科学出版社,1976
[7] 曾伯庆.小流域水土流失规律研究站网布设及计算方法.山西水土保持,1982(1):63～65
[8] 徐雪良.韭园沟流域沟间地、沟谷地来水来沙量的研究.中国水土保持,1987(8):23～26
[9] 蔡强国,马绍嘉,等.黄土坡耕地坡长对径流侵蚀产沙影响的模拟试验研究.见:永定河张家口市水土流失规律与坡地改良利用.北京:环境科技出版社,1995
[10] 蔡强国,王贵平,陈永宗,等.黄土高原小流域侵蚀产沙过程与模拟.北京:科学出版社,1998
[11] 唐克丽.中国水土保持.北京:科学出版社,2004
[12] 唐克丽,郑世清,孙庆芳,等.杏子河流域坡耕地水土流失及其防治,水土保持通报,1983,3(5):43～48
[13] 张科利,唐克丽,雷阿林,等.黄土丘陵区退耕上限坡度的研究论证.科学通报,1998,43(5):200～203
[14] 张科利,唐克丽.黄土高原坡面浅沟特征值的研究.水土保持学报,1991,5(2):8～13
[15] 唐克丽,席道勤,孙清芳,等.杏子河流域的土壤侵蚀方式及其分布规律.水土保持通报,1984,4(5):10～19
[16] 唐克丽,张科利,郑粉莉,等.子午岭林区自然侵蚀和人为加速侵蚀剖析.见:中国科学院、水利部水土保持研究所集刊(第17集).西安:陕西科学技术出版社,1993
[17] 唐克丽,郑粉莉,张科利,等.子午岭林区土壤侵蚀与生态环境关系的研究内容和方法.见:中国科学院、水利部水土保持研究所集刊(第17集).西安:陕西科学技术出版社,1993
[18] 张阳生.水土保持径流实验.西安:西北大学出版社,1988
[19] 高建恩,吴普特,等.黄土高原小流域水力侵蚀模拟试验设计与验证.农业工程学报,2005,21(8):41～45
[20] 高建恩,杨世伟,吴普特,等.水力侵蚀调控物理模拟相似率的初步确定.农业工程学报,2006,22(1):27～31
[21] 王礼先.中国水利百科全书水土保持分册.北京:中国水利水电出版社
[22] 焦峰,杨勤科,雷慧珠.燕儿沟流域土地利用现状及合理利用途径初探.水土保持通报,1988,18(7)
[23] 陈文亮.组合侧喷式野外人工模拟降雨装置.水土保持通报,1984,4(5):43～48
[24] 陈文亮,唐克丽.SR型野外人工降雨模拟装置.水土保持研究,2000,7(4):106～110

[25] 周佩华,张学栋,唐克丽.黄土高原土壤侵蚀与旱地农业国家重点实验室土壤侵蚀模拟实验大厅降雨装置.水土保持通报,2000,20(4):27～30
[26] 蒋定生,等.黄土高原水土流失与治理模式.北京:中国水利水电出版社,1997
[27] 李勇,吴钦孝.黄土高原植物根系提高土壤抗冲性能的研究.水土保持学报,1990,4(1):1～5
[28] 周佩华,吴普特.黄土高原土壤抗冲性的试验方法探讨.水土保持学报,1993,7(1):29～34
[29] 吴普特.黄土坡地径流冲刷与土壤抗冲动态响应过程研究.水土保持学报,1998(2)
[30] 吴普特.黄土坡地放水冲刷试验产流过程研究——Ⅲ.坡地径流强度与放水流量动态变化关系.水土保持研究,1997,4(5):85～90
[31] 吴普特.黄土坡地放水冲刷试验产流过程研究——Ⅱ.产流过程分析.水土保持研究,1997,4(5):74～84
[32] 吴普特.黄土坡地放水冲刷试验产流过程研究——Ⅰ.试验设计与产流机理.水土保持研究,1997,4(5):67～73
[33] 吴普特,周佩华.黄土坡面薄层水流侵蚀试验研究.水土保持学报,1996(1)
[34] 高建恩.地表径流调控与模拟试验研究.中国科学院研究生院博士学位论文,2005:70～79
[35] Mamisao J. P. Development of Agricultural Watershed by Similitud. M. Sc. Thesis, Iowa State College, 1952:10～30
[36] Chery D L. Construction, Instrumentation, and Preliminary Verification of a Physical Hydrological Model. USDA-ARS and Utah State Univ. water research lab. Report. Logan, Utah, USA., 1965:5～10
[37] Grace R A, Eagleson P S. Similarity Criteria in the Surface Runoff Process. MIT, Hydrodynamic Lab, Technical Report No. 77, 1965:30～42
[38] 朱咸,温灼如.利用室内流域模型检验单位线的基本假定.水利学报,1957(2):7～10
[39] 沈冰,李怀恩,江彩萍.论水蚀试验的相似性研究.土壤侵蚀与水土保持学报,1997,3(3):94～96
[40] 雷阿林,唐克丽.土壤侵蚀模型试验中的降雨相似及其实现.科学通报,1995(11):2004～2006
[41] 雷阿林,史衍玺,唐克丽.土壤侵蚀模型实验中的土壤相似性问题.科学通报,1996(10):1801～1804
[42] 雷阿林,王文龙,唐克丽.土壤侵蚀模拟实验的若干问题.水土保持研究,1998,5(5):127～130
[43] 蒋定生,周清,范兴科.小流域水沙调控正态整体模拟试验.水土保持学报,1994(6):25～30
[44] 石辉,田均良,刘普灵,等.小流域侵蚀产沙时间分布的模拟试验研究.水土保持研究,

1998(4):85～91

[45] 石辉,田均良,刘普灵,等.小流域侵蚀产沙空间的分布的模拟试验研究.水土保持研究,1998,(5)5:75～84

[46] 袁建平,雷廷武,蒋定生,等.不同治理度下小流域整体模型试验.农业工程学报,2000(1):22～25

[47] Meyer L D. Evolution of the universal soil loss equation. J. of Soil and Water Conservation. 1984,39:99～104

[48] Renard K G, Foster G R, Weesies G A, et al. Prediction rainfall erosion by water: A guide to conservation plan-ning with the revised universal soil loss equation(RUSL E). USDA Agricultural Handbook No. 703, 1997

[49] Nearing M A. Foster G R, L ane L J, Finkner S C. Aprocess—based soil erosion model for USDA—Water Erosion Prediction Project Technology. Trans. ASAE. 1989, 32:1587～1593

[50] USDA—Water Erosion Prediction Project. NSERL No. 2. National Soil Erosion Research Laboratory. US－DA－ARS. West L afayette, 47907

[51] Flanagan D. C. WEPP CD ROM. 2001Vision

[52] Woodward D E. Method to predict cropland ephemeral gully erosion. Special Issue: Soil Erosion Modeling at the Catchment Scale. Catena. 1999, 37(3～4). 393～399

[53] Sidorchuk A. Dynamic and static models of gully erosion. Special Issue: Soil Erosion Model-ing at the Catch－ment Scale. Catena. 1999, 37(3～4). 401～414

[54] 江忠善,王志强,刘志.黄土丘陵区小流域土壤侵蚀空间变化定量研究.土壤侵蚀与水土保持学报,1996,2(1):1～10

[55] 蔡强国,陆兆熊,王贵平.黄土丘陵沟壑区典型小流域侵蚀产沙过程模型.地理学报,1996(2):108～116

[56] 胡良军,李锐,杨勤科.基于GIS的区域水土流失评价研究.全国区域水土流失快速调查与管理信息系统学术研讨会论文集.1999

[57] 江忠善,宋文经.黄河中游黄土丘陵沟壑区小流域产沙量计算.见:第一次河流泥沙国际学术讨论会文集.北京:光华出版社,1980

[58] 牟金泽,熊贵枢.陕北小流域产沙量预报及水土保持措施拦沙计算.见:第一次河流泥沙国际学术讨论会文集.北京:光华出版社,1980

[59] 尹国康,陈钦峦.黄土高原小流域特性指标与产沙统计模式.地理学报,1989,44(1):31～45

[60] 王星宇.黄土地区流域产沙数学模型.泥沙研究,1987(3):41～46

[61] 汤立群,陈国祥,蔡名扬.黄土丘陵区小流域产沙数学模型.河海大学学报,1990,18(6):10～16

[62] 陈国祥,谢树楠,汤立群.黄土高原地区流域侵蚀产沙模型研究.见:黄土高原水土保持.郑州:黄河水利出版社,1996

[63] 牟金泽,孟庆枚.降雨侵蚀土壤流失方程的初步研究.中国水土保持,1983(6):25～27
[64] 张宪奎,许靖华,卢秀琴,等.黑龙江省土壤侵蚀方程的研究.水土保持通报,1992,12(4):1～9
[65] 周伏建,陈明华,林福兴,等.福建省土壤流失预报研究.水土保持通报,1995,15(1):25～30
[66] 林素兰,黄毅,捏振刚,等.辽北低山丘陵坡耕地土壤流失方程的建立.土壤通报,1997,28(6):251～253
[67] 杨子生.滇东北山区坡耕地土壤流失方程研究.水土保持通报,1999,19(1):1～9
[68] 江忠善.黄土高原土壤侵蚀流失预报方程中降雨侵蚀力和地形因子的研究.中国科学院西北水土保持研究所集刊,1998,第7集:40～45
[69] 任海峰,刘小生."3S"技术在工程中的应用状况.南水北调与水利科技,2004,2(5)
[70] Hall M J. Use of the stain method in determining of the drop-size distributions of coarse liquid sprays. Transactions of the ASAE,1970,13(1):33～41
[71] 窦保璋,周佩华.雨滴观测方法.水土保持,1976(1):46～51
[72] 徐向舟,张红武,朱明东.雨滴粒径的测量方法及其改进研究.中国水土保持,2005(4):17～18
[73] 郑粉莉,刘峰,杨勤科,江忠善.土壤侵蚀预报模型研究进展.水土保持通报,2001,21(6):16～19
[74] 李光录,张胜利.土壤侵蚀模型研究现状及回顾.西北林学院学报,2000,15(2):76～83
[75] 许峰,郭索彦.我国水土保持管理领域中3S技术的应用与发展方向.山地农业生物学报,2001,20(4):297～300
[76] 傅春,张念强.水资源实时监测与"3S"技术.南昌工程学院学报,2005(24)3:10～15
[77] 牛文全,吴普特,冯浩,高建恩.区域雨水资源化潜力计算方法与利用规划评价.中国水土保持科学,2005,3(3):40～44
[78] 牛文全,冯浩,高建恩,等.流域雨水利用智能决策系统的研制与开发.干旱地区农业研究,2005,23(4):165～168

第四章　尝试与探索

从以往的以土壤保持为出发点研究黄土高原水土保持，到调控降雨径流，以实现水土资源高效利用，建设和谐的生态环境为研究中心，这是水土流失治理理念的突破。治理黄土高原水土流失，核心是调控降雨径流，削弱或消除水土流失动力，调控雨水资源的时空分布，缓解干旱与水土流失的矛盾。调控降雨径流的措施包括“截、渗、汇、蓄、用”五大技术。本章对各单项技术及技术的组合应用进行探索研究。

第一节　降雨径流调控参数

控制水土流失的关键是科学调控坡面径流。要科学地调控地表径流，就必须对地表径流的径流运移、侵蚀泥沙的输送机理进行深入的认识。本节对描述降雨径流调控参数做一简要探索[1]。

一、坡面径流的数学描述方法

研究坡地径流首先需要研究坡面流。坡面流(Overland flow)系指降水扣除地面截流、填洼与下渗损失后在坡面上形成的一种水流。经典的坡面流如图 4-1 所示，实际中的坡地径流由经典坡面流组合而成，还可分为“V”形坡面流、梯级坡面流、混合坡面流及辐合倒立圆锥体坡面集流(见图 4-2)。

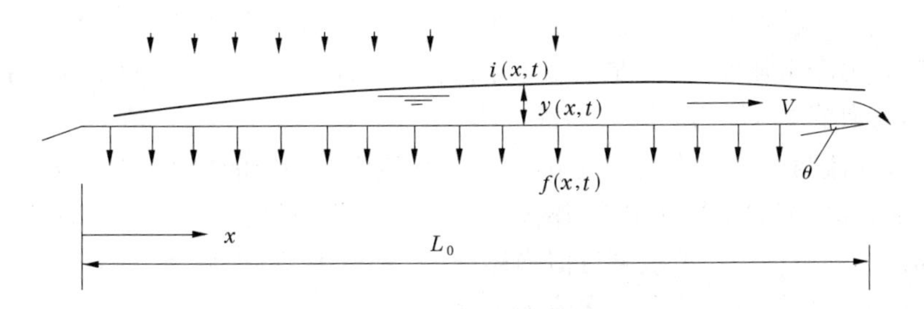

图 4-1　坡面流示意图

在坡面上，设水流方向为 x 轴，坡长为 L，则控制坡面流运动的一维不稳

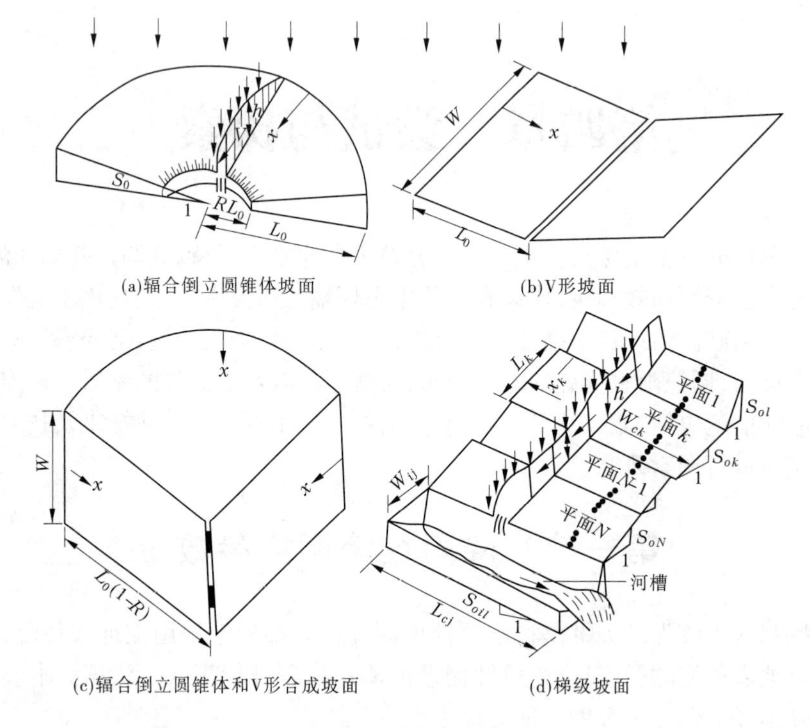

(a)辐合倒立圆锥体坡面　　(b)V形坡面

(c)辐合倒立圆锥体和V形合成坡面　　(d)梯级坡面

图 4-2　组合坡面类型

定流坡面圣维南方程组为：

$$\frac{\partial(V_y)}{\partial x}+\frac{\partial y}{\partial t}=i(x,t)-f(x,t)=r(x,t) \tag{4-1}$$

$$S_0-S_F=\frac{\partial y}{\partial x}+\frac{1}{g}\frac{\partial V}{\partial t}+\frac{V}{g}\frac{\partial V}{\partial x}+\frac{V}{gy}[i(x,t)-f(x,t)] \tag{4-2}$$

式中（采用国际标准单位时）：y 为坡面流水深，m；V 为坡面流速，m/s；$i(x,t)$为降雨强度，m/s，是 x、t 的函数；$f(x,t)$为下渗强度，m/s，是 x、t 的函数；r 为净雨强度，m/s，是 x、t 的函数，$r(x,t)=i(x,t)-f(x,t)$，m/s；S_0 为坡面坡度；S_F 为摩阻坡度；g 为重力加速度。

坡面流与明渠流比较有以下特点：坡面流没有固定的边界；坡面流水深远小于明渠流；坡面流受降雨、下渗及糙率等影响比明渠流明显；大多数情况下坡面流运动可用运动波模型近似描述；坡面流的流程与宽度属于同一量级；坡面流的非线形特性要比明渠水流突出等。

1967 年，Ligget，J. A. 与 Woolhiser，D. A. 用无因次化法求解坡面流[2]，得到如下方程求解坡面流运动参数：

(1)计算运动流数,判定是否可用运动波解。

$$K = gn^{1.2} S_0^{0.4} L_0^{0.2} r^{-0.8} \tag{4-3}$$

式中:K 为衡量坡面流在任何情况下属于运动波的判别数;n 为糙率;L_0 为坡长,m;其余参数意义同前。

(2)计算平衡时间 t_e。

$$t_e = \frac{1}{r^{0.4}}\left(\frac{nL_0}{S_0^{1/2}}\right)^{0.6} \tag{4-4}$$

式中:t_e 为坡面流达到平衡所需时间,s;其余参数意义同前。

(3)计算平衡状态下的坡面流水面线。

$$y = \left(\frac{nxr}{S_0^{1/2}}\right)^{0.6} \tag{4-5}$$

式中:y 为水深,m;x 为沿程坐标,m,见图 4-1;其余参数意义同前。

(4)计算坡脚平衡流量 q_e。

$$q_e = L_0 r \tag{4-6}$$

式中:q_e 为坡面流达到平衡时坡角处单宽流量,m^2/s;其余参数意义同前。

(5)计算坡脚的上涨过程,公式为:

$$\frac{q}{q_e} = \left(\frac{t}{t_e}\right)^{5/3} \tag{4-7}$$

或

$$q = rL_0\left(\frac{t}{t_e}\right)^{5/3} \tag{4-8}$$

式中:q 为坡面流单宽流量,m^2/s;t 为降雨时间,s;其余参数意义同前。

(6)计算退水流量过程。公式为:

$$t = \frac{t_e}{m}\left(\frac{q}{q_e}\right)^{1/m}\left(\frac{q_e}{q} - 1\right) \tag{4-9}$$

式中:m 是经验常数,且 $m = 5/3$。

(7)计算 $t_r < t_e$ 时的平头峰流量与平头峰历时及退水流量过程。

平头峰流量 q_d:

$$q_d = q_e\left(\frac{t_r}{t_e}\right)^m \tag{4-10}$$

式中:q_e 为单宽平衡流量,m^2/s;t_e 为平衡时间,s;t_r 为净雨历时,s。

$$t_d = \frac{1}{m}(t_{D_s} - t_r) = 0.6(t_{D_s} - 4) \tag{4-11}$$

$$t_{D_s} = \frac{L_0}{by_d^{m-1}} \tag{4-12}$$

式中：t_d 为净雨历时小于坡面达到平衡降雨历时平头流持续时间，s；，t_r 为净雨历时，s；t_{D_s} 为时间参数，单位与 t_e 相同。

通过上述计算，即可得到设计降雨的汇流过程。值得指出的是，上述计算假定降雨强度在降雨时段保持不变，而实际上降雨强度是随降雨历时而改变的。不过在实际计算中可将降雨过程分梯级概化进行计算。

坡面流的数值解一般包括有限差分解和有限元解。它们不仅可以用于求解简单情况下的坡面集流问题，也可以求解变降雨强度及下渗率有时空变化情况下的坡面集流问题。

对于幅合倒立圆锥体及其他组合坡面流的解，辛格(Singh)提出了混合解法。这里不再详述。

有了上述数学描述方法，下面对坡地径流调控涉及的特征参数进行研究。

二、坡地径流侵蚀产沙规律与描述参数

(一)不同坡面流的侵蚀临界坡长[1]

从分水岭开始沿坡长的某一段距离内，由于地表径流弱，侵蚀以雨滴溅蚀为主，而少发生沟蚀，这个距离称为侵蚀临界距离。在该距离内，侵蚀很弱，近似等于0，只产生径流，这段距离定义为临界坡长。不同坡度临界坡长不同，可以通过理论推求。

按前述坡面径流坐标，设次降雨坡面径流运动达到平衡，则有

$$q = rx = Vy \tag{4-13}$$

$$y = \frac{x}{V}r \tag{4-14}$$

$$V = \frac{1}{n}y^{2/3}S_0^{1/2} \tag{4-15}$$

当侵蚀处于临界状态有

$$V = V_0 \tag{4-16}$$

$$x = V_0^{2/5}n^{0.24}S_0^{-0.12}r^{-0.4} \tag{4-17}$$

式(4-17)即为降雨侵蚀临界距离公式。式中 x、y、V、V_0、n、S_0、r 分别为坡长(m)、水深(m)、流速(m/s)、起动流速(m/s)、糙率、坡降和净雨强度(m/s)。

上述临界坡长的意义在于，它给出了次降雨侵蚀坡长的平均情况及临界坡长的影响因素。值得指出的是，公式推导没有考虑细沟溯源侵蚀情况，今后的工作是对该式进行验证和修正。

(二)不同坡长的径流及侵蚀输沙率

分段坡地径流调控利用的核心是求出不同坡段径流量及侵蚀泥沙量,按照设计要求进行径流调控设计。径流量可以通过经典坡面径流公式计算,如在坡面降雨达到平衡状态时,单宽径流量可以用下式来表示:

$$q = rx \tag{4-18}$$

或者通过其他经验公式进行推求,而关于侵蚀量随时空变化的数学计算,虽有大量的经验公式,但地域性太强,通用性不足,大多缺乏理论基础,故可资借鉴的成果较少,下面对此进行重点分析。

作者在研究泥沙输移时曾得到细沙输移公式为[3]:

$$\frac{\gamma_s - \gamma}{\gamma_s}\Phi = 0.01\frac{1}{\tan\alpha}\left[Fr(\theta - \theta_c)\frac{v}{v_{*c}}\right]^{3/2} \tag{4-19}$$

其中:

$$\Phi = \frac{g_b}{\gamma_s D\sqrt{\frac{\gamma_s - \gamma}{\gamma}gD}} \tag{4-20}$$

$$\theta = \frac{\tau}{(\gamma_s - \gamma)D} \tag{4-21}$$

$$\theta_c = \frac{\tau_c}{(\gamma_s - \gamma)D} \tag{4-22}$$

由于

$$\tau_c = \rho v_{*c}^2 \tag{4-23}$$

$$\tau = \gamma h S_0 \tag{4-24}$$

谢才公式:

$$v = \frac{1}{n}h^{2/3}S_0^{1/2} \tag{4-25}$$

代入式(4-23)联解整理后有:

$$v_{*c} = \frac{n\sqrt{g}}{h^{1/6}}v_0 \tag{4-26}$$

对于降雨坡面流

$$h = n^{0.6}x^{0.6}S_0^{-0.3}r^{-0.4} \tag{4-27}$$

上述式中,γ_s 及 γ 分别为泥沙及水的容重;D 为泥沙粒径;τ 及 τ_c 分别为床面拖曳力和泥沙启动拖曳力;ρ 为水的密度;Fr 为水流佛汝德数;v 及 v_{*c} 为流速和启动摩阻流速;g_b 为单宽输沙率。单位采用千克秒制。该式的资料范围较广:$\gamma_s = 1.25 \sim 4.22\text{t/m}^3$;$D = 0.018 \sim 300\text{mm}$;$H = 0.008 \sim 2.0\text{m}$;

H/D=1.5～7 000。不仅有低强度输沙($\Psi>10$),而且有高强度输沙($\Psi<2$)资料;不仅有大量的室内经典试验资料,而且还有大量的野外资料验证。式(4-19)表明,输沙强度 Φ 不仅与水流强度 θ 成 1.5 次方关系,且与水流佛汝德数 Fr 及相对水流强度 v/v_{*c} 的乘积成 1.5 次方关系。该式计算简单,既有一定理论基础,又有大量的资料验证,特别是包括了小水深和细沙资料。

(三)坡面流的径流系数

坡面径流系数是描述坡地径流调控的一个重要参数,从收集径流角度,在专门的集流场设计中又叫集流效率。在水文计算中,由于影响因素复杂,作为描述流域或区域的平均集流特征,一般根据多年水文资料,求其平均数。但在坡地径流调控中,由于调控措施影响,径流系数在相同降雨条件下差别很大,对其进行深入研究具有重要价值。

径流系数影响因素复杂,目前根据实测资料得到的各种统计公式,应用范围受到极大限制。高建恩对集流效率径流系数的一般公式进行了探索[1]。

研究集流效率,一般情况下不可忽略下渗对坡面流的影响。但下渗是一个复杂的过程。现考虑一种下渗率不随时空变化、且始终为降雨强度超过下渗率的简单情况。将坡面流视为运动波,则圣维南方程(4-1)、(4-2)简化为

$$\frac{\partial y}{\partial t}+\frac{\partial q}{\partial x}=i-f \tag{4-28}$$

$$q=by^m \tag{4-29}$$

式中:y 为坡面流水深,m;$i(x,t)$为降雨强度,m/s,为 x,t 的函数;f 为下渗强度,m/s,为 x、t 的函数;r 为净雨强度,m/s,为 x,t 的函数,$r(x,t)=i(x,t)-f(x,t)$,采用国际标准单位时为 m/s;式(4-28)与式(4-29)的求解是典型的运动波方程近似解求解法。下渗的影响主要体现在退水降低阶段。若 $m=2$ 且降雨大于平衡时间($t_r>t_e$),可求得:

$$\text{涨水}\begin{cases}y=(i-f)t\\ q_i=b[(i-f)t]^2\\ y_m=(i-f)t_e=\text{常数}\\ q_e=b[(i-f)t_e]^2\quad t_e<t\leqslant t_r\end{cases} \tag{4-30}$$

式中:y_m 为最大水深,采用 kg-m-s 制时,单位为 m,其余符号意义同前。

$$\text{退水}\begin{cases}y=(i-f)^{1/2}[i(t-t_r)^2+t_e^2(i-f)]^{1/2}-i(t-t_r),t_r\leqslant t\leqslant t_e\\ t_i=t_r+\dfrac{t_e(i-f)}{(i-f)^{1/2}}\quad\text{(受下渗影响后流量退到零的时间)}\end{cases} \tag{4-31}$$

则总集水量应为

$$W = \int_0^{t_e} q_i \mathrm{d}t + \int_{t_e}^{t_r} q_e \mathrm{d}t + \int_{t_r}^{t_i} q_3 \mathrm{d}t \tag{4-32}$$

即总集水量包括涨水、平衡和退水三个阶段的总集水量。如设三个阶段集水量分别为 W_1, W_2, W_3,则分别有:

$$\begin{aligned} W_1 &= \int_0^{t_e} b[(i - f)t]^2 \mathrm{d}t \\ &= b(i - f)^2 \int_0^{t_e} t^2 \mathrm{d}t \\ &= b(i - f)^2 \left. \frac{t^3}{3} \right|_0^{t_e} = \frac{1}{3} b(i - f)^2 t_e^3 = \frac{1}{3} b(i - f)^2 t_e^3 \\ &= \frac{1}{3} \cdot \frac{S_0^{1/2}}{n} (i - f)^2 \frac{1}{r^{1.2}} \left(\frac{nL_0}{S_0^{1/2}} \right)^{1.8} \end{aligned}$$

依据曼宁公式　$V = \frac{1}{n} h^{2/3} S_0^{1/2}$

单宽流量　$q = Vh = \frac{S_0^{1/2}}{n} h^{5/3} = bh^{5/3}$

则　$b = \frac{S^{1/2}}{n}$

整理得:

$$W_1 = \frac{1}{3r^{1.2}} \cdot \frac{n^{0.8} L_0^{1.8}}{S_0^{0.4}} (i - f)^2 \tag{4-33}$$

$$\begin{aligned} W_2 &= \int_{t_e}^{t_r} q_e \mathrm{d}t \\ &= q_e(t_r - t_e) = rL_0(t_r - t_e) \end{aligned}$$

即

$$W_2 = rL_0(t_r - t_e) \tag{4-34}$$

$$\begin{aligned} W_3 &= \int_{t_r}^{t_i} q_3 \mathrm{d}t \\ &= \int_{t_r}^{t_i} by^m \mathrm{d}t = \int_{t_r}^{t_i} b\{(i - f)^{1/2}[i(t - t_r)^2 + t_e^2(i - f)^{1/2}] - i(t - t_r)\}^m \mathrm{d}t \\ &= \int_{t_r}^{t_i} b\{(i - f)[i(t - t_r)^2 + t_e^2(i - f)] - 2(i - f)^{1/2}[i(t - t_r)^2 \\ &\quad + t_e^2(i - f)]^{1/2} \cdot i(t - t_r) + i^2(t - t_r)^2\} \mathrm{d}t \end{aligned}$$

$$= b\{\int_{t_r}^{t_i}(i-f)[i(t-t_r)^2 + t_e^2(i-f)]\mathrm{d}t$$

$$-\int_{t_r}^{t_i}2(i-f)^{1/2}[i(t-t_r)^2 + t_e^2(i-f)]^{1/2}\cdot i(t-t_r)\mathrm{d}t + \int_{t_r}^{t_i}i^2(t-t_r)^2\mathrm{d}t\}$$

$$= W_3^{(1)} - W_3^{(2)} + W_3^{(3)}$$

$$W_3^{(1)} = b\int_{t_r}^{t_i}(i-f)[i(t-t_r)^2 + t_e^2(i-f)]\mathrm{d}t$$

$$= b\{(i-f)\int_{t_r}^{t_i}[i(t-t_r)^2 + t_e^2(i-f)]\}\mathrm{d}t$$

$$= b(i-f)[\int_{t_r}^{t_i}i(t-t_r)^2\mathrm{d}t + \int_{t_r}^{t_i}t_e^2(i-f)\mathrm{d}t]$$

$$= b(i-f)[\frac{i}{3}(t-t_r)^3\Big|_{t_r}^{t_i} + t_e^2(i-f)(t_i-t_r)]$$

$$= b(i-f)[\frac{i}{3}(t_i-t_r)^3 + t_e^2(i-f)(t_i-t_r)]$$

即有

$$W_3^{(1)} = \frac{b}{3}i(i-f)(t_i-t_r)^3 + b(i-f)^2(t_i-t_r)t_e^2 \tag{4-35}$$

$$W_3^{(2)} = b\int_{t_r}^{t_i}2(i-f)^{1/2}[i(t-t_r)^2 + t_e^2(i-f)]^{1/2}\cdot i(t-t_r)\mathrm{d}t$$

$$= 2bi(i-f)^{1/2}\int_{t_r}^{t_i}[i(t-t_r)^2 + t_e^2(i-f)]^{1/2}\cdot i(t-t_r)\mathrm{d}t$$

$$= \frac{1}{2}b(i-f)^{1/2}\cdot\frac{2}{3}[i(t-t_r)^2 + t_e^2(i-f)]^{3/2}\Big|_{t_r}^{t_i}$$

$$= \frac{2}{3}b(i-f)^{1/2}[i(t_i-t_r)^2]^{3/2}$$

$$= \frac{2}{3}bi^{3/2}(i-f)^{[1/2]}(t_i-t_r)^3$$

即有：

$$W_3^{(2)} = \frac{2}{3}bi^{3/2}(i-f)^{1/2}(t_i-t_r)^3 \tag{4-36}$$

$$W_3^{(3)} = b\int_{t_r}^{t_i}i^2\cdot(t-t_r)^2\cdot\mathrm{d}t$$

$$= bi^2\cdot\int_{t_r}^{t_i}(t-t_r)^2\cdot\mathrm{d}t$$

$$= bi^2 \cdot \int_{t_r}^{t_i} (t - t_r)^2 \cdot \mathrm{d}t(t - t_r)$$

$$= bi^2 \frac{1}{3}(t - t_r)^3 \Big|_{t_r}^{t_i}$$

$$= \frac{1}{3} bi^2 (t_i - t_r)^3$$

即有:

$$W_3^{(3)} = \frac{1}{3} bi^2 (t_i - t_r)^3 \tag{4-37}$$

$$W_3 = W_3^{(1)} - W_3^{(2)} + W_3^{(3)}$$

即有:

$$W_3 = \frac{1}{3} bi(i - f)(t_i - t_r)^3 + b(i - f)^2 (t_i - t_r) t_e^2 - \frac{2}{3} bi^{3/2} (i - f)^{1/2} (t_i - t_r)^3 + \frac{1}{3} bi^2 (t_i - t_r)^3 \tag{4-38}$$

则径流系数为

$$E = \frac{1}{L_0 \cos\theta \cdot i \cdot t_r} (W_1 + W_2 + W_3) \tag{4-39}$$

上式即为在降雨较长情况下,平均雨强径流系数公式。由于径流系数影响因素复杂,该公式也较复杂,但已是多项式计算。该公式清楚反映了除风速影响以外的径流场各因素对径流系数的影响。

(四)坡面径流调控率

从上述公式推导中可以看出,影响侵蚀输沙的因素有降雨、坡长、土壤、植被及人为活动等五大因素。可分别用降雨量、降雨强度及其组合,坡度、坡长、坡形、坡向等及其组合,土壤质地、土壤结构、孔隙、湿度,植被的截流、调节、固结作用等来描述。径流调控作用的目的就是通过人为活动干预,使径流侵蚀泥沙朝人们预期的方向发展。人们对坡面径流的干预包括:生物措施、工程措施、农艺措施及化控措施等。为了描述这些措施的调控作用,分别引入径流与泥沙的调控率概念。所谓径流调控率是指布置某种调控措施后的单位(时间或面积等)产流量相对于对照措施单位产流量的变化百分率;同理,产沙调控率是指布置某种调控措施后单位(时间或面积)产沙量相对于对照措施产沙量的变化百分率。可分别表示为:

$$C_w = \frac{W - W_0}{W_0} \times 100\% \tag{4-40}$$

$$C_s = \frac{G_s - G_0}{G_0} \times 100\% \tag{4-41}$$

式中：C_w 和 C_s 分别为径流和泥沙调控率，绝对值表示调控的大小，“－”表示相对于对照减少百分数，反之为增加百分数；W_s 和 W_0 分别为布置调控措施和对照坡地单位时间单位面积产流量；G_s 和 G_0 分别为布置调控措施和对照坡地单位时间单位面积产沙量。

三、地表径流调控模型的初步验证

由上述径流、侵蚀产沙、临界坡长及径流系数计算构成较完整的径流侵蚀产沙模型。关于 Ligget, J. A. 与 Woolhiser, D. A. 结论，美国陆军工程兵团曾利用飞机场产流对其进行详细验证，证明其正确性；现通过实测资料对上述产沙及径流系数模型进行验证。

（一）产沙模型验证

中国科学院、水利部水土保持研究所国家节水灌溉杨凌工程技术研究中心在杨凌岭后建有 5m×20m 径流小区 24 个，进行不同径流调控措施定位监测。今选用裸地径流小区实测资料对式(4-18)和式(4-19)等进行验证。2004 年 8 月 10 日早 6～8 时，2 小时降雨 32.5mm，降雨过后，对裸地径流侵蚀情况进行量测，量测内容包括侵蚀临界坡长、坡地分段(1m 间隔)细沟侵蚀密度、侵蚀量、总侵蚀量、降雨前后土壤含水量变化等。

计算条件：取岭后土壤中数粒径 d_{50} 为 0.015mm，起动流速 v_0 为 0.000 3m/s，糙率 n 为 0.035(查水力计算手册)。

1. 临界坡长验证

根据公式(4-17)临界坡长不同坡度计算与实测值的比较见表 4-1。

表 4-1 岭后 2004 年 8 月 10 日裸地径流小区临界坡长计算与实测值比较

(单位：m)

10°坡		20°坡	
计算	实测	计算	实测
2.95	2.9	1.1(2.7)	0.7

表 4-1 表明，10°坡地临界坡长计算与实测值相近，为 2.95m，但 20°坡计算误差较大，计算值为 2.7m，是实测的 3 倍；考虑到 20°坡为新修填土及坡度大泥沙容易起动等特点，对起动流速进行修正，其计算临界坡长为 1.1m，比实

测大 0.4m。究其原因,可能与细沟溯源侵蚀有关。

2.坡地分段侵蚀产沙量验证

同样,利用上述式(4-18)和式(4-27)对裸地进行分析,分别得到10°、20°计算与实测单宽输移沿程分布情况,如图4-3、图4-4所示。结果表明,上述模型可以反映岭后裸地不同坡度的侵蚀量沿坡长的变化过程。事实上,利用上述模型可以计算坡面水流各要素的过程,因而原则上坡面输沙随时间的变化过程也应该能够计算出来,涉及的问题是野外过程资料难以取得,因而较难验证。

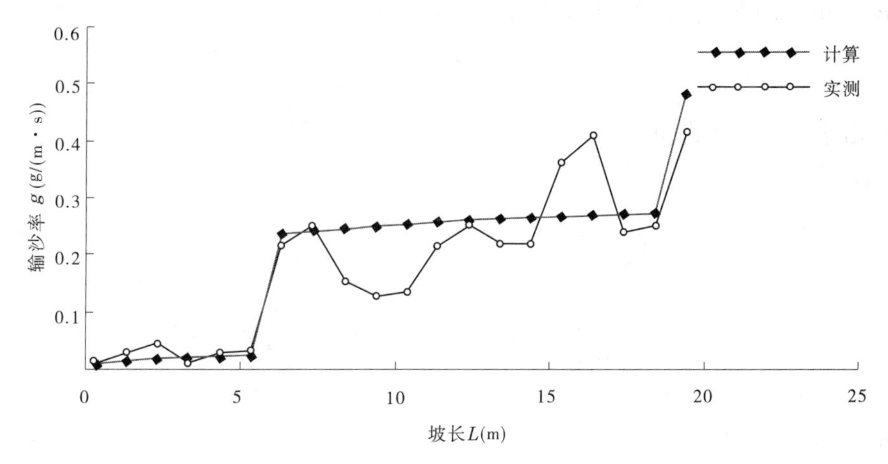

图4-3 10°实测输沙率与计算对比

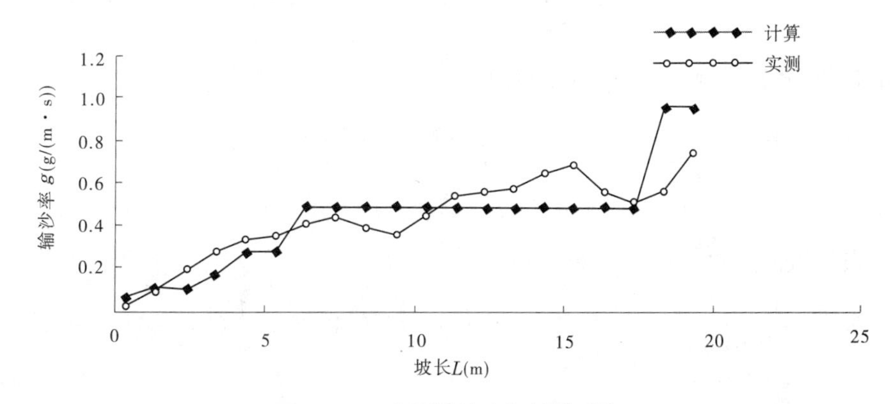

图4-4 20°实测输沙率与计算对比

上述验证之所以首选裸地进行验证,主要是因为裸地的水力参数如糙率等可通过有关水文手册查得,而其他措施水力参数的选取任意性较大的缘故。

(二)径流系数验证

为了检验我们自主研发的新型集流材料固化土(MBER)的应用效果,在延安燕沟流域修建了 MBER 土壤固化剂集流场。其中集流场坡长 $L_0=50\text{m}$,坡度 $S_0=0.01$,糙率 $n=0.015$,2004 年 8 月某场降雨平均雨强 $i=25\text{mm/h}=5.56\times10^{-6}\text{m/s}$,降雨持续时间 30min,雨后量测集流量,测得集流效率 0.89。

由于 MBER 固化土集流面光滑,与水泥面相似,糙率系数可近似用水泥面糙率值替代,取为 0.015;根据岳保蓉试验,固化土渗透系数可取 $f=2.38\times10^{-12}\text{m/s}$,则由式(4-4)可计算径流平衡时间:

$$t_e=\frac{1}{r^{0.4}}\left(\frac{nL_0}{S_0^{1/2}}\right)^{0.6}=387(\text{s})$$

则由式(4-32)和式(4-33),有

$$\begin{aligned}W_1&=\frac{1}{3}b(i-f)^2t_e^3\\&=\frac{1}{3}\cdot\frac{S_0{}^{1/2}}{n}(i-f)^2t_e^3\\&=\frac{1}{3}\cdot\frac{0.01^{1/2}}{0.015}(5.56\times10^{-6}-2.38\times10^{-12})^2\times387^3\\&=0.006\ 2(\text{m}^3)\end{aligned}$$

由式(4-34),有

$$\begin{aligned}W_2&=(i-f)L_0(t_r-t_e)\\&=(6.94\times10^{-6}-2.23\times10^{-12})\times50\times(30\times60-387)\\&=0.49(\text{m}^3)\end{aligned}$$

由式(4-35)、式(4-36)、式(4-37),有

$$\begin{aligned}W_3^{(1)}&=\frac{1}{3}bi(i-f)(t_i-t_r)^3+b(i-f)^2(t_i-t_r)t_e^2\\&=bi^2(t_i-t_r)[\frac{1}{3}(t_i-t_r)^2-t_e^2]\end{aligned}$$

可求得退流时间 $t_i-t_r=14\times60(\text{s})$

$$\begin{aligned}W_3^{(1)}&=\frac{0.01^{1/2}}{0.015}(6.94\times10^{-6}-2.23\times10^{-12})^2(14\times60)[\frac{1}{3}(14\times60)^2-387^2]\\&=0.023(\text{m}^3)\end{aligned}$$

$$\begin{aligned}W_3^{(2)}&=\frac{2}{3}bi^{3/2}(i-f)^{1/2}(t_i-t_r)^{3/2}\\&=\frac{2}{3}\cdot\frac{S_0^{1/2}}{n}i^2(t_i-t_r)^{3/2}\end{aligned}$$

$$=\frac{2}{3}\cdot\frac{0.01^{1/2}}{0.015}(6.94\times10^{-6})^2(14\times60)^{3/2}$$

$$=5.2\times10^{-6}(\mathrm{m}^3)$$

$$W_3^{(3)}=\frac{1}{3}bi^2(t_i-t_r)^3\approx0.063(\mathrm{m}^3)$$

$$W_3=W_3^{(1)}-W_3^{(2)}+W_3^{(3)}=0.023-5.2\times10^{-6}+0.063\approx0.086(\mathrm{m}^3)$$

$$W=W_1+W_2+W_3=0.006\,2+0.49+0.086=0.582(\mathrm{m}^3)$$

$$E=\frac{W}{L_0\cdot1\cdot\cos\theta\cdot c\cdot t_r}=\frac{0.582}{50\times1\times1\times6.94\times10^{-6}\times1\,800}\approx0.93$$

这个结果与实测结果相差不多，考虑到实际降雨中风速、坡向、降雨均匀性等影响，公式(4-38)基本反映了集流场各种因素对集流效率的影响。值得指出的是，下一步需要大量资料对该式在不同情况下进行验证。

事实上，可以利用上述径流公式对固化土集流参数进行计算如下，由于渗透系数很小，下面计算不计降雨损失。

(1)计算运动流数，判定是否可用运动波解。

$$K=1.72n^{1.2}S_0^{0.4}L_0^{0.2}r^{-0.8}\times10^6$$
$$=1.72\times0.015^{1.2}\times0.01^{0.4}\times50^{0.2}\times25^{-0.8}\times10^6$$
$$=280\gg10$$

可用运动波近似解法。

(2)计算平衡时间 t_e。

$$t_e=\frac{1}{r^{0.4}}\left(\frac{nL_0}{S_0^{1/2}}\right)^{0.6}=\frac{1}{\left(\frac{25}{1\,000\times3\,600}\right)^{0.4}}\times\left(\frac{0.015\times50}{0.01^{0.5}}\right)^{0.6}=387(\mathrm{s})=6.46(\mathrm{min})$$

(3)计算平衡状态下的波面流水面线。

$$y=\left(\frac{nxr}{S_0^{1/2}}\right)^{0.6}=\left[\frac{0.015\times\frac{25}{1\,000\times3\,600}}{0.01^{0.5}}\right]^{0.6}x^{0.6}=2.207x^{0.6}$$

如果 x 以 m 计，y 以 mm 计，则上式变为

$$y=0.116\times2.207x^{0.6}=0.256x^{0.6}$$

若 $x=L_0=50\mathrm{m}$，则可求得 $y_0=0.256\times50^{0.6}=2.68(\mathrm{mm})$

(4)计算坡脚平衡流量 q_e。

$$q_e=L_0r=50\times25\times10^{-3}/3\,600=34.72\times10^{-5}(\mathrm{m}^2/\mathrm{s})$$

(5)计算坡脚的上涨过程，公式为：

$$\frac{q}{q_e}=\left(\frac{t}{t_e}\right)^{5/3}$$

或 $q=rL_0\left(\frac{t}{t_e}\right)^{5/3}=\frac{25\times10^{-3}}{3\ 600}\times50\left(\frac{t}{6.46\times60}\right)^{5/3}=1.534\times10^{-5}t^{5/3}(\mathrm{m/s})$

上涨过程的结果列于表 4-2。

表 4-2　坡脚的水深及流量的上涨过程

t(min)	0	1	2	3	4	5	6	6.46
$q(10^{-5}\mathrm{m^2/s})$	0	1.53	4.87	9.55	15.42	22.38	30.32	34.72
y(mm)	0	0.42	0.83	1.25	1.67	2.08	2.50	2.69

(6)计算降雨历时 $t_r=t_e$ 时的退水流量。

$$t=\frac{t_e}{m}\left(\frac{q}{q_e}\right)^{1/m}\left(\frac{q_e}{q}-1\right)=6.46\times0.6\left(\frac{34.72}{q}-1\right)\left(\frac{q}{34.72}\right)^{0.6}(\mathrm{min})$$

式中:m 是经验常数,且 $m=5/3$。计算结果列于表 4-3。

表 4-3　$t_r=t_e$ 时的退水流量过程

t(min)	0	0.56	2.05	3.08	4.54	7.21	15.4
$q(10^{-5}\mathrm{m^2/s})$	34.72	30	20	15	10	5	1

(7)计算 $t_r=4\mathrm{min}$ 的退水流量过程。

$$q_d=q_e\left(\frac{t_r}{t_e}\right)^m=34.72\times10^{-5}\times\left(\frac{4}{6.46}\right)^{5/3}=15.2\times10^{-5}(\mathrm{m^2/s})$$

$$t_d=\frac{1}{m}(t_{D_s}-t_r)=0.6(t_{D_s}-4)$$

$$t_{D_s}=\frac{L_0}{by_d^{m-1}}$$

采用曼宁公式,可知 $b=\frac{1}{n}S_0^{1/2}$,$m=5/3$,因此有

$$t_{D_s}=\frac{nL_0}{S_0^{1/2}y_d^{2/3}}=\frac{nL_0}{S_0^{1/2}(rt_r)^{2/3}}=\frac{0.015\times50}{0.01^{0.5}\times(25\times4/60)^{2/3}}=532.8(\mathrm{s})=8.9\mathrm{min}$$

最后求得 $t_d=0.6(8.9-4)=2.94(\mathrm{min})$。

t_d 之后的退水过程仿照式(4-9),但 $q_d=q_e$ 代入,即

$$t=\frac{t_e}{m}\left(\frac{q}{q_e}\right)^{1/m}\left(\frac{q_e}{q}-1\right)=6.46\times0.6\left(\frac{15.42}{q}-1\right)\left(\frac{q}{15.42}\right)^{0.6}(\text{min})$$

计算结果列于表 4-4。

表 4-4　$t_r<t_e$ 时坡脚流量的退水过程

t(min)	0	1.629	4.141	10.88
$q(10^{-5}\text{m}^2/\text{s})$	15.42	10	5	1

注：表中 $t=0$ 实为 t_r+t_d 时刻，即从 $t=6.94$min 开始计算退水过程。

$t_r=t_e$ 出流过程见图 4-5，$t_r=4$min 出流过程见图 4-6。

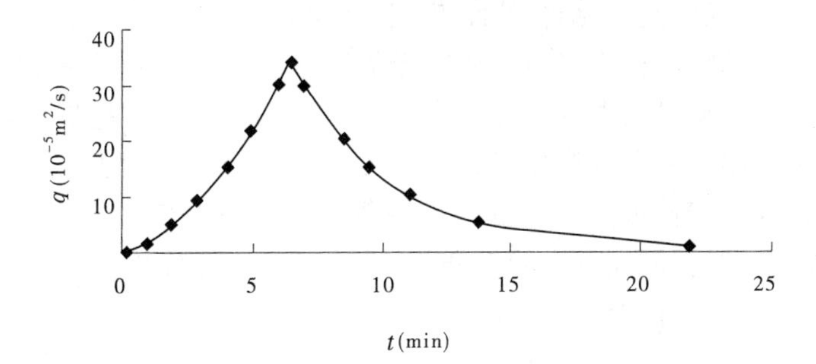

图 4-5　$t_r=t_e$ 出流过程

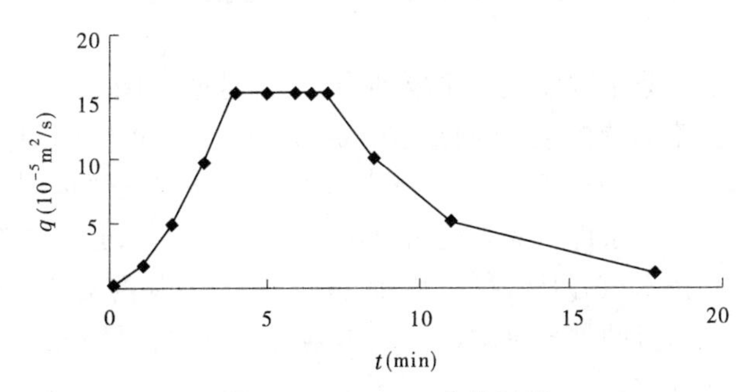

图 4-6　$t_r=4$min 出流过程

通过上述计算，即可得到设计降雨的汇流过程。由于没有量测径流过程，故无法对径流过程计算进行验证，但定性计算是正确的。值得再一次指出的是，上述计算假定降雨强度在降雨时段保持不变，而实际上降雨强度是随降雨历时而改变的。不过在详细计算中可将降雨过程分梯级概化进行计算。

四、小结

为了更好地研究坡地径流的调控原理，本节研究了一种坡面径流侵蚀产沙模型，给出了径流调控的特征参数及计算方法等。通过实测资料验证，得到如下结论：

（1）基于坡面流的经典理论和坡面输沙平衡原理，从理论上得出径流侵蚀沿坡长变化公式及降雨坡面侵蚀临界坡长公式，利用2004年岭后裸地监测资料检验，取得了满意的结果。这为根据不同设计标准，设计坡地分段高效利用降雨径流提供了技术支撑。

（2）径流系数是描述坡地径流调控的重要参数，影响因素复杂。本文针对一般坡地的降雨径流问题，结合坡面流的运动波理论，给出径流系数的计算公式，并用固化土的降雨径流实测资料进行了初步验证。该计算公式反映了水文、气象、坡度、入渗等因素对径流系数的影响，具有一定的理论基础。

（3）为了描述不同调控措施的调控效果，定义了调控率的概念和计算方法，如径流调控率和侵蚀产沙输沙调控率等。它的绝对值表示调控的大小。“-”表示相对于对照调控减少的百分数，反之为增加百分数。利用径流调控率可以方便地对不同调控措施进行比较。

第二节　降雨径流调控材料

径流是黄土高原土壤侵蚀的主要动力源，也是通过调控缓解干旱的利用对象。对地表径流的调控包括强化入渗、减少侵蚀、增加土壤水库容量，以及增加产流、汇集雨水、通过工程蓄水调节降雨时空分布以便再利用等几个方面。通过改变下垫面条件对降雨的再分配过程进行调控，是一项简单但高效的调控措施。其技术核心是各种下垫面径流调控新材料的筛选与研制。按照强化入渗和强化产流两种径流调控方式来划分，其材料可划分为强化入渗型和强化产流型两种类型。

一、强化入渗型径流调控新材料[4~9]

在诸多的新材料中，高分子聚合物以其独特的结构、多样化的功能以及低廉的价格，成为人们关注的重点。高分子聚合物具有改善土壤结构，增加降雨入渗，调控坡面径流的作用，是适宜于黄土区应用的高效低廉降雨径流调控新材料。使用高分子材料来改良土壤结构，调节降雨径流，已是我国农业及水土保持研究的热点问题。根据对聚丙烯酸、聚乙烯醇、脲醛树脂 3 种高分子聚合物的试验研究，将其以不同浓度施入土壤，并对它们对土壤物理性质产生的影响进行了分析，试验结果见表 4-5。

表 4-5　高分子化合物对土壤物理性质的影响

化合物名称	浓度(%)	>0.25mm 水稳性团粒含量(%)	平均较对照增加(%)	渗透系数(mm/min)	平均较对照增加(%)	容重(g/cm^3)	平均较对照减少(%)
对照	0	53.3	0	0.592	0	1.242	0
	1.2	58.4		0.642		1.115	
	2.4	64.5		0.710		1.101	
聚丙烯酸	3.6	65.0	22.96	0.912	38.55	1.093	13.22
	4.8	69.7		0.930		1.074	
	6.0	70.1		0.907		1.006	
	0.4	54.5		0.759		1.146	
	0.8	56.0		0.824		1.140	
聚乙烯醇	1.2	58.7	9.57	0.970	43.72	1.138	8.53
	1.6	61.5		0.941		1.126	
	2.0	61.3		0.760		1.130	
	2.5	54.4		0.621		1.123	
	5.0	55.8		0.770		1.114	
脲醛树脂	7.5	61.5	12.53	0.810	29.70	1.110	11.87
	10.0	63.5		0.840		1.069	
	12.5	64.7		0.798		1.057	

(一)聚合物对土壤水稳性团粒结构的影响

从表 4-5 中可以看出，用高分子聚合物对土壤表面处理后，土壤水稳性团粒含量都有明显增加，平均为 17.27%，且随着浓度的增加都呈增加趋势。但从表中可看出，聚丙烯酸增加趋势最明显，较对照平均增加 22.96%，且当浓度达到 4.8%～6.0%时水稳性团粒含量达到最大，为 69.7%～70.1%，较对照增加 30.76%～31.2%；其次，脲醛树脂较对照增加 12.53%；最差是聚乙烯醇，平均较对照增加 9.57%。这些研究表明土壤经处理后结构得到了改善，土壤具有良好的孔隙度、持水性和透水性等。

(二)高分子聚合物对土壤渗透性能的影响

渗透性是土壤重要的物理性能指标之一，它反映了水在土壤中的运动及贮存情况。渗透性好的土壤,降水可及时渗入土壤,成为植物可利用的土壤水资源,而渗透性差的土壤,只有少量降水能进入土壤,大部分降水沿地表流走,造成水土流失。高分子聚合物可改变土壤的渗透性。随聚合物施加浓度增大,土壤渗透性能明显变好,都较对照有明显增加,平均渗透系数为0.813mm/min,较对照增加37.3%。聚丙烯酸随浓度增加渗透系数增大趋势最明显,且当浓度达到4.8%～6.0%时,土壤渗透性能最好,变化趋于稳定。聚乙烯醇则随浓度增大渗透速率呈先增后减趋势,主要由于该聚合物呈颗粒状,浓度过大时,土壤表面形成高分子胶结土壤的膜状薄层,分子不易在土层中扩散,反而减弱土壤的渗透性。随着脲醛树脂浓度增大,土壤渗透速率呈明显递增趋势,且浓度达到10%时渗透速率最大并趋于稳定。总体来看,聚丙烯酸对改善土壤渗透性能的效果比其他两种效果好。高分子聚合物之所以能改善土壤渗透性能是因为喷施聚合物后土壤呈现峰窝状结构,变得疏松多孔,透水性、通气性明显得到改善。

(三)聚合物对土壤容重的影响

施加高分子聚合物后土壤容重较对照都有明显下降。也就是说,施加了聚合物后,土壤变得疏松、孔隙增多。疏松的土壤不但有利于接纳更多的降雨,同时也有利于土壤中的水、气、热等的交换及微生物的活动。与前面讨论结果相似,聚丙烯酸对土壤容重的改善效果最好,较对照减少最多,为13.22%,脲醛树脂次之,为11.87%;聚乙烯醇最差为8.53%。

(四)高分子聚合物对土壤持水能力的影响

如图4-7所示,施入聚丙烯酸后土壤的饱和含水量由对照的37.9%增加到49.0%,施入聚乙烯醇后含水量增加到41.7%,脲醛树脂则为43.9%。随着时间的增加,水分不断蒸发,土壤中的含水量减少。第10天后,对照土样的含水量为6.1%,而施加聚丙烯酸的土样含水量为19.1%,是对照的3.1倍,施加聚乙烯醇的土样其含水量为15.2%,是对照的2.5倍,而施加脲醛树脂的土样其含水量为17.3%,是对照的2.8倍,由此可见,聚合物的施用明显提高了土壤的持水能力,抑制土壤蒸发。在三种聚合物中,聚丙烯酸的作用更为明显。

土壤经三种高分子聚合物处理后,平均水稳性团粒含量较对照增加了15.02%,渗透性能提高37.32%,容重减少11.21%,土壤持水能力较对照提高2.8倍。这说明这三种高分子聚合物均是较好的强化入渗型土壤结构改良剂,尤其是聚丙烯酸效果最为显著,值得在生产实践中进一步探索其应用前景。

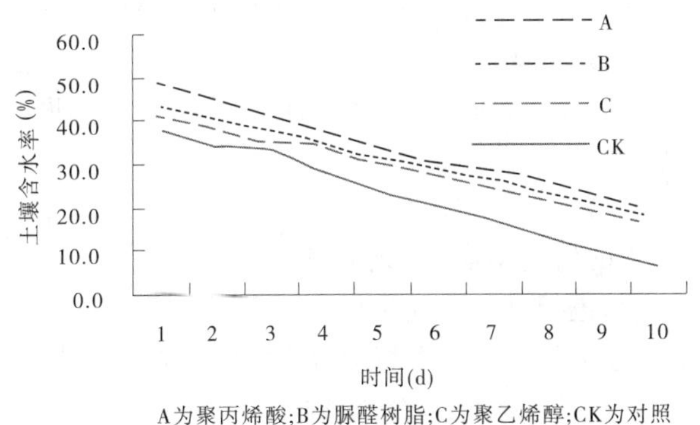

图 4-7　聚合物施用于土壤表面后 10 天内的土壤水分变化观察

二、强化产流型径流调控新材料

人工集流场常用的集雨防渗材料有混凝土、屋顶瓦面(水泥瓦、机瓦、青瓦)、塑料薄膜、衬砌片(块)石、砌砖、灰土、水泥土、化学方法固结土等。为了高效经济地调控降雨径流,国内外的科研工作者广泛地利用各种价格低廉、施工方便、经济环保的建筑防渗材料,并且在实际研究中提出了许多新思路。国外[10~15],Dedrick 对聚氯乙烯塑料薄膜、金属箔板、沥青、橡胶、尼龙加强橡胶等材料的耐久性做了试验,认为这些材料整体来说可满足集流需求。Frasier 介绍了沥青油毡、覆砂塑料薄膜、石蜡、人造橡胶板、金属箔板、混凝土和氯化钠等处理集流面的措施。Myers 提出用硅树脂处理集流面。埃塞俄比亚农村采用主要采用铁皮屋顶、茅草屋顶和岩石坡面等来收集雨水。

国内[19~23],丁学儒等人对乳化沥青处理集雨场的技术进行了研究。王百田等人研究了有机硅防渗剂(YJG-1)的集流效率。冯浩等人研究认为 HEC 土壤固化剂和 AAM 水泥添加剂与黄土混掺形成集流场的集流效率可以达到 78%以上,建造成本仅为混凝土集流场的 1/3~1/2。莫永京等人在水泥土中添加玻璃纤维,认为玻璃纤维对水泥土抗冻胀、抗渗透、水稳性和抗体积变形等性能有很大的改善,适合用于建造集流面。吴普特、高建恩等利用土壤固化剂发明了一种坡地集流面的制备方法,高建恩、樊恒辉利用柔性材料设计了一种拼接式活动集雨面。李怀有等人对无机防水剂、硅烷偶联剂和甲基硅酸钠等的集流效率进行了研究,认为甲基硅酸钠的集流效果最好,硅烷偶联剂较好,均可以用作集流面的处理。李巧珍等对新型高分子有机硅材料的集流效率进行了研究,这种材料可以直接喷涂于土表,与土表形成致密薄膜,施工简单，而且集流效率达70%以上。冯学赞等人对干旱半干旱地区地衣集雨面营建潜力进行了分析，认为地衣集雨面平均集流效率虽低于混凝土面和塑料膜面，只有49.25%，但是其成本明显降低，且具有绿色环保功能，据此认为地衣可作为优良的集雨面材料。

(一)径流调控材料分类与新型调控材料

随着集雨工程技术的研究与实践，集流场的处理材料越来越多。为更深入研究，急需对这些材料进行分类。对集流场的分类往往根据研究者的需求或目的不同而不同，如根据集流场能否移动分为活动式和固定式；根据集流场的硬柔感觉差异分为硬地面和柔性材料；根据集流场的使用寿命长短可分为永久性和临时性。但是这些分类并没有反映出材料对地表土的作用和影响。从有利于土地再利用的角度考虑，以防渗材料与地表土壤的作用过程不同作为分类出发点，并结合近几年集雨材料的发展，认为人工集流场集雨防渗材料可以分为三类，分别为物理、化学和生物集雨防渗材料。

1. 物理调控材料

物理集雨防渗材料指在修建集流场过程中，防渗材料不与地表土发生化学反应，地表土保持原有的物质化学成分，防渗材料清除后对土地的生长植物载体功能没有影响，如塑料薄膜、玻璃丝油毡等膜料在地表的覆盖，这些材料不改变地表土的物质成分，这对于复垦或轮耕是有很大益处的。混凝土集流场虽然体积大，清除困难，对土地复垦造成一定的难度，但是从理论上讲，由于混凝土本身与土体不发生化学反应，仍然属于物理集雨防渗材料。

2. 化学调控材料

化学集雨防渗材料指材料加入土体后，与土体中的物质发生了各种物理—化学反应，改变了土体的物质化学成分，如土壤固化剂、有机硅、灰土和水泥土等材料。这些材料加入土体后，在水的参与下，形成了新的物质，使得土体的强度增加，抗渗性能改善，水稳性良好。但是，由于生成了一些新物质，改变了土壤的物理化学性质，影响了土地作为生长植物载体的功能，对于土地的重复利用则造成困难。

3. 生物调控材料

生物集雨防渗材料指在地表土中种植各种植物，包括草、灌木或各种地衣、苔藓等低等植物。这些材料与生态环境具有很好的兼容性，属于一种生态型集雨防渗材料。这种集雨防渗材料的集流效率较低，并且随着降雨季节和年份的变化差别很大，但不会造成土壤侵蚀，且具有保护天然生态系统的功能。

4. 新型强化产流型调控材料

20 世纪 90 年代初期，我国的甘肃、宁夏、内蒙古等地在进行利用雨水解决人畜饮水和庭院经济发展等研究时，相继开展了不同人工集雨材料的集流效率试验研究。根据野外及室内试验，除混凝土、水泥瓦、沥青路面集流效率较高外(大于 60%)，其他材料的集流效率通常较低。混凝土是一种最常用的集流材料，但在黄土高原的大部分地区，砂石料缺乏，致使修建混凝土集流场各地造价相差很大(7～25 元/m^2)，砂石料缺乏地区修建混凝土集流场的成本较高。水泥瓦的集流效率虽较高，但多适用于庭院屋顶集流；沥青路面集流的集流效率也较为理想，但限制性较大。因此，寻找新的高效低成本调控材料一直是降雨径流调控利用技术研究的重点。下面主要介绍几种新型调控材料的研究进展。

1)HEC 固化土径流调控材料

HEC(High Strength and Water Stability Earth Consolidator)是一种提高土壤强度和抗渗能力的固化剂。它是以工业废渣为主要原料，与核心原料和其他组分复合磨细混匀而成的无熟料胶结材料。HEC 作为土壤固化剂加入土中后，经自身水化会复合产生超叠加效应，而使土粒表面紧密接触，又能激发土粒中硅铝酸盐矿物的潜在活性，使土粒表面形成牢固的多晶黏粒聚集体，从而提高了土体的强度。由于它具有较强烈的固化作用，致使固化后的土体抗渗强度相应得到提高。HEC 和不同掺料混合后的性能测试结果列于表 4-6。

表 4-6　固化土强度与土壤固化剂掺量的关系

土壤类型	配合比	击实最优含水量(%)	击实最大干容重(g/cm^3)	含水量(%)	干容重(g/cm^3)	14d 抗压强度(MPa)	28d 抗压强度(MPa)
砂性土	1:4	16.2	1.76	18.5	1.672	3.6	5.50
	1:6	14.6	1.99	18.3	1.70	2.54	3.53
	1:8	14.2	1.98	19	1.691	1.83	2.07
	1:10	14.6	1.78	20	1.691	1.17	1.58
	1:12	15.3	1.77	20	1.680	1.05	1.42
黏性土	1:6	23.3	1.66	18.3	1.58	2.98	5.10
	1:8	20.8	1.66	18.7	1.58	2.07	3.90
	1:10	20.8	1.65	18	1.57	2	3.43

集流效率是指从一定面积的集雨面上所收集的雨量占降雨量的百分数。HEC与黄土混掺的集流材料及黄土夯实下的人工降雨模拟试验结果[28]，见表4-7。可以看到，当雨强控制在0.1～1.2mm/min，降雨历时在30～60min，降雨量在80mm以内的范围时，HEC与武功黄土和陕北黄土混掺的集流材料显示出较高的集流效率，均在78%以上，且大多数（占77%）在80%以上。雨强和降雨量的变化对两种材料的集流效率并没有显著影响。

表4-7　HEC和AAM集流效率试验结果

集流材料	雨强（mm/min）	降雨历时（min）	降雨量（mm）	起流历时（s）	集流量（mm）	集流效率（%）
AAM+武功黄土	0.083	60	5.03	125	4.17	83.00
	0.164	60	9.84	67	8.49	86.25
	0.74	60	44.4	30	34.94	78.70
	1.225	30	36.75	20	30.86	83.96
AAM+陕北黄土	0.093	60	5.58	150	5.15	92.29
	0.201	60	11.28	110	9.73	86.25
	0.61	60	36.6	40	31.17	85.16
	1.29	60	77.4	30	60.44	78.09
HEC+武功黄土	0.179	60	10.95	81	9.90	90.42
	0.443	60	25.44	39	22.92	90.11
	0.641	60	38.46	33	37.00	96.21
	1.272	60	76.32	23	65.07	85.26
HEC+陕北黄土	0.188	60	11.33	100	9.70	85.63
	0.421	60	25.26	35	22.59	89.43
	0.68	60	40.8	33	35.80	87.75
	1.283	30	38.49	23	34.81	90.45
武功黄土夯实（对照）	0.211	43	8.92	927	2.60	29.13
	0.376	36	13.54	293	5.16	38.11
	0.644	30	19.28	87	15.32	79.45
	1.255	30	38.37	52	31.40	81.84

起流历时是指降雨开始后,集流槽出流口处出现线状水流所需的时间(s)。试验结果显示,HEC与黄土混掺后起流历时变化受雨强的影响较大,当雨强小于0.1mm/min时,起流历时一般在120s以上,随雨强增大,起流历时变小,当雨强增大到1.2mm/min时,起流历时稳定在20s左右。

坡度试验结果表明:坡度的变化对HEC集流效率和起流历时也没有显著的影响。9场降雨共设定了2°、5°、10°三个坡度,HEC和武功黄土混掺的集流材料在坡度为2°时集流效率为91.91%,5°时集流效率为89.61%,10°时集流效率为92.65%,不同坡度间集流效率之差仅为3%左右。HEC和武功黄土混掺的集流材料在2°时起流历时为115s,10°时起流历时为111s。由此可见,不同坡度间的起流历时差异并不显著。

室内试验条件下,集流面采用黄土夯实处理的集流效率最低,仅为55.64%,而且集流效率随雨强和雨量变化很大。小雨强(0.2mm/min)、小雨量(10mm以下)时集流效率仅为29.13%,中雨强(0.4~0.6mm/min)和中雨量(10~20mm)时集流效率为38.11%~79.45%,大雨强(0.6~1.2mm/min)和大雨量(20~40mm)时集流效率为79.45%~81.84%。随雨强和雨量的增大,黄土夯实坡面产沙量的变化十分显著,浑水含沙量可由7.32g/L上升到199.03g/L,增加了26倍。同时,黄土夯实试验坡面也被径流冲刷出多条细沟,遭到严重损坏。而HEC和与黄土的混合集流材料在试验过程中没有出现侵蚀和破坏现象。

HEC集流材料在不同雨强和雨量等级范围下均具有较高的集流效率(>78%),已经达到混凝土的集流效果,但其成本仅为混凝土的1/3~1/2。同时发现,施工工艺对作为集流材料的HEC土的集流效率影响较大。经过改进施工工艺,HEC土集流效率高达80%~96%,平均值88%。

2)AAM水泥土径流调控材料[28]

水泥土集流材料具有便于就地取材、施工方便、工程造价低等优点,但水泥土作为集流材料在生产实践中存在的最大问题就是易裂缝。造成裂缝的原因除了基础土体因干湿冷热收缩膨胀所致外,主要还因为水泥土本身抗裂抗拉能力较差。AAM(Active Aluminates Mixture)是由活性铝酸盐和其他化学辅助原料组成的高性能水泥添加剂,可与玻璃丝纤维、水泥、土、水混合组成性能优良的集流材料。其作用原理是:在水泥中掺入添加剂和一定量的玻璃丝纤维后,随着水泥土强度的增大,水泥土与纤维之间的黏结力也逐渐增大。这种黏结力主要由两部分组成:因水泥土固结硬化收缩,将纤维丝紧紧握固而产生界面间的摩擦力;纤维丝在配制成纤维水泥土过程中是随机分布的,大部分纤维丝在土体中不呈直线状态,而是与水泥土产生一定的机械咬合作用。当水泥土受到拉力,在土体薄弱处出现裂缝,在开裂瞬间,裂缝截面处的水泥土不再承受拉力,纤维丝受到的拉力突然增大,由于水泥土与纤维丝间存在摩结力,使得水泥土体裂缝的继续扩展受到约束,从而增加了水泥土体的抗拉强度和韧性。因此,在冻融和干湿交替情况下玻璃丝纤维水泥土均表现出较好的性能。

AAM与黄土混掺后的集流模拟试验研究结果与HEC类似。AAM与武功黄土和陕北黄土混合制成的集雨面均具有较高的集流效率,平均在80%以上。同时,经抗拉强度试验发现,一般水泥土抗拉强度为0.115MPa,而AAM的抗拉强度为0.159MPa,比水泥土提高了38%。AAM对抵抗水泥土开裂有明显效果,提高了水泥土的韧性。

3)有机硅高分子径流调控材料

有机硅是一种无毒、无味、无污染、不燃烧的碱性液体,具有与塑料薄膜相近的防渗效果。它是一类新型土壤集流面疏水改性剂,其改性机理主要是有机硅活性基团与土壤表面Si－O(OH)基以化学键结合,形成一层无色透明的固体涂膜均匀地分布在微孔四周孔壁上而不是分布在表面层,因而不封闭微孔通道。由于涂膜中烷基定向排列,使涂脂产生憎水性能,增大了与水的润湿边角(即接触角,一般大于110°)。这样,水遇到憎水层便形成水珠滚落而不能通过毛细微孔吸入到土壤剖面的内部。对于发丝般的细缝,也因憎水层具有的“架桥效应”阻挡水以液态状进入微孔,而空气和气态的水气可无阻碍地通过憎水的毛细微孔排出。处理后的土壤剖面具有高疏水性、无毒、化学与热性能稳定、耐风化、耐腐蚀、耐候等一系列优点。

有机硅树脂依据它特异的憎水性能,主要应用在建筑防水剂、渠道渗砌、粮仓处理、水利工程中混凝土面的处理、集雨旱窖面处理、矿物界面改性等方面。

作为集流材料,北京林业大学王斌瑞等人把有机硅应用在林地进行试验,根据实测和单场径流模型计算得到的标准地来水量可知,经有机硅处理的坡面全年水分盈余在600mm左右,未经处理的自然坡面水分盈余仅仅200mm左右。另外,除了雨量极多的8月份之外,拍光压实和自然坡面每月均有不同程度的水分亏缺,其中9月份亏缺达70mm,而有机硅处理过的6m^{2}小区在5月和6月份却有60～80mm的水分盈余,这对于缺水季节林木生长十分重要,观测结果见表4-8。

室内模拟降雨条件下,坡面经不同浓度有机硅处理后的集流效率试验表明,坡面喷涂有机硅溶液可增加集流效率,尤其当浓度为12.5%～15%时,集流效率最高,达到90%左右。当然,不同地形、土壤及降雨条件下新型有机硅集流材料的使用方法和最适浓度还需要作更多的试验研究[29]。

表 4-8 不同集流措施白榆林地植树带内土壤含水量 (%)

土层深(cm)	$6m^2$ 有机硅	$6m^2$ 拍光压实	$6m^2$ 自然坡面	$4.5m^2$ 有机硅	$4.5m^2$ 拍光压实	$4.5m^2$ 自然坡面	$3m^2$ 有机硅	$3m^2$ 拍光压实	$3m^2$ 自然坡面
0～20	11.8	11.0	10.5	11.2	11.3	9.8	11.7	10.8	9.1
20～40	11.7	11.9	11.3	11.5	11.2	11.2	11.4	11.8	11.3
40～60	12.3	12.1	11.7	12.4	11.0	11.5	11.9	11.7	11.2
60～80	14.2	13.8	12.4	14.4	13.2	12.4	13.9	12.1	12.4
80～100	14.4	14.0	13.5	14.5	13.5	13.1	14.1	13.4	12.7

4)生物调控材料

在一些风沙区和石质山区地表面,天然存在一些地衣类低等植物,这些低等植物能忍受恶劣的气候和极度贫瘠的土壤,在任何土壤、地形、降雨和气候条件下均能生存。只要条件适合,就可快速生长,并在地表形成薄层致密覆盖物。地衣类低等植物是否可以应用于集雨工程,是一个值得研究的问题。北京林业大学经5年的反复试验研究,初步筛选出较为耐旱、紧密贴生于土壤表面的低等植物——石果地衣作为集水新材料。它是一种纯生物材料,具有良好的水土保持效果,对促进林地生态环境的改善具有极为重要的意义。

地衣是一类独特的低等植物。它是由无色的菌丝组织(真菌)和绿色或蓝色藻细胞(藻类)共同组成的复合体,无根、茎、叶分化。地衣中的菌类和藻类共生关系是互助互利的。共生的藻细胞总是被共生菌丝组织所缠绕,这样,藻类就置于菌丝的保护中,免予受到强光的直射,有利于它们在弱光照下进行正常的生命活动,另外,还能提高藻类的抗旱能力,免遭有害元素及机械作用的损伤。菌类吸取水分和无机盐供给藻类,而共生菌则依赖于共生藻光合作用制造的有机营养物质而生存,地衣通常是进行营养繁殖的。

地衣能生长在其他植物无法生存的岩石上,又能生长在沙漠和半沙漠地区。它能忍受极地的酷寒和赤道的炎热,也能忍受干旱和极度贫瘠。地衣生长所需的一切,主要来自雨、露和空气中的灰尘。但是,地衣对空气污染极为敏感,空气污染会造成其死亡;地衣生长非常缓慢,在干旱和贫瘠的生境中,其同化作用进行得很慢,一般是有机物质积累与停止积累交替进行。

石果地衣(*Endocarpon pusillum Hedw*)是皮果衣科(*Dermatocarpaceae*)、石果衣属(*Endocarpon Hedw*)。地衣体呈鳞叶状,细小型,紧密贴生于地表面;鳞叶宽0.8～3mm,边缘呈波曲状;上表面呈灰白色,无光泽;下表面呈黑色,生有稀疏假根。据5年观测结果,适于石果地衣在黄土地区繁殖的生境条件是:在海拔1 000～1 300m的阳坡地或是阴坡地,尤其是将坡面浅翻(15～20cm)后,清除杂草及根,铲平压实拍光的坡面。在连阴雨季节或阴天时撒播地衣,在空气湿度>80%、气温在25～28℃、地表面温度在24～26℃、太阳辐射为80～390W/m^2的条件下石果衣繁殖较快,需3年左右的时间地面会长满石果地衣,如果是自然坡面,没有经过人工压实拍光处理的需5年左右的时间才能生长起来。当地表面长满石果地衣后,地面则形成一层厚度为1.5～2.0mm的灰色地衣硬壳,当地农民称为黑色结皮,它可有效地减少土面的蒸发。根据观测,一般可减少土面蒸发量30%～40%。

当地面的幼树长到5～6年,如白榆林、刺槐林、杏树和苹果树地,在林地的郁闭度达到0.5～0.6时,由于林地的集水坡面已蔓延覆盖一层石果地衣,土壤得到保墒,这时就又有苔藓植物落入集水坡面,即丛藓科的短叶对齿藓(*Didymodon tectorum*(*C. Muel.*)*Saito*)在生长。其植株绿色,稍带黄棕色,密集丛生,高度只有0.6～1.0cm,较耐旱。此时的集水坡面既有石果地衣,又有苔藓植物覆盖地表,紧密丛集成垫状,犹如地面铺上一层绿色地毯一样。在它们的共同作用下,地表蒸发、水土流失可以得到显著的减小。

(二)降雨径流调控新材料——土壤固化剂、面喷涂型有机硅和生物地衣

国家"十五"节水农业重大科技专项"新型高效雨水集蓄与利用技术研究"课题在环境保护、高效、低成本的降雨径流调控新材料研发等方面取得了阶段性成果,开发了成本低、集流效率高的土壤固化剂、面喷涂型有机硅、地衣生物固化表面等3种新型调控材料。

1. 土壤固化剂

土壤固化剂是指能改善和提高土壤工程技术性能的复合材料。它能够克服石灰、水泥和粉煤灰等单一材料的缺点,作用对象是各种土质。目前,土壤固化剂已大量应用在水利工程、高速铁路、高速公路、机场跑道等方面,效益非常明显,被美国《工程新闻》称为20世纪的伟大发明创造之一,日本称之为21世纪的新材料。土壤固化剂应用在集流场的建设,最早是从国家"九五"重点科技攻关项目"人工汇集雨水利用技术研究"项目课题开始的。由于土壤固化剂能充分利用当地水土资源,即利用当地水质等级不高的水,固结当地广泛存在的土壤,因而价格低廉,效果显著,逐渐得到了人们的关注。

在土壤固化剂集雨材料方面,高建恩等研究现有土壤固化剂材料技术经济性能为基础,筛选和研制出适合于黄土区用作集雨材料的新型土壤固化剂各一种(HEC和MBER)[30],通过试验研究与野外田间考核应用,着重研究了黄土区土壤固化剂集雨新材料的施工工艺和使用技术[31]，以及集流效率与技术经济指标等。包括新型土壤固化剂集雨材料 MBER 的区域适宜性，与不同类型土壤的混合最佳比例，相应的施工工艺与工程管护技术，以及成型集流面的防渗抗冻胀性能、最佳集流效率、使用寿命与投资效益等。在此基础上提出新型土壤固化剂集雨材料 MBER 及其施工工艺与技术操作规程。

1)现有土壤固化剂性能比较研究

土壤固化剂种类繁多，按照形态分类有液态土壤固化剂和粉状土壤固化剂。为了增加对固化土的了解，我们选用多家固化剂，其中有液态的，也有固态的，通过固化同一种土壤来探讨固化剂的适用性以及性能特点。选用海威建材有限公司生产的 HEC 粉态土壤固化剂(F1)、咸阳秦安公司开发的无机粉状土壤固化剂(F2)、天津水科所开发的无机粉状土壤固化剂(F3)、北京产 WH 液态固化剂(Y1)、西北工业大学开发的 XSR 液态固化剂(Y2)，以及美国 Soilrock 公司开发的 SR500 液态固化剂(Y3)等 6 种进行试验遴选。试验结果见表 4-9。

表 4-9　不同固化土掺黄土试验结果(1:8)

防渗材料	击实最优含水量(%)	击实最大干容重(g/cm^3)	28 天无侧限抗压强度(MPa)	渗透系数(cm/s)
F1	18.5	1.72	4.24	2.0×10^{-9}
F2	18	1.71	2.5	6.6×10^{-6}
F3	14.2	1.77	3.06	5.3×10^{-9}
Y1	17.2	1.74	3.37	1.8×10^{-7}
Y2	18	1.76	1.08	1.2×10^{-9}
Y3	15.1	1.8	浸水坍塌	崩解

上表表明：对杨凌粉性黄土来说，无论粉态还是液态土壤固化剂，最优含水量在14%～19%间变化，击实最大干容重在 1.7～1.8g/cm^3 变化；不同的固化剂种类对压实土壤强度的影响不同，其中以海威建材有限公司生产的 HEC 土壤固化剂(F1)和北京产的 WH 液态固化剂(Y1)提高土壤强度最大，在浸水条件下，能保证具有 3.37～4.24MPa 的强度，渗透系数最小。因此，选择海威建材有限公司生产的 HEC 粉态土壤固化剂作为集流场的修建材料。

2)HEC 土壤固化剂性能研究

HEC 固化剂是一种提高土壤强度和抗渗能力的固化剂，为水硬性粉末状胶结材料。可在常温条件下直接胶结其他材料，对工程材料和工程环境没有严格要求。它是以工业废渣为主要原料,与核心原料和其他组分复合磨细混匀而成,所以是一种无熟料胶结材料。HEC 作为土壤固化剂,加入土中后自身水化会复合产生超叠加效应,使土粒表面紧密接触,激发土粒中硅铝酸盐矿物的潜在活性,使土粒表面形成牢固的多晶黏粒聚积体,从而提高了土体的强度。由于它较强烈的固化作用,致使固化后的土体抗渗性能相应得到提高。HEC 土与灰土及水泥土等相比,除了具有较高的强度之外,其抵抗渗透水流破坏的能力明显较高。HEC 的特点是高强度、耐水、适应性强,可应用于各种骨料或填充料,如黄土、膨胀土、黏土、淤泥,砂、粉煤灰、含硫碎屑、风化砂、工业废渣等。HEC 既可做土壤固化剂,又可和水泥一样以砂、石碎屑为骨料,按一定比例加水振捣成型,其固结特性与水泥砂浆和混凝土近似,只是强度和抗冻性能较高。

土壤固化剂 HEC 的固化或胶凝作用主要是针对土体颗粒的,所以 HEC 固化黏性土体时采用土工击实的方法,将土体粉碎,按一定比例将 HEC 固化剂加入土料并混合均匀,掺配一定水分后,可击实或压实到一定密度。其加水量和击实密度,均可按土工击实试验方法求取。HEC 固化黄土、粉煤灰等试验结果见表 4-10。

表 4-10　HEC 固化黄土、粉煤灰、黏土的试验结果

防渗材料	比例	击实最优含水量(%)	击实最大干容重(g/cm^3)	含水量(%)	干容重(g/cm^3)	无侧限抗压强度(MPa)			渗透系数(cm/s)		
						3天	7天	28天	3天	7天	28天
		ω_{ou}	ρ_{dmax}	ω	ρ_d	q_{u3}	q_{u7}	q_{u28}	K_{10-3}	K_{10-7}	K_{10-28}
HEC:黄土	1:6	19.0	1.67	18.8	1.67	2.04	2.93	3.50	4.99×10^{-8}	4.11×10^{-9}	2.38×10^{-9}
HEC:黄土	1:8	19.2	1.65	18.6	1.65	1.16	1.38	2.56	1.44×10^{-8}	7.85×10^{-9}	2.07×10^{-9}
HEC:粉煤灰	1:6	28.6	1.24	29.0	1.22	0.91	2.00	3.00	2.23×10^{-6}	1.02×10^{-6}	2.31×10^{-7}
HEC:粉煤灰	1:8	28.0	1.20	29.8	1.19	0.59	1.06	2.36	6.05×10^{-6}	1.27×10^{-6}	1.49×10^{-7}
白河堡黏土掺 HEC*	HEC占12%			15.0	1.65		2.69	4.20			3.09×10^{-8}
白河堡黏土掺水泥*	水泥占12%*			16.0	1.65		2.00	2.50			1.44×10^{-7}

注:①黄土为定西黄土;②HEC 即 High Strength and Water Stability Earth Consolidator;③ * 为清华大学试验结果。

定西黄土属于中粉质壤土,HEC 和黄土比例为 1:6 或 1:8 时击实最优含水量 W 分别为 19.0%、19.2%,最大干容重(ρ_{dmax})分别为 1.67g/cm^3 和

1.65g/cm^3，3 天无侧限抗压强度 q_{u3}分别为 2.04MPa 和 1.16MPa，7 天强度（q_{u7}）分别为 2.93MPa 和 1.38MPa，28 天强度（q_{u28}）分别为 3.50MPa 和 2.56MPa，渗透系数测定结果为 3 天龄期（$K10^{-3}$）分别为 4.99×10^{-8}cm/s 和 1.44×10^{-8}cm/s，7 天龄期（$K10^{-7}$）分别为 4.11×10^{-9}cm/s 和 7.85×10^{-9}cm/s，28 天龄期（$K10^{-28}$）分别为 2.38×10^{-9}cm/s 和 2.07×10^{-9}cm/s。从这些结果可以看出，定西黄土用 HEC 做固化剂后，其强度和渗透系数是能够达到集流场地表防渗要求的。从表 4-10 可看出，定西黄土掺 HEC 和粉煤灰掺 HEC 相比，在同样试验条件下，定西黄土掺 HEC 的强度都较高，渗透系数都较小。清华大学水电工程系也曾做过白河堡黏土掺 HEC 和白河堡黏土掺水泥的试验，试验结果见表 4-10。从表 4-10 可见，白河堡黏土掺 HEC 试验中，HEC 占 12％相当于 HEC∶白河堡黏土为 1∶8，和同样掺配比例的 HEC∶定西黄土为 1∶8 相似，无侧限抗压强度都较大，7 天强度（q_{u7}）分别为 2.96 和 1.38cm/s，28 天强度（q_{u28}）分别为 4.20cm/s 和 2.56MPa，28 天渗透系数 $K10^{-28}$分别为3.09MPa$\times10^{-8}$cm/s 和 2.07×10^{-9}cm/s。看来两家资料趋势近似，HEC 对黏土的固化效果更好，说明 HEC 作为土壤固化剂是可行的。清华大学水电工程系同样进行了白河堡黏土掺 12％水泥的试验，其结果是28 天渗透系数为1.44×10^{-7}cm/s，强度和性能也都不如白河堡黏土掺 HEC。从表 4-10 试验结果看，HEC 作为土壤固化剂，其性能比固化粉煤灰强，比水泥也强。对于定西黄土来说 HEC 的掺量 HEC∶定西黄土为 1∶6 时比1∶8时强度高，抗掺效果也好。用 HEC 固化砂土时，室内试验测定其强度列于表 4-11，表 4-11中所示 HEC 砂浆 7 天抗压强度（R_7）为 9.2MPa，28 天抗压强度（R_{28}）为 13.2MPa，同期进行的水泥砂浆 28 天抗压强度（R_{28}）为12.0MPa。表 4-11 中测示结果按照《国家混凝土试验规程》(SD105—82)进行。从表 4-11 来看，按照建筑材料砂浆做法使用 HEC 固化剂，得到固化后的砂土强度也是较大的。

表 4-11　HEC 砂浆和水泥砂浆强度比较

砂料名称	胶结材料	水∶胶结材料		胶结材料∶砂（配合比）	7 天抗压强度 R_7(MPa)	28 天抗压强度 R_{28} (MPa)
		水灰比	水 HEC 比			
洋河砂	HEC		0.6	1∶5.3	9.2	13.2
中砂	水泥	0.72		1∶3.9		12.0

为了验证固化剂在野外的实际应用情况，在国家节水灌溉杨凌工程技术研究中心、甘肃定西和陕西延安等地分别修建了 HEC 土壤固化剂集流场进行

室内和野外试验。由于固化剂集流场基本不透水,在保证施工工艺条件下HEC固化土集流场的集流效率一般可达60%~90%。

3)固化剂集流场研究

在不同固化剂的材料筛选、性能试验的基础上,开展了不同类型黄土土质的差异性、不同类型黄土固化剂集流场施工工艺、典型地区示范及固化剂配方改进研究等。

(1)黄土土质差异性[32]。在黄河中游地区自西北向东南选取具有代表性的黄土作为实验土样,共选取4组土样,包括靖边、延安、杨凌和洛阳等地黄土。分析土样的物理化学和矿物成分,作为土样的基本参数,为土壤固化剂集流场施工及配方研制提供依据。

通过物理、化学及组成成分试验发现:

①4组土样密度在2.68~2.71g/cm^{3}之间,颗粒组成以粉粒(粒径为0.05~0.005mm)为主,其含量在50.5%~60.7%之间,粒径小于0.005mm的黏粒含量在12.5%~35.0%之间。按颗粒组成分类,这4组土样自西北向东南分别属于轻粉质壤土、中粉质壤土、粉质黏土、重粉质壤土。从界限含水量结果看,液限含水量在29.1%~35.5%之间,塑限含水量在15.2%~19.2%之间,按塑性土分类,这4组土样均为中液限黏质土(CI)。

②4组土样的易溶盐含量为0.34~0.88g/kg。pH值为7.96~10.21,靖边黄土呈强碱性(pH值>8.5),其余3组呈碱性(pH值7.5~8.5)。中溶盐含量在0.28~0.71g/kg之间,难溶盐含量在111.24~152.91g/kg之间。有机质含量在1.16~5.65g/kg之间,土壤交换量在2.40~9.01cmol/kg之间。

③4组土样的矿物成分主要有石英、绿泥石、伊利石、蒙脱石、高岭石、钠长石、方解石和微斜长石。

④4组土样的物理化学和矿物成分各不相同,对于黄土地区的土样具有较好的代表性。

(2)不同地区固化剂集流场性能试验研究。以比较选取的海威建材厂生产的土壤固化剂为研究重点。通过对甘肃定西,内蒙古准格尔旗,宁夏固原,陕西杨凌、延安、榆林、山西,河南等地共计8种黄土高原不同的典型黄土进行配合比设计。试验发现:

①同一地区黄土不同配比对最优含水率的影响不明显(见图4-8),各组试样的最优含水率在14.2%~15.8%之间;但是最大干容重随固化剂含量的增大而逐渐增大,当固化剂与土的掺配比例大于1∶14时,固化土的最大干容重较素土的最大干容重有明显的增大,但并非无限增大,是随掺配比例的逐步

增大而趋于一个定值,增长幅度在 0.029～0.049g/cm³之间。当固化剂与土的掺配比例为 1∶10 时,其最大干容重为 1.753g/cm³,比素土的最大干容重 1.712g/cm³提高 0.041g/cm³,是一个很显著的变化。最大干容重的增加对提高当地黄土的承载力有非常大的作用。

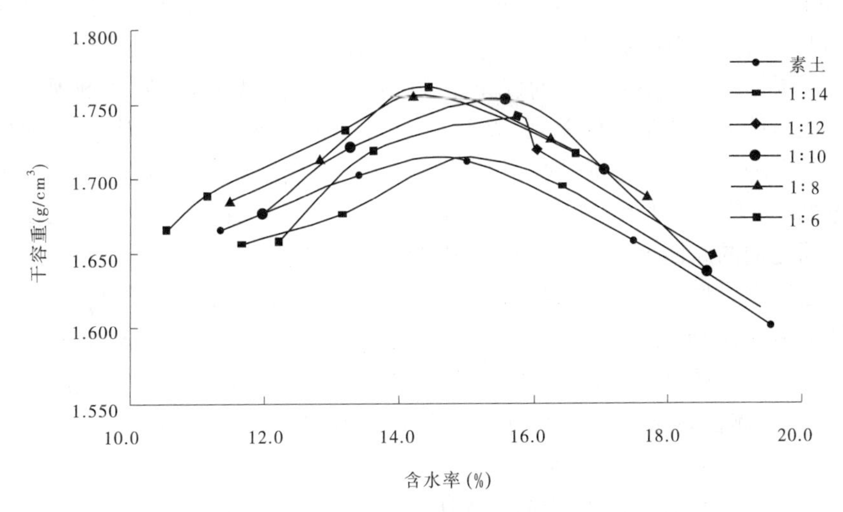

图 4-8　黏性土不同配比最优含水量与最大干容重关系

②不同地区黄土同一配比的固化剂最优含水量和最大干容重存在很大不同,黏粒含量越大,最优含水量越大(见表 4-12)。

表 4-12　黄土地区混合料的最优含水量和最大干容重

取样地点	颗粒组成（%）			土样名称(SD128—84)		最优含水量	最大干容重
	砂粒(mm) 2～0.05	粉粒(mm) 0.05～0.005	黏粒(mm) ＜0.005	按塑性图	按颗粒组成	W_{op} (%)	ρ_{dmax} (g/cm³)
定西	10.8	73.4	15.8	中液限黏质土	轻粉质壤土	18.4	1.66
内蒙古	10.0	75.0	15.0	中液限黏质土	轻粉质壤土	15.0	1.75
靖边	37.0	50.5	12.5	中液限黏质土	轻粉质壤土	16.0	1.71
延安	16.0	67.0	17.0	中液限黏质土	中粉质壤土	16.7	1.69
杨凌	8.2	56.8	35.0	中液限黏质土	粉质黏土	18.2	1.72
洛阳	10.2	64.8	25.0	中液限黏质土	重粉质壤土	17.8	1.72

注: W_{op}和 ρ_{dmax}为 HEC 土壤固化剂用量 6%、9%、12%和 15%的平均值。

③从工程角度将试验土样归结为砂性黄土和黏性黄土进行试验。试验发现,根据对砂性土和黏性土 6 种不同土样 28 天抗压强度的分析得出,在固化剂含量一定的情况下,影响集雨材料强度的主要因素是含水率;不同的配比,

最优含水量则不同,含水量比最优值高或低,强度都会下降;在含水量相同的情况下,影响强度的主要因素是配比,固化剂掺量越大,强度越高。同时发现,砂性土前期强度增长较快,14 天已达 28 天强度的 70%以上,而黏性土发展比较均匀,14 天时达 28 天强度的 55%左右。推荐集雨工程使用土壤固化剂的配比(HEC: 土)及其最优含水率为:砂性土配比为 1:6,最优含水率约为 14.6%;黏性土配比为 1:8,最优含水率约为 18%。

④根据对上述不同固化剂抗冻性能进行试验,发现不同的固化剂固化的土壤抗冻性能有非常大的差别,以 HEC 固化土的抗冻性能为最优。对 HEC 采用黏土和沙土进行抗冻试验,在试样龄期为 28 天时将饱和试样进行 24 次冻融循环,冻结温度为 -15℃,融化温度为 24℃,当冻融循环 2 次后,未掺加任何固化剂的黏性土试样疏松崩塌;冻融循环 20 次后,掺加 HEC 的黏性土试样疏松崩塌。加 HEC 和水泥的砂土试样经 24 次冻融循环后进行单轴压缩试验结果表明,砂土掺 HEC 或水泥的试样,经 24 次冻融循环后强度都有所下降。掺加水泥的砂土试样,强度下降 73.2%,而掺加 HEC 的试样,强度下降 16.6%,土体在掺加 HEC 后抗冻性能明显优于掺加水泥。

4)新型土壤固化剂 MBER 研究[30]

由于土质不同,土壤固化剂的固化性能也随之改变。针对黄土土质的差异性,高建恩等对土壤固化剂的配方进行研制改进,初步研制出一种新型土壤固化剂(MBER)。MBER 土壤固化剂是由主固剂、矿渣、石膏和核心原料等混合磨细而成的一种粉末状材料,属于一种环保型的无机胶凝材料,在常温下可固结一般土体。MBER 土壤固化剂核心原料包含有①~④等 4 种组分,这 4 种组分在土壤固化过程中的作用不同,分别是:①提供主固剂,形成更多的水泥石以胶结土壤颗粒,在固化体土中构成网状结构,形成早期强度;②表面活性作用和缓凝作用,使得离子交换反应进行得迅速、彻底,同时调整固化剂的延迟时间;③与黏土矿物发生化学反应,弥补网状结构强度的不足,形成后期强度,从而最终提高固结体强度;④与其他组分反应形成的生成物,体积明显增加,并析出凝胶类物质,填充了固结土体内部孔隙,并使固结体体积发生一定程度膨胀,产生内应力,从而提高了固体土体的抗渗性、抗缩性、抗冻性和耐疲劳性。

核心原料中的几种组分根据不同土质的物理化学和矿物成分不同,可以进行调整,以适合不同的土质。初步研究结果认为,对于黏粒含量高的土质来讲,可以提高③组分的含量;对于砂粒含量高的土壤,可以提高④组分的含量。

表 4-13 为核心原料不同组分组成水硬性胶凝材料与黏土的试验，结果表明，MBER 效果最好。表 4-14 则表明，新研制的土壤固化剂与 32.5 号水泥固土比较，强度提高 20%～120%；与 HEC 固化土性能比较，强度提高了 30%～70%。对 HEC 及水泥采用黏土进行抗冻试验（见表 4-15），在试样龄期为 28 天时将饱和试样进行 24 次冻融循环，冻结温度为 -15℃，融化温度为 24℃，当冻融循环 2 次后，未掺加任何固化剂的黏性土试样疏松崩塌；冻融循环 20 次后，掺加 HEC 的黏性土试样疏松崩塌，而掺加 MBER 的试样仍具有一定强度。加 HEC 和水泥的砂土试样经 12 次冻融循环后进行单轴压缩试验结果表明，砂土掺 HEC 或水泥的试样，经 12 次冻融循环后强度都有所下降。掺加水泥的砂土试样，强度下降 46.3%，而掺加 HEC 的试样，强度下降 23%～34%，平均 28%；掺加 MBER 的试样，强度平均下降 22%，土体在掺加 HEC 和 MBER 后抗冻性能明显优于掺加水泥。而 MBER 抗冻性能明显优于固化剂 HEC 和 32.5 号水泥。

表 4-13　不同表面活性剂组分组成水硬性胶凝材料与黏土试验

配方类型	水硬性胶凝材料	巩义黏土	7 天强度（MPa）	28 天强度（MPa）
A1（MBER）	1	8	2.71	8.23
A2	1	8	1.94	5.37
A3	1	8	1.47	4.42
A4	1	8	1.36	4.13
A5	1	8	1.06	3.25

表 4-14　强度实验方案及其结果

序号	强度（MPa）						
	水硬性胶凝材料	水硬性胶凝材料:黏土掺量	X_1	X_2	X_3	$T' = \sum X_i$	$T'' = T'/3$
1	MBER	1:6	3.756	3.374	3.246	10.376	3.458 667
2		1:8	4.838	4.265	3.374	12.477	4.159
3		1:10	3.056	2.355	2.355	7.766	2.588 667
4	水泥（32.5 号）	1:6	2.928	2.801	3.183	8.912	2.970 667
5		1:8	2.165	1.91	1.655	5.73	1.91
6		1:10	1.53	1.53	2.101	5.161	1.720 333

表 4-15　强度实验方案及其结果

土料	固化剂		冻融前强度（MPa）	冻融后强度（MPa）	强度损失率（%）
	种类	含量(%)			
砂土	EBER	20	5.40	4.70	14.0
		14	5.71	3.70	17.7
		10	7.14	4.62	35.3
	HEC	20	4.01	3.06	23.7
		14	4.22	2.78	34.1
		10	6.24	4.65	25.5
	水泥(32.5号)	10	1.52	2.83	46.3

注:强度损失率为冻融循环 12 次减少的强度与冻融前强度比值。

5)固化土集流场施工工艺研究

集流场的施工工艺一直是制约土壤固化剂大面积推广应用的一个主要因素。土壤固化剂修建集流场的施工工艺研究是课题研究工作的一个重点。课题组在延安、杨凌和彭阳等地施工中,总结了土壤固化剂修建集流场的施工工艺,编写出《土壤固化剂修建集流场的施工指南》,内容包括固化土原材料的技术要求、配合比设计、集流场的结构设计、干硬性施工工艺和施工要点,并指出了应当深入研究土壤固化剂在修建集流场中的塑性施工工艺。

土壤固化剂集流场的施工工艺,按照不同的分类依据可以分为不同的类别。施工工艺的分类见表 4-16。按照含水率高低可以分为干硬性施工方式和塑性施工方式。按照成块面积大小分为砌块施工和整体施工。按照表面处理不同可以分为自然收光和固化剂浆液收光。按照固化剂剂量多少分为改善土和固化土。在实际固化剂集流场建设中,施工工艺可以根据不同的分类依据,属于多种类别,如固化土—干硬性—整体施工—自然收光施工工艺。在实际施工中,应根据“因地制宜”的原则选择适宜的施工类别组合进行。在目前固化剂集流场的实际应用中,多为干硬性—整体施工—自然收光施工工艺。固化剂集流场的固化剂剂量一般在 9%～15%之间。

表 4-16　施工工艺分类

依据	类别	技术要求	特点
含水率	干硬性 塑性	混合料含水率和容重处于最优状态 混合料含水率大,容重低	施工复杂,性能好 施工简单,性能差
成块面积	砌块施工 整体施工	将固化土压制成砌块进行铺设 整块进行施工(除了伸缩缝)	施工缝较多 施工缝较少
表面处理	自然收光 固化剂浆液收光	表面夯实平整并进行收光 表面夯实平整后用固化剂浆液收光	表面容易裂缝 表面不容易裂缝
剂量	改善土 固化土	固化剂剂量<6% 固化剂剂量≥6%	性能差 性能好

针对固化剂集流场的施工特点,选择了干硬性—整体施工—固化剂浆液收光(自然收光)、干硬性—砌块施工、塑性—整体施工—自然收光等几种不同的施工工艺进行介绍。

(1)干硬性—整体施工—固化剂浆液收光(自然收光)施工工艺。这种施工工艺的特点是施工时混合料的含水率控制在最优含水率附近,压实度一般控制在 0.96 以上。集流场采用机械或人工进行整体夯实。夯实结束后,表面采用固化剂浆液进行收光处理。干硬性施工显著的特点是固化土强度高,耐久性好,但是施工程序繁杂、拌和均匀性差、质量难以保证。这种施工工艺的应用范围要求坡度平缓,集流场除了满足集流功能外,还可以用作其他用途,如打谷场、操场、停车场等。

施工工艺流程:

干硬性—整体施工—固化剂浆液收光施工工艺流程见图 4-9。

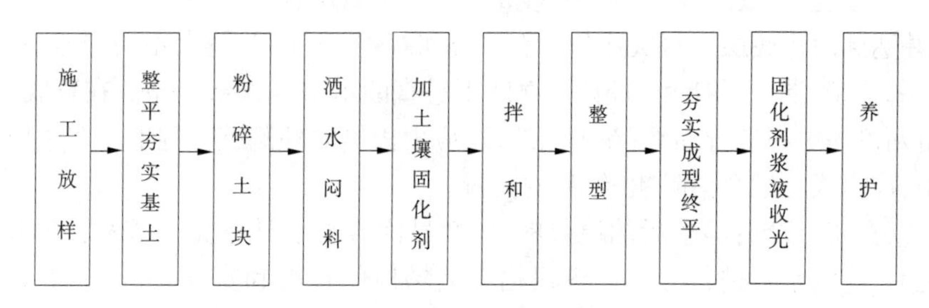

图 4-9　干硬性—整体施工—固化剂浆液收光施工工艺流程

施工技术要求：

①施工放样：在集流场场地地基，应布设中线、边线，每隔 15～20m 设标桩。在桩上应设标记，进行高程测量，标出集流场的设计高度、混合料的松铺高度。

②翻夯地基：将选择好的集流场地基进行翻夯，翻夯后的干容重不应小于 $1.5g/cm^3$，厚度控制在 20cm 左右，使其较为平整。

③粉碎土块、摊铺土料：当利用原有场地时，其上的乱石、草根杂物应清除；利用取土场的土时，也应去除草根、树根、乱石等杂物。若有条件可将土料过 5mm 筛，捡出杂物。将土料按照 1.53～1.58 的松铺系数进行摊铺。若采用强制性搅拌机或人工集中搅拌，则摊铺土料可以省略。

④洒水闷料：检测土中的含水率，宜大于最优含水率的 2%～3%，即按照野外施工原则"手捏成团，手松团不散，抛地即散开"判断。当不能满足要求时，应对土采取洒水或晾干处理。

⑤摆放土壤固化剂：根据集流场地的长度、宽度、厚度、预定的干容重及土壤固化剂的配比，计算土壤固化剂的用量和每包土壤固化剂的摊铺面积；再根据集流场的宽度，确定摆放土壤固化剂的行数、间距和用量；若采用强制性搅拌机或人工集中进行搅拌，则此步可以省略。

⑥土壤固化剂的摊铺：摊铺土壤固化剂时，每袋摊铺面积应相等，其厚度应均匀。

⑦混合料的拌和：若采用强制性搅拌机进行搅拌，将固化剂和备好的土料，搅拌时间为 1min 左右。若时间过长，容易产生"造粒"现象；若时间过短，则土料和固化剂搅拌不匀。人工集中搅拌时，应当保证混合料拌和均匀，外观颜色一致；当采用旋耕犁、多铧犁和缺口圆盘耙或轻耙施工时，可采用 1 种或 2 种机械相结合的方法，应将混合料拌和均匀、翻透，其拌和不宜少于 3 遍，且达到拌和颜色一致。根据施工厚度的要求，应确定拌的深度，由两侧拌向中心，并达到固化底层。每次拌和应有重叠和翻透，并不得漏拌，不切割地基。

⑧整型：混合料拌和均匀后，立即用平直的木条或铁条整型。在直线段，应由两侧向中心进行刮平；在平曲线段，应由内侧向外侧进行刮平。在整型过程中，应由人工配合消除粗、细料的离析。

⑨夯实、成型：整型后的混合料，应在最优含水率时夯实。当表层含水率不足时，应洒水再进行夯实。应根据集流场地的长度和宽度、夯实的工具不同，制订夯实方案，包括人工夯实、机械夯实。为了保证压实后的集水场表面平整，可以采用"先轻后重再轻"的原则，每次夯压应有重叠，并不得漏压，压

3～4遍即可。若有条件应测定压实度。

⑩终平：在夯实结束之前，应进行最后1次整型，坡度应符合设计要求。终平应仔细进行，并应将局部高出部分刮除，并扫出场外；对局部低洼之处，不应进行找补。

⑪表面固化剂浆液收光：在集流场表面工程基本处理完以后，将表面打扫干净整洁。将固化剂配制成具有一定流态的浆液，涂在集流场表面，厚度一般为1～2mm，并用泥刀收光(若工艺为自然收光，则这一步省略)。

⑫养护：集流场表面处理好4～8h后，采用草帘、麦草、草袋等物进行覆盖处理，没有条件的地方，可以松铺一层3cm厚左右的土层，并洒水养护7天以上，每天均匀洒水少许，使其保证集流场表面湿润，利于固化剂与土壤充分反应固化，不得出现干燥、变干等现象。施工结束后不宜立刻洒水，一般24h后开始洒水养护。洒水养护7天以上，洒水时注意不得用水直接冲击集流场表面。注意集流场夯实成型后，养护期间不得上重车和重物。最好的养护办法是将塑料薄膜覆盖在处理好的集流场表面上，不仅可以减少养护人力和物力，而且养护效果好。

(2)塑性—整体施工—自然收光施工工艺。塑性施工的混合料含水率较大，要求将土、土壤固化剂和水配制成稠度类似于灰膏或砂浆类的泥状。施工时采用机械或人工均可。集流场表面成型后，采用泥刀将表面进行抹面收光。由于此种施工工艺的固化土容重较低，因此力学性能、耐久性能较差，但施工程序简单，容易推广应用。在集流场无其他用途时，应当考虑塑性施工。

施工工艺流程：

塑性—整体施工—自然收光施工工艺流程见图4-10。

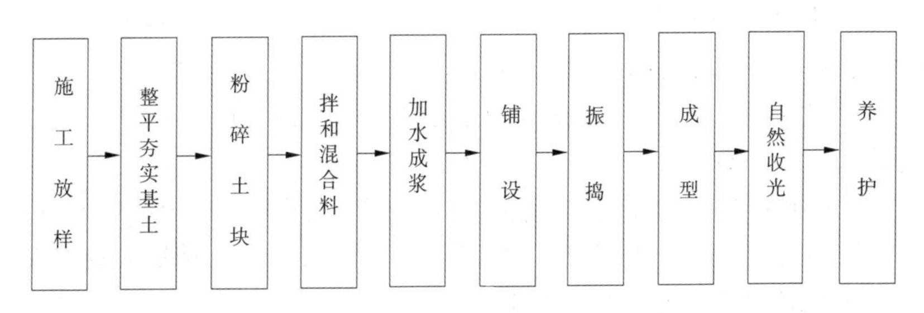

图4-10 塑性—整体施工—自然收光施工工艺流程

施工技术要求：

①施工放样：在集流场场地地基，应布设中线、边线，每隔15～20m设标桩。在桩上应设标记，进行高程测量，标出集流场的设计高度。

②翻夯地基:将选择好的集流场地基进行翻夯,翻夯后的干容重不应小于 1.5g/cm^3,厚度控制在 20cm 左右,使其较为平整。

③拌和混合料:将粉碎过筛的土和土壤固化剂按照一定的比例进行多次搅拌,拌和好后混合料颜色要一致均匀。

④加水成浆:将拌和好的混合料加水,使得混合料成为类似灰膏或砂浆类的泥状,尽量搅拌均匀。边搅拌边加水,注意控制含水率不宜太高,只要振捣能够出浆即可。

⑤铺设。将搅拌成泥状的混合料铺设在集流场地基上。

⑥振捣:采用平板振动抹光机进行振动,使得混合料密实,表面出浆。若采用人工处理时,进行夯实振捣,拍出浆液,尽量使混合料密实。

⑦成型:振捣结束后采用泥模将表面抹平,使其平整,坡度应符合设计要求。将局部高出部分刮除,并扫出场外;对局部低洼之处,可以进行找补,但必须将表面划毛后进行,并应充分振动使之密实。

⑧自然收光:在集流场表面工程基本处理完以后,将表面打扫干净整洁,用泥刀仔细收光。

⑨养护:同干硬性施工工艺养护一样,但是建议最好是将塑料薄膜覆盖在处理好的集流场表面上,养护 7 天以上。注意将塑料薄膜压实,防止随风飘起,水分蒸发,影响养护效果。

(3)干硬性—砌块施工工艺。这种施工工艺具有广阔的应用前景。首先要求将固化剂、土和水配制成干硬性的混合料,然后在专用的压制成型机械上将固化土制成砌块。砌块呈正方形,边长 40～50cm,厚度 4～5cm。待砌块养护至一定的龄期达到一定的强度后即可进行施工。这种施工工艺施工简单,但是需要专用的机械设备,或将有关的压力机进行改装,一次性投资大。若某一地区大面积推广使用固化剂集流场,则这种施工工艺为首选。

施工工艺流程:干硬性—砌块施工工艺流程见图 4-11。

(4)施工技术要求。

①砌块的生产、养护和运输:将固化剂、土和水配制成一定的干硬性混合料,在专用的机械上进行压制成型,并进行养护 7 天以上。选取表面光整、色泽均匀、无裂缝的砌块运至施工工地。

②施工放样:在集流场场地地基,应布设中线、边线,每隔 15～20m 设标桩。在桩上应设标记,进行高程测量,标出集流场的设计高度。

③翻夯地基:将选择好的集流场地基进行翻夯,翻夯后的干容重不应小于 1.5g/cm^3,厚度控制在 20cm 左右,使其较为平整。

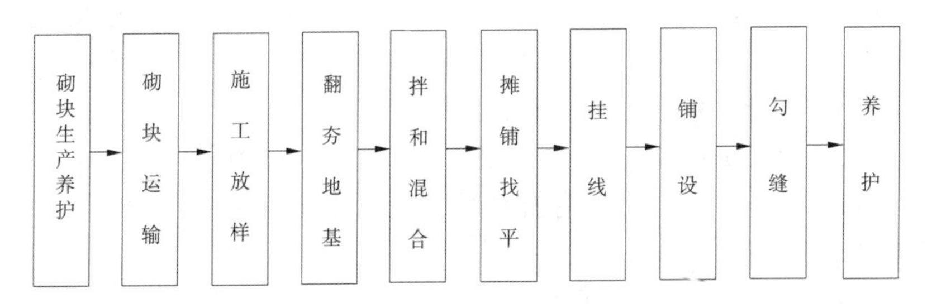

图 4-11　干硬性—砌块施工工艺流程

④拌和混合料:将固化剂、土和水按照一定的比例拌和成干硬性混合料,含水率控制在最优含水率附近。拌和好后混合料颜色要一致均匀。

⑤摊铺找平:将拌和好的固化剂混合料(也可采用坐浆砌筑,即将混合料拌至塑性进行施工)摊铺于地基上,厚度 2cm 左右,刮平,拍实,搓粗,要做到基层平整而粗糙。

⑥挂线:砌筑时应在横向、竖向双挂线,这是保证集流场横平竖直,表面平整的关键措施。

⑦铺设:将洒水浸湿处理过的砌块铺设于集流场基层上,预留灰缝,宽度一般 0.3～0.8cm。在铺设过程中,要经常检查水平线与平整线是否符合要求。用木锤敲打砌块面,使之与邻块边面平。铺设 5～10 块后用靠尺板检查表面平整,并用泥刀将缝拨直。若需切割拼结时,注意切割要平直。砌筑工作中断后,恢复砌筑时,砌块表面应加以清扫并洒水湿润。

⑧勾缝:将铺设后的砌块表面处理干净,浇水润湿,采用固化土浆液或纯固化剂浆液灌缝,并抹光。要求做到勾缝饱满自然,匀称美观,表面平整。

⑨养护:砌块在砌筑结束 12～18h 及时养护,经常保持表面湿润,养护 7 天以上。

2. 喷涂型有机硅集流场施工工艺[29]

有机硅是一种无毒、无味、无污染、不燃烧的碱性液体,具有与塑料膜相近的防渗效果,它是一种新型土壤集流场疏水改性剂,其改性机理主要是有机硅活性剂团与土壤表面 Si－O(OH)基以氢键或化学键结合,形成一层无色透明的固体涂膜均匀地分布在微孔孔壁上而不是分布在表面层,因而不封闭微孔通道。由于涂膜中烷基定向排列,使涂脂产生憎水性能,增大了与水的湿润边角。这样,水遇到憎水层便形成水珠滚落而不能透过毛细微孔吸入到土壤表面的内部。处理后的土壤表面具有高疏水性,耐风化、耐腐蚀等一系列优点,因此可以作为集流场材料。

有机硅集流场的施工工艺较简单，施工工艺的前期处理同土质集流场的处理一样，首先将地表杂物，如草、较大石块等清除，再进行翻夯，夯实后干容重不小于 1.5t/m^3。然后将有机硅和水按照体积比 1∶5～1∶7 的比例进行配制，适宜用量为 150mL/m^2。喷洒时要使喷嘴接近地面 10cm 左右，这样可以减少雾滴的散失，喷施的量要使表面湿润，依照次序直线状进行，均匀喷洒2～3遍，自然养护 2 天以上。

3. 生物地衣集流场施工工艺

土壤生物结皮是由不同种类苔藓、地衣、藻类、真菌和细菌等与其下层很薄的土壤共同形成复合体，一般厚 1～2mm。地衣是藻类和真菌以紧密而特殊的共存共生关系形成的复合真核生物体，藻类和真菌被胶原蛋白连接在一起，藻细胞完全被菌丝所包围而形成原植体。地衣结皮增强了土壤团粒稳定性，减少了流水对地面的冲蚀；其分泌的有机凝胶体和多糖与地衣菌丝体将土壤颗粒紧密黏结，增加了土壤颗粒体积，并相应增加其质量和表面积，形成致密抗蚀层，将降雨产生的径流与表土疏松层隔开，保护土壤免受雨水的侵蚀。大量研究表明，生物结皮具有减少土壤水蚀的作用。由于地衣集流场的使用年限远长于其他材料，且随着时间的延长地衣覆盖率不断增加，集流效率不断提高，故地衣可成为优良的生物集流场营造材料。

生物地衣集流场施工工艺以及配套技术体系目前尚不完善，正在继续深入研究。

4. 径流调控增流新材料需要进一步研究的问题

根据目前地表径流利用形式和材料研究的现状、存在问题以及发展趋势，针对目前生产应用中集雨材料种类单一、价格高昂、使用成本高等问题，充分考虑到我国西部地区经济的现实情况和绿色环保无污染调控径流材料的生产需求，现代径流调控利用材料将以研究和开发集流效率高、材料成本低且对环境无污染的绿色环保集雨材料为研究目标，重点研究、筛选和开发适合于黄土地区的土壤固化剂集雨材料、高分子面喷涂集雨材料、新型生物集雨材料与配套植被营养调理剂等。

在土壤固化剂集雨材料方面，以研究现有土壤固化剂材料技术经济性能为基础，对筛选出的适合于黄土区用作集雨材料的新型土壤固化剂的性能需要进一步提升。着重研究黄土区高性能土壤固化剂集雨新材料的配方施工工艺和使用技术，以及集流效率与技术经济指标等。包括新型土壤固化剂集雨材料的区域适宜性，与不同类型土壤的混合最佳比例，相应的施工工艺与工程管护技术，以及成型集流面的防渗抗冻胀性能、最佳集流效率、使用寿命与投资效益等。

在高分子面喷涂集雨材料方面，研究、筛选出若干种可明显改变土壤入渗性能，对环境无污染、价格相对低廉的高分子化学材料。在此基础上，以上述材料作为核心溶质，着重研究开发以上述核心溶质为主要成分的新型高分子面喷涂集雨材料。包括新型高分子面喷涂集雨材料的合理配方、材料使用时与水的最佳混合比例、喷涂强度、施工工艺与工程养护技术、成型集流面的防渗抗冻胀性能、最佳集流效率、工程使用寿命与投资效益等。

在生物集雨材料方面，以筛选和培育适宜于旱山地生长，且具有固土、低入渗功能的地表附着植被（苔藓、地衣等）为基础，着重研究有利于上述植被快速生长的施工工艺，以及与工艺相配套的生物集流面建造技术。包括研究与开发有助于地表附着植被快速生长的植物营养调理剂、适宜的黏化剂或固土剂的配合比例与复配工艺，以及生物集流面的固化与建造工艺及技术、集流效率与工程投资效益等。

（三）径流调控蓄集新技术

1. 集雨水窖力学结构分析

高建恩、朱德兰从力学、经济性及制造和安装等方面考虑[36]，初步选择水窖横断面形式为圆形、马蹄形、圆拱直墙式、蛋形、简化马蹄形。为了计算方便，将上述 5 种断面形式进一步简化成圆形、城门洞形、蛋形水窖（见图 4-12）计算，主要考虑窖体荷载为衬砌自重、土压力和内水压力进行计算，其中土压力分为垂直土压力和侧向土压力。

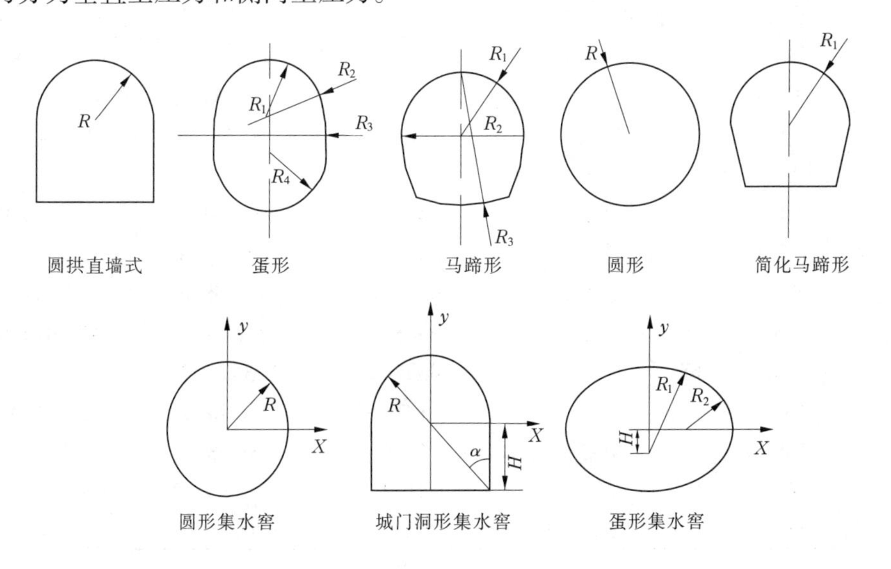

图 4-12　水窖断面形式及概化图

通过用 VB 语言编制 3 种水窖(圆形、城门洞形、蛋形水窖)的力学计算程序,进行窖体结构计算。此计算程序,在事先输入基本参数(如:土壤参数、材料参数、几何参数)后,即可快速输出计算结果,如水窖各部位的轴力、应力等,并能直接让技术人员得知最危险部位所在位置。

2. 实用水窖计算结果的初步分析

结构力学极限平衡理论,在解决地下管件方面,方法成熟,但计算复杂。在对无限长管形水窖按平面问题处理,在验证的基础上,通过对程序进一步调试,对目前实际中运行的水窖受力结构进行分析。

1)卧式圆形混凝土长窖

随着建窖技术的发展,目前在国内修建了许多圆形卧式长窖,材料有混凝土型和塑胶型,埋入地下,可视为地埋管。

(1)空窖状态。

地下混凝土窖:

考虑最不利情形。混凝土窖体容重为 25kN/m^3,土的容重为 20kN/m^3,水的容重为 0kN/m^3(即为空窖状态),土的凝聚力为 4kN/m^2,混凝土弹性模量为 20 000MPa,地基承载力夹角 90°,土的内摩擦角为 25°,窖体厚度0.05m,上土层厚度为 0.5 m,半径为 1m。计算结果见表 4-17。

表 4-17 厚度 0.05m 地基承载夹角 90°的空窖受力计算

角度 β(°)	轴力 N(kN)	弯矩(kN·m)	应力 δ_1(kPa)	应力 δ_2(kPa)
0	−346.6	−192.2	−468 322.3	454 459.8
15	−302.7	−88.7	−218 841.3	206 733.8
30	−240.0	−6.6	−20 713.89	11 114.2
45	−169.0	52.6	122 979.7	−129 737.9
60	−98.1	88.0	209 264.4	−213 189.9
75	−35.2	100.8	241 178.3	−242 588
90	13.6	94.5	226 958.6	−226 414
105	19.4	73.5	176 791	−176 014.6
120	33.8	43.7	105 477.2	−104 126.7
135	29.7	11.7	28 570.6	−27 381.8
150	10.2	−16.3	−38 987.2	39 393.3
165	−43.1	−41.2	−99 857.9	98 131.9
180	−54.8	−42.0	−101 915.1	99 724.0

表4-17表明,原型水窖拉压应力出现4个峰值,分别在0°、75°、180°及285°左右,最大达到468MPa,远超过混凝土7.5～60MPa,抗拉1～4MPa的要求。另外受力出现偏心,主要由于地基承载力夹角为90°,是受力的不利情况;若承载力夹角改为60°,则计算结果见表4-18:拉压应力出现4个峰值,分别在0°、90°、180°、270°左右,受力结构合理,最大都达到300～400MPa,远超过混凝土抗压7.5～60MPa,抗拉1～4MPa的要求。当混凝土厚度为0.2m,则拉压应力最大达到13MPa左右(见表4-19),才有可能满足要求。

表4-18　厚度0.05m地基承载夹角60°的空窖受力计算

角度 β(°)	轴力 N(kN)	弯矩(kN·m)	应力 δ_1(kPa)	应力 δ_2(kPa)
0	-352.9	-209.3	-509 437.1	495 321.9
15	-308.0	-106.5	-261 856.8	249 537.0
30	-244.6	-23.3	-60 860.26	51 077.7
45	-172.4	37.9	87 397.8	-94 291.8
60	-100.0	75.7	179 631.3	-183 631.6
75	-61.7	88.3	210 689.3	-213 157.3
90	-13.9	85.0	203 803.6	-204 358
105	19.6	64.2	154 572.9	-153 790.5
120	34.1	34.6	83 602.4	-82 240.2
135	30.1	2.7	6 990.7	-5 785.3
150	10.7	-25.2	-60 340.5	60 767.0
165	-19.5	-44.1	-106 324.0	105 542.8
180	-54.2	-50.8	-123 076.9	120 909.2

表4-19　厚度0.2m地基承载夹角60°的空窖受力计算

角度 β(°)	轴力 N(kN)	弯矩(kN·m)	应力 δ_1(kPa)	应力 δ_2(kPa)
0	-352.5	-209.6	-33 198.2	29 673.2
15	-311.1	-102.7	-16 956.16	13 845.3
30	-248.0	-19.5	-4 165.796	1 686.0
45	-176.4	41.6	5 363.8	-7 127.3
60	-104.9	79.5	11 406.87	-12 455.82
75	-54.1	92.0	13 527.44	-14 068.19
90	-8.0	88.0	13 153.38	-13 233.07
105	23.3	66.0	10 016.48	-9 783.3
120	35.6	35.0	5 420.7	-5 065.2
135	29.5	1.7	407.6	-112.3
150	8.3	-27.3	-4 048.8	4 132.3
165	-23.0	-46.9	-7 151.8	6 922.2
180	-58.0	-53.9	-8 369.4	7 789.3

混凝土防渗型黄土窖：

上述计算表明，窖体厚度对窖体受力作用影响较大。如果利用黄土的垂直节理作用强，凝聚力系数高，直立性好的特点，事先挖好窖型，沿窖壁衬砌混凝土，则壁厚 0.05m 混凝土窖受力情况见表 4-20，其最大压应力 162MPa，普通混凝土难以满足要求，在 65°～75°拉应力达到 160MPa，混凝土更难以满足要求。当窖厚达到 0.2m 时，最大拉应力降到 3.7MPa，普通混凝土即能满足要求。这就是为什么水窖的底厚达 25～30cm 的原因。事实上，当混凝土作为防渗材料与土体溶为一体，则窖体厚度将出现无限大局面，所受内力就很小了。

表 4-20 厚度 0.05m 地基承载夹角 60°的空窖受力计算

角度 β(°)	轴力 N(kN)	弯矩(kN·m)	应力 δ_1(kPa)	应力 δ_2(kPa)
0	−48.7	−42.9	−103 957.0	102 008.7
15	−139.3	−62.0	−151 578.7	146 005.5
30	−135.6	−1.2	−5 679.0	254.6
45	−101.0	42.1	98 998.7	−103 039.6
60	−59.8	67.3	160 326.8	−162 717.3
75	−24.6	62.7	150 070.8	−151 055.2
90	8.0	65.1	156 285.9	−155 967.8
105	29.1	53.5	129 044.1	−127 878.7
120	35.1	33.6	81 251.7	−79 848.0
135	26.3	9.5	23 425.9	−22 372.4
150	5.9	−14.0	−33 369.3	33 606.6
165	−21.1	−32.6	−78 683.2	77 840.3
180	−48.7	−42.9	−103 957.0	102 008.7

(2)满窖状态。

地下混凝土窖:

同样考虑填土,水窖在满水状态下,即考虑最不利情形。混凝土窖体容重为25kN/m^3,土的容重为15kN/m^3,水的容重为10kN/m^3(即为满窖状态),土的凝聚力为4kN/m^2,混凝土弹性模量为20 000MPa,地基承载力夹角为60°,土的内摩擦角为25°,窖体厚度为0.05m,上土层厚度为0.5m,半径为1m。其满窖受力计算结果见表4-21。

表4-21　**厚度0.05m地基承载夹角60°的满窖受力计算**

角度 β(°)	轴力 N(kN)	弯矩(kN·m)	应力 δ_1(kPa)	应力 δ_2(kPa)
0	−245.9	−157.0	−381 738.9	371 901.3
15	−139.3	−62.0	−151 578.7	146 005.5
30	−135.6	−1.2	−5 679.004	254.6
45	−101.0	42.1	98 998.7	−103 039.6
60	−59.8	67.3	160 326.8	−162 717.3
75	−24.6	62.7	150 070.8	−151 055.2
90	8.0	65.1	156 285.9	−155 967.8
105	29.1	53.5	129 044.1	−127 878.7
120	35.1	33.6	81 251.7	−79 848.0
135	26.3	9.5	23 425.9	−22 372.4
150	5.9	−14.0	−33 369.3	33 606.6
165	−21.1	−32.6	−78 683.2	77 840.3
180	−48.7	−42.9	−103 957.0	102 008.7

表4-21表明,在满水状态下,原型水窖拉压应力出现4个峰值,分别在

0°、60°、180°及300°左右，最大压应力达到381MPa，拉应力达到371MPa，比空窖为小，但仍远超过混凝土抗压7.5～60MPa、抗拉1～4MPa的要求。

混凝土防渗型黄土窖：

如果利用黄土的垂直节理作用强、凝聚力系数高、直立性好的特点，事先挖好窖型，衬砌混凝土，满窖状态下0.05m混凝土窖受力情况见表4-22，最大压应力43MPa，普通混凝土满足要求，但拉应力在15°左右，达到46MPa，混凝土难以满足要求。当窖厚达到0.2m时，最大拉应力降到3.7MPa，普通混凝土即能满足要求。

表4-22　厚度0.05m地基承载夹角60°的空窖受力计算

角度 β(°)	轴力 N(kN)	弯矩(kN·m)	应力 δ_1(kPa)	应力 δ_2(kPa)
0	18.7	−0.2	−85.1	832.9
15	90.8	18.8	46 851.36	−43 220.0
30	46.9	17.1	41 997.17	−40 122.9
45	27.2	14.6	35 504.8	−34 418.4
60	27.2	14.6	35 504.82	−34 418.39
75	23.5	−2.6	−5 769.677	6 711.281
90	19.8	2.0	5 215.102	−4 422.319
105	15.4	5.8	14 259.05	−13 641.7
120	10.0	7.8	18 937.4	−18 538.1
135	3.7	7.4	17 818.9	−17 672.4
150	−2.5	4.6	10 891.3	−10 993.1
165	−7.2	−0.1	−353.6	66.7
180	−8.9	−5.4	−13 209.6	12 853.6

同理，可以算出城门洞型混凝土水窖和蛋型水窖受力情况。例如城门洞衬砌情况下空窖和满窖受力情况见表4-23和表4-24。

表 4-23　城门洞型空窖受力分析

角度 β(°)	轴力 N(kN)	弯矩(kN·m)	应力 δ_1(kPa)	应力 δ_2(kPa)
0	−6.0	20.213 37	48 392.5	−48 631.7
15	−5.981 34	20.159 2	48 262.45	−48 501.7
30	−5.981 34	19.961 9	47 788.93	−48 028.18
45	−6.0	19.459 23	46 582.5	−46 821.8
60	−5.981 34	17.952 9	42 967.32	−43 206.58
75	−14.073 33	4.9	11 580.43	−12 143.36
90	−9.814 834	16.757 17	40 020.91	−40 413.51
105	−7.638 832	13.774 78	32 906.7	−33 212.3
120	−6.121 296	9.837 783	23 488.3	−23 733.1
135	−5.470 588	5.739 555	13 665.5	−13 884.3
150	−5.7	2.210 457	5 190.1	−5 420.1
165	−6.865 701	−0.162 659 3	−527.7	253.1
180	−8.590 94	−1.0	−2 571.8	2 228.1

表 4-24　城门洞型满窖受力分析

角度 β(°)	轴力 N(kN)	弯矩(kN·m)	应力 δ_1(kPa)	应力 δ_2(kPa)
0	−33.5	0.423 805 6	348.0	−1 686.3
15	−33.457 05	0.356 359	186.120 5	−1 524.403
30	−33.457 05	0.110 721 5	−403.409 5	−934.872 6
45	−33.5	−0.515 103 2	−1 905.4	567.1
60	−33.457 05	−2.390 503	−6 406.347	5 068.065
75	−11.923 33	−8.8	−21 415	20 938.07
90	8.005 32	15.411 78	37 148.39	−36 828.18
105	18.628 69	28.294 45	68 279.24	−67 534.1
120	27.383 15	37.683 71	90 988.6	−89 893.2
135	33.025 36	42.962 74	103 771.1	−102 450.1
150	35.4	44.146 97	106 661.4	−105 244.1
165	35.354 43	41.891 88	101 247.6	−99 833.4
180	28.894 34	37.4	90 223.8	−89 068.0

城门洞型水窖计算条件:混凝土防渗,水窖满水状态下,混凝土窖体容重为25kN/m³,土的容重为15kN/m³,水的容重为10kN/m³(即为满窖状态),土的凝聚力为4kN/m²,混凝土弹性模量为20 000MPa,地基承载力夹角为60°,土的内摩擦角为25°,窖体厚度为0.05m,上土层厚度为0.5m,半径为1m。

3.新型橡塑窖体设计与制造

在我国蓄水工程的形式主要有水窖、水窑、水罐、水池及塘坝等,多为黏土、水泥防渗。除水塘具有防渗和防蒸发效果差的缺点外,其他设施单方容积造价50～300元/m³,价格高,建造速度慢。

在发达国家,雨水集蓄利用技术水平较高,水窖的快速成型技术较为成熟。以德国、美国为代表的发达国家,高密度塑料快速成窖技术发展迅速,特别是德国的快速成窖技术,常用水窖容积一般达10m³,且通过串并联形式,即可随意扩大容积,但造价较高,平均高达3 000～4 000元/m³。

1)现有橡塑窖体选型

由于塑胶工业发展,目前我国各种塑胶贮水容器种类繁多,最大容积可达40m³。就使用来讲,目前各种刚性橡塑水窖多安置在地面上。若埋入地下,受土压力作用,其强度不够,容易被破坏。表4-25是圆形橡塑水窖在满水状态下,窖体容重为9.2kN/m³,土的容重为15kN/m³,水的容重为10kN/m³(即

表4-25 直径1m圆形橡塑窖体壁厚2cm时满窖受力情况

角度 β(°)	轴力 N(kN)	弯矩(kN·m)	应力 δ_1(kPa)	应力 δ_2(kPa)
0	18.7	0.0	1 159.6	712.9
15	91.8	17.8	271 537.5	-262 358.2
30	47.9	16.1	244 524.7	-239 729.9
45	28.4	13.6	205 234.3	-202 394.7
60	15.4	10.4	157 060.3	-155 518
75	21.4	-3.6	-53 112.02	55 252.85
90	18.1	1.2	18 570.09	-16 755.57
105	14.3	5.3	79 888.4	-78 455.4
120	9.5	7.6	114 852.1	-113 903.1
135	3.7	7.6	113 615.5	-113 241.4
150	-2.0	5.0	75 218.9	-75 419.2
165	-6.3	0.6	8 229.0	-8 861.8
180	-8.0	-4.7	-70 958.2	70 162.9

满窖状态)，土的凝聚力为 $4kN/m^2$，混凝土弹性模量为 20 000MPa，地基承载力夹角为 60°，土的内摩擦角为 25°，窖体厚度为 0.02m，上土层厚度为 0m，半径为 1m 条件下水窖断面受力情况。由该表可以看出，最大拉应力 271MPa，最大压应力 262MPa，而波纤增强 UP 拉伸强度 103.4～344.5MPa，压缩强度 172.4～344.7MPa，无法满足实际要求。事实上，为了节省原材料，目前一般根据不同受力情况，将水窖做成变厚度的。

限制橡塑水窖在农用雨水集蓄利用地区发展的主要因素是运输不便和价格昂贵。就目前国内外市场流行圆形和蛋型两种橡塑窖体来看，单位造价在 3 000 元/m^3 以上。事实上，目前这些水窖主要用在交通便利地区的生活供水。

2)柔性橡塑窖体设计与制造[37]

在对国内外不同窖型的受力结构、施工工艺、适用范围、经济可行性进行初步分析的基础上，得出的结论是：结合我国实际，发展新型柔性橡塑窖体是正确选择。

针对不同条件分别设计出的一次成型窖体方案、拼装窖体方案、柔性橡胶窖袋及塑料窖袋方案，进行技术经济比较，并通过对几种典型窖体在不同荷载下的受力特性进行结构力学分析，同时考虑运输方便、便于规模化生产等条件，最后选定柔性橡塑窖袋窖体方案作为第一选择方案。

(1)研究思路。橡胶材料是一种由高强度帆布和橡胶合成的高分子柔性材料，帆布主要用途是承受拉力，橡胶在帆布两侧起防渗作用，材料构造见图 4-13。该材料具有运输方便、造价低、寿命长、受拉性能好的特点，恰能满足建设水窖的要求，但须进行进一步研究、开发，研究思路见图 4-14。

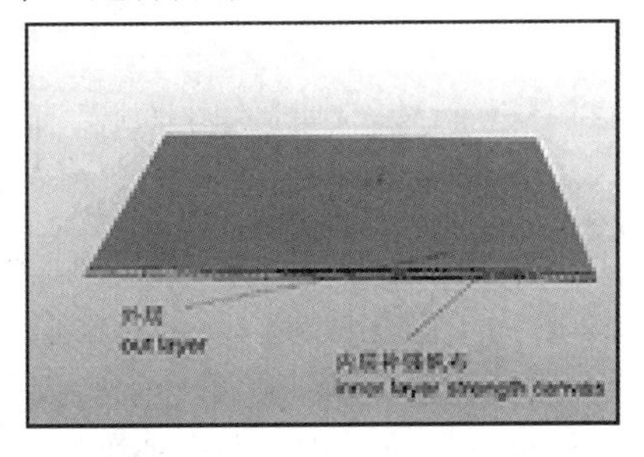

图 4-13　柔性橡胶材料构造

从图 4-14 可以看出，水窖力学分析是水窖开发的基础，然后才能根据应力选择材料。

(2)力学分析。

荷载分析：由于柔性水窖是直接放置在地面上，所以主要承受水荷载作用，一般情况下，壁厚仅为 1～3mm，自重可忽略不计。

力学计算基本假定：①柔性水窖作用是收集屋面积水或路面积水，水窖顶部承受内水压力约为 0.5m，底部内水压力约为$(0.5+D)$m，内水压力成梯形

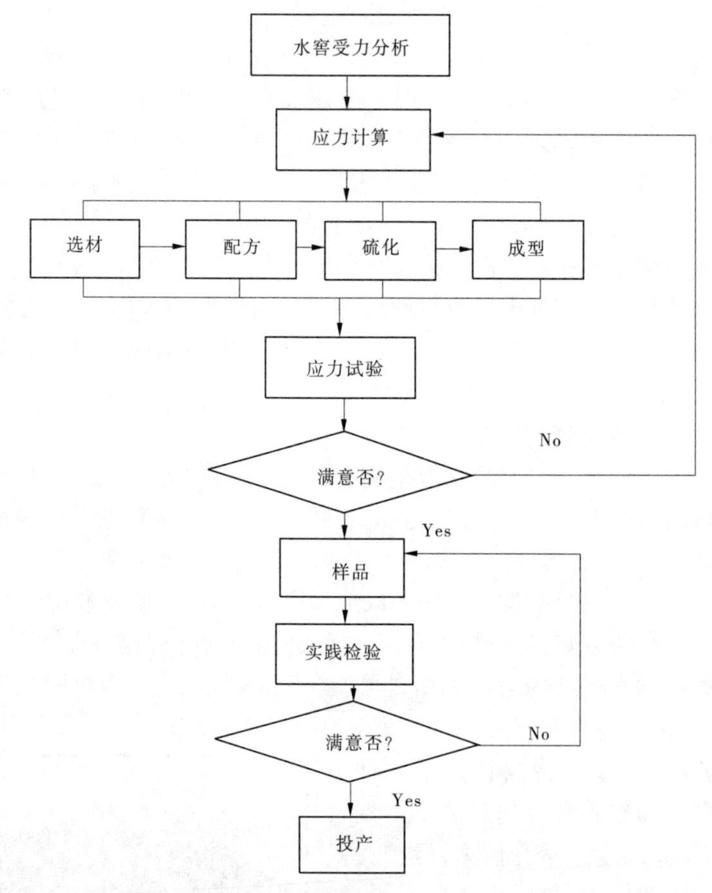

图 4-14 新型水窖开发流程

分布。为了简化计算以及计算应偏于安全考虑,内水压力按均匀分布考虑,计算水压力取最大值。②柔性水窖仅仅具有抗拉能力而无抗压能力,所以,严格来说,水窖断面形状应为合理拱轴线的形状,呈椭圆形,并非圆形,若按圆形进行力学计算,将偏于安全,且计算误差不大,因为均匀内水压力作用下,截面内力只有拉力,弯矩和剪力均为零。换句话说,均匀内水压力的合理拱轴线为圆形,柔性水窖蓄满水后,断面呈椭圆形是由于其所承受的内水压力呈梯形分布的原因。

基于上述假定,按均匀内水压力作用下圆形断面进行内力及应力计算。计算公式分析如下:

$$2\sigma \cdot e = \int_0^{\pi} p \cdot \frac{D}{2} \cdot \sin\theta \cdot \mathrm{d}\theta = p \cdot D$$

则

$$\sigma = \frac{p \cdot D}{2e} = \frac{\gamma H \cdot D}{2e}$$

式中：σ 为水窖拉应力，kN/m^2；γ 为水的容重，$10kN/m^3$；H 为水窖最大内水压力，m；e 为壁厚，mm；D 为水窖横断面内径，mm。

依据上述计算原理，采用一布二膜高分子环保橡塑柔性材料，计算出容积分别为 $10m^3$、$20m^3$、$40m^3$、$60m^3$ 4 种水窖的断面尺寸、壁厚、抗拉强度等指标。$10m^3$、$20m^3$ 2 种柔性水窖规格尺寸设计参数见表 4-26、表 4-27。

表 4-26　容水量为 $10m^3$ 的 6 种水窖备选方案

项目	直径（内径）D（mm）					
	1 500	1 500	1 500	1 000	1 000	1 000
壁厚（mm）	2	3	4	2	3	4
长度 L（m）	6	6	6	13	13	13
抗压力强度（MPa）	7.5	5	3.75	3.75	2.5	1.875

表 4-27　容水量为 $20m^3$ 的 6 种水窖备选方案

项目	直径（内径）D（mm）					
	1 500	1 500	1 500	1 800	1 800	1 800
壁厚（mm）	5	4	3	5	4	3
长度 L（m）	12	12	12	8	8	8
抗压力强度（MPa）	2.25	2.81	3.75	3.24	4.05	5.4

从表 4-26 可以看出，直径相同时，壁厚越大，抗压力强度越小，例如直径为 1 500mm 时，壁厚为 2mm、抗压力强度为 7.5MPa；壁厚为 3mm、抗压力强度为 5MPa。选材时考虑，壁越厚，材料质量可适当降低。所以根据材料壁厚和抗压力强度，经过反复选材、配方、硫化、成型、应力试验等程序，开发柔性水窖。初步设计直径为 1 500mm 时、壁厚为 3mm、抗压力强度为 5MPa 的柔性橡塑水窖，充水后形状如图 4-15 所示。

图 4-16 中的橡胶固定带，在取水口处设置 1 条，然后每隔 5m 设置 1 条，一方面起增强材料强度作用；另一方面，在顶端预留吊环，可固定水窖或将窖抬起水。

从表 4-27 中，根据生产情况选择造价最低的方案，若造价相差不大，建议选用直径为 1 800mm 的窖型。备选的 3 种壁厚 3mm、4mm、5mm 可采用造价最低的一种。

图 4-15　10m³ 柔性橡塑窖体

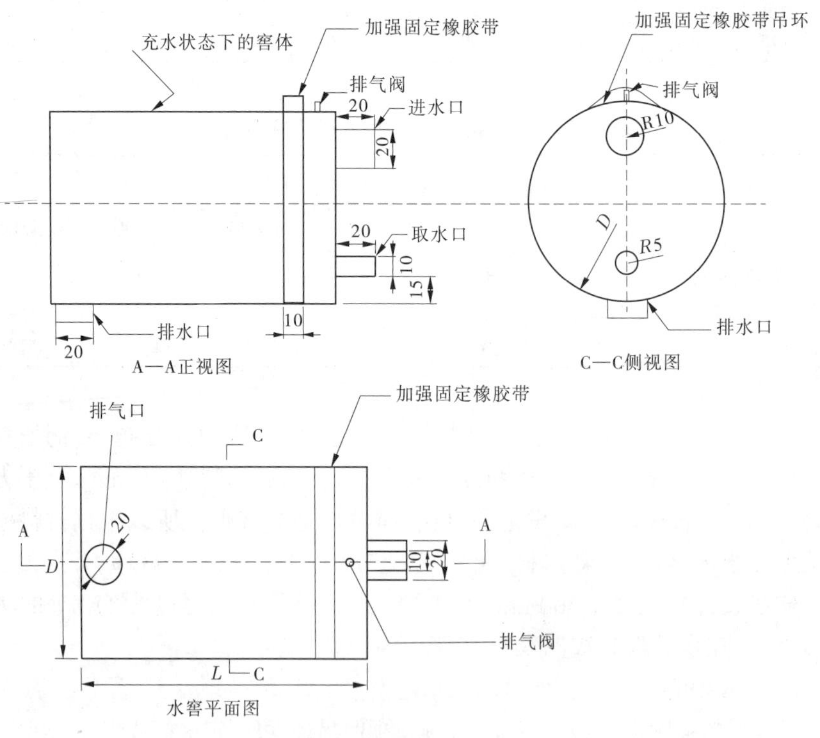

图 4-16　充水后的柔性水窖三视图　(单位:cm)

(3)窖体设计与制作。联合青岛华海环保工业有限公司,初步试制出 10 m³、40m³ 橡塑窖体,见图 4-15,并分别在杨凌、内蒙古进行试验示范。

(4)水质情况。橡塑水窖与以往水窖不同,其主体材料是由高强度帆布做强力骨架与合成橡胶胶合而成,与水直接接触的是合成橡胶,可能对水质产生影响,选择与橡胶元素有关的水质评价指标为:pH 值、色度、浊度、总硬度、总铁、锰、砷、汞、铬、硫酸盐、硝酸盐、氟化物、氯化物、耗氧量、挥发酚、氰化物、大肠杆菌群等 17 个指标。

通过对陕西杨凌地区(地上使用)和内蒙古准格尔旗(地下使用)的柔性水窖分别取水样送陕西省饮用水产品质量监督检验站进行化验,水质化验结果见表 4-28、表 4-29。从化验结果可以看出,橡塑窖对水质影响不大,各项指标均满足国家灌溉用水标准。杨凌地区(地上使用)的窖水除锰、色度和大肠杆菌超过国家饮用水标准外,其他指标均满足饮用水标准。锰超标属于水源锰超标,与橡塑水窖无关。

表 4-28 陕西杨凌井水、窖水水质检测结果对照

检测项目	单位	检验数据		国家灌溉水标准	国家饮用水标准	备 注
		井水	窖水			
浊度	NTU	1.34	5.8	/	<3	超标
pH		7.64	7.95	5.5~8.5	6.5~8.5	
色度		<15 度	>15 度	/	<15 度	
TFe	mg/L	<0.20	<0.20	/	≤0.3	
Mn	mg/L	3.41	3.51	/	≤0.1	Mn、总硬度、SO_4^{2-}、NO_3^- 4 项超标由当地水源水质超标引起,与窖体无关
As	mg/L	<0.000 04	0.000 23	≤0.1	≤0.05	
Hg	mg/L	0.000 04	0.000 024	≤0.001	≤0.001	
总硬度(以碳酸钙计)	mg/L	565	581	/	≤450	
Cr^{6+}	mg/L	<0.010	<0.010	≤0.1	≤0.05	
SO_4^{2-}	mg/L	284	287	/	≤250	
NO_3^-	mg/L	95.1	47.9	/	≤20	
Cl^-	mg/L	76.6	74.3	≤250	≤250	
F^-	mg/L	0.40	0.59	≤3.0	≤1.0	
耗氧量(以 O_2 计)	mg/L	1.00	21.7	≤450	/	
挥发酚(以苯酚计)	mg/L	<0.002 0	<0.002 0	≤1.0	≤0.002	
氰化物(以 CN^- 计)	mg/L	<0.002 0	0.048	≤0.5	≤0.05	
大肠菌群	MPN/100L	<2	>1 600	≤1 000 000	≤3	窖水大肠杆菌超标,但能满足灌溉用水

注:划"/"的为不做要求;窖水为 2004 年 6 月存贮的井水,取样为 2005 年 4 月 21 日。

表 4-29 内蒙古准格尔旗地下使用柔性水窖窖水化验结果及评价

检测项目	单位	检验数据	国家灌溉水标准	国家饮用水标准
		窖 水*		
浊度	NTU	0.7	/	<3.0
pH		8.16	5.5~8.5	6.5~8.5
色度		10(<15)	/	<15 度
TFe	mg/L	<0.3	/	≤0.3
Mn	mg/L	<0.1	/	≤0.1
As	mg/L	<0.000 4	≤0.1	≤0.05
Hg	mg/L	<0.000 4	≤0.001	≤0.001
总硬度(以碳酸钙计)	mg/L	84.68	/	≤450
Cr^{6+}	mg/L	0.02	≤0.1	≤0.05
SO_4^{2-}	mg/L	20.00	/	≤250
NO_3^-	mg/L	<1.00	/	≤20
Cl^-	mg/L	1.50	≤250	≤250
F^-	mg/L	0.30	≤3.0	≤1.0
耗氧量(以 O_2 计)	mg/L	2.94	≤450	/
挥发酚(以苯酚计)	mg/L	<0.002	≤1.0	≤0.002
氰化物(以 CN^- 计)	mg/L	<0.001	≤0.5	≤0.05
大肠菌群	MPN/100L	71 600	≤1 000 000	≤3

注:①窖水大肠杆菌超标,但能满足灌溉用水;

②划“/”的为不做要求;

③*:2004 年 8 月 10 日存贮雨水,2005 年 5 月 21 日化验。

初步分析,色度、浊度与大肠杆菌超标的原因是用于试验的水窖置于地上,不但温度变化幅度大,而且完全处于密闭缺氧环境,使厌氧菌类大量繁殖,造成个别水质评价指标的超标现象。据试验调查,当水窖设置于地下,窖顶覆土厚度为 0.5~1.0m 时,水温受气候的影响趋小,平均气温变化 17℃时,窖内温度变幅为 3℃;当水窖窖顶覆土厚度为 1~2m 时,窖内温度变幅为 2℃;当水窖窖顶覆土厚度大于 2m 时,窖内温度基本没有变化。由于实际工程一般覆土厚度为 1~2m,因此可保证水温的基本稳定,从而抑制了细菌及微生物的繁殖。初步断定,在今后正常使用情况下,可加大水窖的透气性,使窖内保持较低且稳定的温度,即可消除个别水质标准超标的现象。内蒙古准格尔旗(地下使用)的柔性窖水质化验结果表明,各项指标均符合国家灌溉水标准,除大肠杆菌超标外,各项指标也符合国家饮用水标准,同时也表明我们前面的预测是正确的,即地下使用可加大水窖的透气性,使窖内保持较低且稳定的温度,即可消除个别水质指标超标的现象。况且,对于个别指标的现象,只要采取一定的消毒措施(如:净水剂、氯片或漂白粉),即可消除。

经计算,柔性窖体单方水造价比相应混凝土水窖的单方水造价降低10%(卧式安装)~17%(立式安装)。用于经济作物,2~3年即可收回成本。

应用实践表明,柔性窖体具有便于运输、施工方便、整体施工量小、减小窖体受地质条件约束、使用地域不受限制、耐腐蚀、便于保养和维修等独特的优点,且经过一年的测试,已经达到了各项工程指标,水质也有保障。所以今后发展与普及前景广阔。

第三节　坡面降雨径流调控

虽然黄土高原千沟万壑,但组成地貌的不同单元却是由不同坡面组成的小流域。为了探索不同坡地条件下、不同调控措施的调控作用,我们分别设计了均一坡度、组合坡度及小流域模拟等条件对一些典型调控措施进行初步的调控试验。[1,38,39]

对暴雨径流的调控,首先需要考虑削减降雨雨滴对地面的打击力,使其对土壤的溅蚀作用达到最小,进而减少水土流失。就水土保持来讲,以往认为,对降雨雨滴的拦截起最大作用的是生物措施。根据新近的试验发现[1],对于同一种生物措施,其与其他措施的优化配置显得更为重要。

一、试验设计

为了对不同坡地地表径流进行调控试验,试验设计了三种坡地类型[38]:均一坡度对调控措施进行筛选,组合坡度对均一坡度筛选结果进行检验,野外定位监测利用天然降雨对上述措施进行验证。详细布置安排见表4-30、表4-31、表4-32。

二、均一坡度试验

(一)试验条件

室外均一坡度人工降雨试验是在中国科学院、水利部水土保持研究所国家节水中心的杨凌国家节水示范园进行的。采用径流小区试验,研究不同径流小区在不同降雨强度下、不同下垫面措施的坡面雨水汇集情况以及坡面雨水的点拦截情况。径流小区长5m、宽2m,坡度分别为12°、15°、20°。

表 4-30　均一坡度径流调控试验

坡度(°)	措施	研究方法
12	裸 地	人工模拟降雨
	种草(帕特草)	人工模拟降雨
	打地孔	灌水法
15	裸 地	人工模拟降雨
	种草(帕特草)	人工模拟降雨
	灌木(四翅滨藜)	人工模拟降雨
	打地孔	灌水法
20	裸 地	人工模拟降雨
	灌木(四翅滨藜)	人工模拟降雨
	打地孔	灌水法

表 4-31　组合坡度径流调控试验

处理	模式	说明
对照	裸地	1.降雨设计 5 个雨强,总雨量 50mm 2.地孔尺寸由 2m×5m 径流小区地孔试验结果和野外坡面径流试验结果分析后确定
处理 1	打地孔	
处理 2	PAM+打地孔	
处理 3	帕特草+打地孔	
处理 4	四翅滨藜+打地孔	

表 4-32　野外径流小区上的天然降雨试验布设

坡度(°)	模式	措施	说明
12	1	五角枫+等高垄	五角枫和柿子树都用株高、茎粗等指标来进行测定,每半个月测定一次(事先在不同的坡段选定标准株); 苜蓿地则从生物量的角度来进行测定,即每一个月测定不同坡段上每平方米的生物量,设定 3 个重复而后求其平均值; 玉米则测定株高、茎粗(长轴、短轴)、叶面积(长轴、短轴)等指标,玉米最后还要测定其千粒重及总的玉米单位面积产量(在收获时测定); 以上各模式从始至终均在每半个月测一次土壤含水量(如果天下雨则在中间加测一次)
	2	五角枫(CK)	
	3	柿子树+鱼鳞坑	
	4	柿子树	
	5	苜蓿+PAM+地孔	
	6	苜蓿(CK)	
	7	玉米+PAM+地孔	
	8	玉米+地孔	
	9	玉米+PAM	
	10	玉米(CK)	
	11	裸地+地孔	
	12	裸地(CK)	
20	共 12 个模式	措施同上	

试验区的土样为具有代表性的杨凌土，小区的埋土深 1m，容重控制在 1.30g/cm^3 左右，试验前用环刀法进行称重，以严格控制土壤容重。土壤含水量控制在 16%左右，每次都用 TDR 进行测控，且试验前的坡面用直尺控制整平以保证每次试验其边界条件保持一致。率定雨强时，在雨量筒的下面加木楔子，再用水平尺来控制其水平性和试验的精确性。降雨的均匀性控制在 75%以上。由于黄土高原造成强烈水土流失的降雨为短历时高强度暴雨，故而本试验采用的降雨量为 50mm，降雨强度分别按 0.5mm/min 和 2mm/min 两个降雨强度级控制。降雨量可通过降雨时间来控制，且在降雨过程中，从坡面产生径流开始，每 5min 测一次径流泥沙，以观测降雨过程中径流含沙量的变化情况。

(二)试验结果分析

1. 生物措施

1)帕特草的径流调控作用

本研究选在室外 2m×5m 径流小区上进行，分别选定 $I=2$mm/min 和 $I=0.5$mm/min 两个雨强级，总的降雨量通过降雨历时控制在 50mm，以了解不同坡度、不同的降雨强度对径流调控措施效果的影响。表 4-33 及表 4-34 是雨强 $I=0.5$mm/min 和 $I=2$mm/min 条件下，不同坡度不同措施条件下各种措施相对于裸地的径流调控率和泥沙调控率。表 4-33、表 4-34 均表明，三种坡度下，种草是一种比较好的调控措施，在雨强为 0.5mm/min 时，12°、20°坡度径流调控率为 −49%～−31%，平均值为 −40%，输沙调控率为 −77%～−79%，平均值为 −78%；雨强在 2mm/min，12°、20°坡度径流调控率为 −27%～−54%，平均值为 −41%，输沙调控率为 −98%～−96%，平均值为 −97%。也就是说，种草后在该暴雨条件下，种帕特草可使径流减少 40%左右，输沙相对于裸地减少近 70%～97%，且坡度越大，调控侵蚀输沙效果越明显。

本次试验所种的草品种为帕特草(Pater)，所属种名：匍匐翦股颖；产地：美国；适宜气候区域：寒温带、温带、干旱荒漠带、青藏高原、云贵高原；帕特草匍匐翦股颖是新近引进的高尔夫果岭专用品种。它具有垂直生长的习性和美丽的墨绿色，形成的草坪质地细腻、密度高、盖度大、侵占性强，对一年生早熟禾等杂草危害有极强的抵抗力。帕特草的突出特点是：叶纤细、生长低矮、致密；良好的抗寒性；春季返青早，冬季色泽好；耐热性强，越夏性突出；抗病性强，尤其对秃斑病的抗性强。帕特草对北方和过渡带气候具有广泛的适应性。在试验时本模拟试验是先将地表 8cm 左右用钯子铲虚，然后将所铲的草皮直接铺上，然后用脚踏实，容重控制在 1.3g/cm^3 左右，帕特草的高度为 10cm 左右，覆盖度为 90%

左右。各径流小区的方法相同,以确保试验边界系统条件的一致性。

表 4-33 坡地分段降雨径流调控利用技术试验研究($I=0.5$mm/min)

坡度(°)	措施模式	降雨量(mm)	降雨历时	降雨强度(mm/min)	产流时间	径流调控率(%)	产沙调控率(%)
12°	裸地	50	96′26″	0.518	10′5″	0	0
	种草	50	96′26″	0.518	14′16″	-49	-77
	打地孔	50	78′50″	0.634	7′35″	176	137
15°	裸地	50	93′52″	0.533	5′00″	0	0
	种草	50	93′52″	0.533	18′2″	-31	-79
	打地孔	50	93′52″	0.533	1′12″	367	848
	种树(四翅滨藜)	50	93′52″	0.533	7′27″	-14	-31
20°	裸地	50	79′36″	0.628	9′49″	0	0
	打地孔	50	79′36″	0.628	7′54″	69	10
	种树(四翅滨藜)	50	79′36″	0.628	5′19″	-12	-43

表 4-34 坡地分段降雨径流调控利用技术试验研究($I=2$mm/min)

坡度(°)	措施模式	降雨量(mm)	降雨历时	降雨强度(mm/min)	产流时间	径流调控率(%)	产沙调控率(%)
12°	裸地	50	22′49″	2.191	8′8″	0	0
	种草	50	22′58″	2.177	9′57″	-54	-98
	打地孔	50	24′24″	2.049	5′33″	124	154
15°	裸地	50	23′17″	2.147	1′28″	0	0
	种草	50	23′5″	2.167	5′00″	-27	-96
	打地孔	50	23′17″	2.147	1′52″	81	119
	种树(四翅滨藜)	50	23′57″	2.088	1′1″	-27	-35
20°	裸地	50	23′23″	2.138	1′20″	0	0
	打地孔	50	23′23″	2.138	2′42″	55	232
	种树(四翅滨藜)	50	22′55″	2.182	1′30″	0	-16

2)灌木——四翅滨藜的径流调控作用

林地模拟主要着重于枝叶截留。本次试验所选的灌木四翅滨藜(*Atriplex canescens* (Pursh) Nutt)是美国科罗拉多州立大学农业试验站、犹他州野生动物资源局、农业部林业局山际林业和牧场试验站、水土保持局等单位通过多年努力,选育出的改良品种,已广泛用于牧场改良、造林绿化和水土保持,具有很多优良特性。四翅滨藜的树种特性是耐干旱、抗寒冷、喜光。形态特征:四翅滨藜是准常绿灌木,高1~2m,枝条密集,树干灰黄色,嫩枝灰绿色,叶互生,条型和披针型,全绿,长1.5~6.8cm,叶正面绿色,稍有白色粉粒,叶背面灰绿色粉粒较多,无明显主茎,分枝较多,当年生嫩枝绿色或绿红色,木质化枝白色或灰白色,表面有裂纹,花单性或两性,雌雄同株或异株,花期5~7月。胞果有不规则的果翅2~4枚,果翅为膜质,种子卵形,7月中下旬开始挂果,9月下旬成熟,种子有后熟作用。能在年均降水量350mm以下,年均气温5℃左右,极端最低温-40℃的干旱、半干旱荒漠盐碱地带生长良好。且速生、耐盐碱,是一种盐碱地改良树种,被有些国家称为“生物脱盐器”。据报道,种$1hm^2$四翅滨藜,1年能从土壤中吸收15t以上的盐分。而且生长较快,在西宁地区当年高度可达50~60cm,是荒漠、半荒漠旱地极有价值的优良饲料灌木,具有可观的饲料产量和丰富的营养价值。枝叶含12%以上的粗蛋白,生物量达$15t/hm^2$,同时具有积累硒的能力,更加提高了饲料质量。

试验时将两年生的已育好苗的四翅滨藜连根铲起,然后以“品字形”种植在径流小区上,行距和株距均为20cm,植株的高度为40cm左右,覆盖度为40%左右,其周围的土用脚踏实,同时控制容重。各径流小区的操作相同。

试验同样采用两个雨强,坡度分别为15°和20°,其径流调控作用见表4-33和表4-34。两种坡度下,在雨强为0.5mm/min时,15°、20°坡度径流调控率分别为-14%和-12%,平均值为-13%,输沙调控率分别为-31%和-43%,平均值为-37%;雨强在2mm/min左右,15°、20°坡度径流调控率分别为-27%和0,平均值为-14%,输沙调控率分别为-35%和-16%,平均值为-26%。也就是说,栽种四翅滨藜后在该暴雨条件下,可使径流减少10%~30%,输沙相对于裸地减少20%~40%。说明当年栽种该灌木,减水减沙的效果还是比较明显的。

2.地孔法的径流调控作用

为了研究强化入渗作用,通过在裸地上打地孔以及打地孔与其他的措施组合起来,试图达到纵向运移的坡地径流集中入渗与横向拦截相结合,分散集蓄雨水。通过前期试验,确定入渗孔孔径10cm,孔深60cm,地孔密度

1 个/3m²。

但是,从试验结果来看,效果不甚理想。表 4-33 和表 4-34 都表明,该型地孔调控径流输沙效果不但差,而且破坏了原土壤结构,更易引起径流泥沙侵蚀:在雨强为 0.5mm/min 时,12°、15°、20°坡度径流调控率分别为 176%、367%和 69%,平均值为 204%,输沙调控率分别为 137%、848%和 10%,平均值为 332%;雨强为 2mm/min 时, 12°、15°、20°坡度径流调控率在 124%、81%、55%,平均值为 87%,输沙调控率 154%、119%和 23%,平均值为 99%。也就是说,打地孔后在该暴雨条件下,使径流增加至少 87%,输沙相对于裸地增加至少 100%以上。上面分析还看出,随着雨强和坡度增大,地孔的破坏作用相对减弱,主要原因是雨强增大后,对坡地总体破坏加大,地孔的作用有限,因而作用相对减小的缘故。

1)地孔与裸地的产沙过程比较

打地孔后,与裸地比较,最明显的变化是含沙量明显增高。图 4-17 是雨强为 0.5mm/min 裸地与布置地孔措施后产沙过程。图 4-17 表明,在相同的降雨条件下地孔与裸地均出现三个沙峰,地孔措施产流时间和沙峰都提前,产流时间提前 5min,沙峰提前 15min,最大含沙量是裸地的 1.5 倍且持续时间长,大部分过程含沙量高于裸地 50%~100%. 这说明该种措施更有利于产沙。

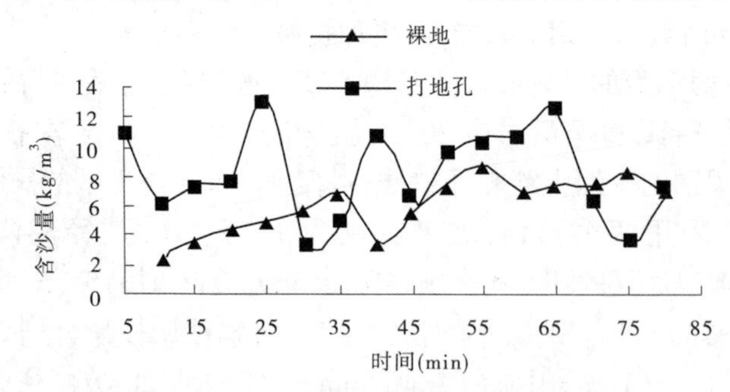

图 4-17 打地孔的含沙量过程

(20°,0.579mm/min)

2)打地孔的径流泥沙过程变化

为进一步研究地孔的产流产程,将雨强 2.135mm/min、坡面布置地孔的 20°产流产沙过程绘制成图 4-18。图 4-18 表明,不但洪峰出现较沙峰早 10min,而且沙峰持续时间较长,有洪峰出现必然有沙峰出现。这说明坡地布置地孔的产流产沙特征与坡地和沟道洪峰输沙规律一致,试验属于正常情况下的输水输沙过程。

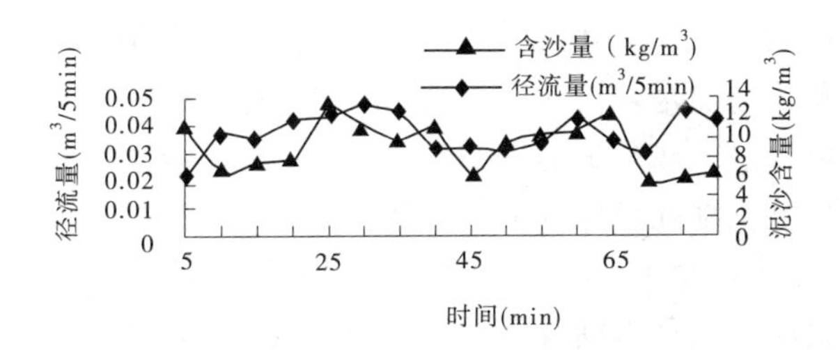

图 4-18　20°坡地打地孔径流量及泥沙含量随时间变化

3)产沙与产流的机理分析

表 4-35 列出了在 0.5mm/mim 雨强量级的不同坡度裸地与地孔措施侵蚀量、径流量、流量及平均含沙量。

表 4-35　地孔措施对坡面径流调控的影响

坡度(°)	措施	I=0.579mm/min				
		产流时间(s)	侵蚀量(kg)	径流量(mm)	流量(m^3/s)	泥沙含量(kg/m^3)
12	裸地	605	0.296	10.43	0.000 169	2.87
	地孔	455	0.573	23.48	0.000 505	2.47
15	裸地	300	0.456	12.43	0.000 400	3.68
	地孔	72	4.325	25.1	0.003 367	7.47
20	裸地	289	0.919	15.24	0.000 496	5.78
	地孔	137	1.007	28.67	0.001 966	7.93

从表 4-35 可以看出，对不同坡度的两种措施，流量、侵蚀量及含沙量随坡度增大而增大，同坡度下地孔产流量、产沙量较裸地高。同坡度下侵蚀量高主要由产流高引起，因为在黄土高原的坡面及沟道有：

$$G_S = KQ^{\alpha} \qquad (4\text{-}42)$$

式中：G_S 为断面侵蚀输沙率，kg/s；Q 为流量，m^3/s；K、α 分别为经验常数，且 α 一般大于 1。同坡度下，地孔产流量大，自然产沙量大。

综上所述，布设地孔措施在两个雨强下试验，其拦蓄坡面径流，增加土壤入渗的效果都较差。剖析上面试验结果产生的原因可能有以下几方面。首先，从动力学的角度来说，地孔措施属于径流的点拦截，而坡面所产生的纵向径流应当横向拦截，即本来未打地孔的坡面产生的是坡面流，但当打地孔后，坡面的局部比降增大，从而使得地孔被冲垮，相对的坡面侵蚀量反而加大。这一点也可从图 4-19 得以证明,此图为 2002 年在陕北拍到的一张地孔被暴雨毁坏情况,其具体情况是某坡面挖坑准备种树,但在没来得及栽树时,一场暴雨就将此坑冲垮,且形成严重的坡面沟蚀。此结果和本次打地孔的试验结果类似。其次,可能是地孔设计标准不恰当,比如试验操作中将地孔中挖出的土在孔的周围筑成了一个个土埂,布设的目的是想起到纵向径流横向拦截入孔的效果,但在试验中发现土埂设计标准小,微不足道,不足以拦截大雨强下所产生的坡面径流量,所以产生了如上的结果。总之,从均一坡度试验结果来看,坡面上单纯的打地孔措施如何应用需要进一步研究。

图 4-19　次暴雨后的坡面挖坑

三、组合坡度试验

黄土高原有耕地 1 570 万 hm^2,其中坡地大于 3°的坡耕地占总耕地面积的 43%,坡耕地的土壤侵蚀量占流域总侵蚀量的 50%～60%。黄土高原分布在 15°以下的坡面占总土地面积的 61%。自然界的坡面依据其形态,可分为直线形坡、凹形坡、凸形坡和阶形坡四种类型,其他形态实际上是上述坡形不同方式的自然组合。根据黄土高原的主要坡度及具体的人工模拟试验条件,确定一种较典型的复合坡度 10°+15°。所建复合坡度实验平台为 3m 宽、16m 长、上部坡度为 10°、下部坡度为 15°的两种坡度组合坡面。采用便携侧喷人工降雨装置,变频柜控制压力。试验设计雨强为 0.5～2.1mm/min;人工降雨装置设计均匀度大于 75%;径流观测精度 ±0.2L,相对误差小于 5%。泥沙观测精度为 ±10g,相对误差小于 5%。基于均匀坡度的筛选,在复合坡度布置的调控措施见表 4-36,对照依然选用裸地,地孔之所以列入,主要是验证均一坡度结论的正确性,同时选择种草与打地孔、地孔与增渗剂 PAM 及种草与

PAM 复合。雨强 0.5mm/min 级调控作用见表 4-36。

表 4-36　种草对坡面径流调控的影响

坡度(°)	措施	$I=0.536$mm/min				
		产流时间(s)	侵蚀量(kg)	径流量(mm)	径流调控率(%)	产沙调控率(%)
10+15复合	裸 地	280	0.273	5.92	0	0
	地 孔	1 153	1.207	7.68	30	342
	种草+打地孔	731	0.157	4.44	−25	−42
	地孔+PAM	283	0.14	6.61	12	−49
	种草+PAM	641	0.139	4.42	−25	−49

表 4-36 表明，以裸地为对照，地孔调控作用最差，种草与 PAM 复合效果最好，其次为种草打地孔复合和地孔与 PAM 复合，其结论与均一坡度试验结果一致。地孔径流调控率 30%，即比裸地产流量增加 30%，产沙调控率 342%，即产沙增加 342%；种草与 PAM 复合径流调控率 −25%，即径流减少 25%，产沙调控率 −49%，即产沙减少 49%；地孔措施之所以较差，主要是因为其产流量大，PAM 与种草复合，主要是产流量小（见图 4-20），增加了入渗。径流量大，侵蚀量则大（见图 4-21），因此控制径流量是防止坡地土壤流失的关键。

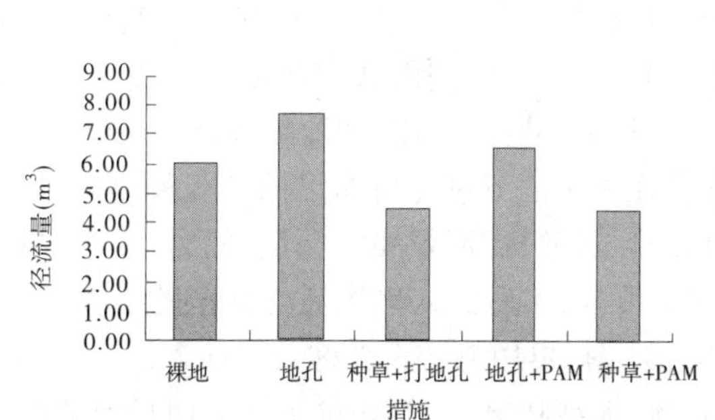

图 4-20　组合坡度不同措施坡面产流量

复合坡度其他雨强试验，结论与上述结果类似，此处不再罗列。

四、野外定位监测研究

野外径流小区位于杨凌五泉岭后，于 2001 年建成，2003 年正式投入使

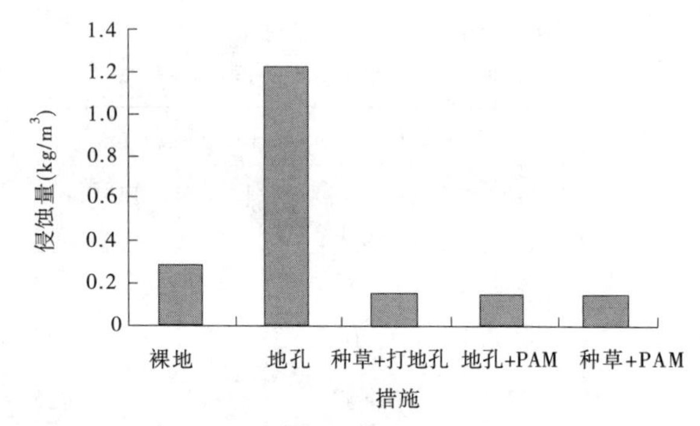

图 4-21　组合坡度不同措施坡面侵蚀量

用。坡地径流调控野外定位监测平台建设总面积为 10 000m²,主要包括 24 个坡面径流小区及配套系统。坡度选择 10°和 20°两种,这两种坡度是黄土高原复杂地形的代表坡度,也是目前国内建设径流小区比较常用的坡度,两种坡度的小区各 12 个。小区建设按照杨凌岭后坡地地形上陡下缓的自然条件,上下两排进行布局,上排为 12 个 20°小区,下排为 12 个 10°小区。小区按照标准径流小区进行建设,垂直投影长为 20m,宽为 5m,垂直投影面积为 100m²。各小区四周边缘筑起高出地面 15cm 的地面分水界,并在每个径流小区的下面配套建造三级径流桶,以供每次降雨后的径流、泥沙状况的定时定点监测。

在对试验区土壤机械组成,次降雨总降雨量及其过程变化(用遥测雨量计来监测)进行测定的基础上,同时对土壤剖面含水量进行了动态监测。采用先进的土壤水分快速便携式测墒计(MP－406)进行垂直测定,每隔 10cm 测一个点,共测 8 个点(即为地下土壤剖面 0～80cm 的土壤容积含水量变化)。同时对降雨结束后不同径流小区的产流、产沙量进行定点定位的野外观测(径流量、产沙量观测在各径流小区下事先所布设的三级径流筒里进行。降雨后根据产流情况,用直尺测量每级径流量集水深度,同时,用木棍将径流水搅拌均匀,用 500mL 的量筒取样,然后倒入事先做好标记的饭盒,澄清、排冰后放入烘箱中 105℃烘 8 个小时,再用电子天平称其泥沙含量)。集雨试验通过监测每个试验小区的径流、泥沙状况,分析评价不同坡面径流调控措施对径流、泥沙的影响,为研究坡面径流调控新技术提供依据。

(一)径流小区技术参数

野外径流小区定位观测试验是利用天然降雨进行试验研究的。具体试验平台见图 4-22。试验参数:坡度为 10°和 20°;工程尺寸规格详见表 4-37;土壤前期含水量用 FDR 测定(0～80cm 共测 8 个点,每 10cm 测一个值);径流观测精度为±0.2L,相对误差＜5%;泥沙观测精度为±10g,相对误差＜5%;降雨观测精度为 0.1mm。

图 4-22 野外径流小区试验平台

表 4-37 岭后野外径流小区实际尺寸参数一览

序号	10°				20°			
	坡长(m)	宽度(m)	斜坡面积(m^2)	投影面积(m^2)	坡长(m)	宽度(m)	斜坡面积(m^2)	投影面积(m^2)
1	19.8	5.0	99	97.50	21.3	5.0	106.5	100.08
2	19.8	5.0	99	97.50	21.3	5.0	106.5	100.08
3	21.0	5.0	105	103.40	21.1	5.0	105.5	99.14
4	21.0	5.0	105	103.40	21.1	5.0	105.5	99.14
5	20.0	5.02	100.4	98.87	21.0	5.0	105	98.67
6	20.0	5.03	100.6	99.07	21.0	5.0	105	98.67
7	20.0	5.02	100.4	98.87	20.85	5.0	104.25	97.96
8	20.0	4.9	98	96.51	20.85	5.0	104.25	97.96
9	20.0	5.04	100.8	99.27	20.85	5.0	104.25	97.96
10	21.0	4.9	102.9	101.34	20.85	5.0	104.25	97.96
11	18.2	5.5	100.1	98.58	20.85	5.0	104.25	97.96
12	18.2	5.5	100.1	98.58	20.85	5.0	104.25	97.96

(二)试验结果分析

2003 年杨凌降雨较多,从 7 月 1 日到 9 月 30 日五泉岭后降雨总量为 550.27mm(2003 年 7～9 月次降雨量随时间分布图详见图 4-23),占全年总降雨量 872.28mm 的 63.08%,在此期间共降雨 30 次,坡面产流性降雨共计 7 次,产流降雨基本情况见表 4-38。由于特大暴雨,致使岭后监测设施损坏严重,前四次资料较全。现就损坏前收集到资料较全的四次降雨从径流、产沙、土壤含水量、生物量等方面进行初步分析。

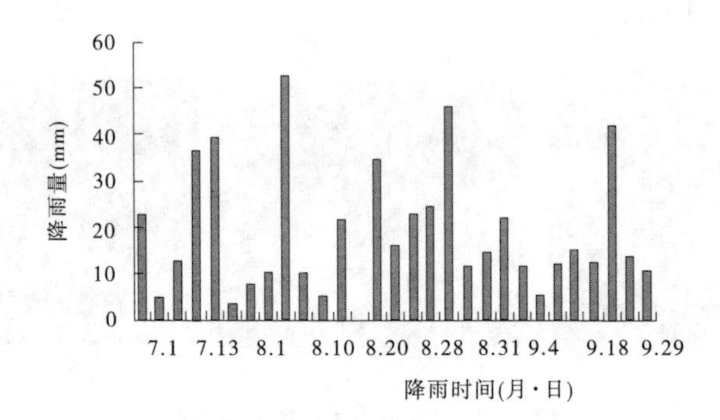

图 4-23　2003 年 7～9 月次降雨量分布图

表 4-38　2003 年岭后基地产流型降雨

时间（月·日）	降雨量（mm）	降雨历时（min）	降雨强度（mm/min）
8.8*	52.8	120	0.44
8.25*	36.4	540	0.067
8.26*	15.8	445	0.035 6
8.30*	46	840	0.054 8
9.5	5.7	675	0.008 4
9.7	15.7	1 440	0.010 1
9.20	45.7	1 440	0.031 8

注:有 * 的降雨是本次试验主要研究的暴雨场次。

2003 年降雨不多,但暴雨多,产流降雨出现 7 次。这里以 8 月 8 日暴雨为对象进行分析。6～8 时,岭后降雨 120min,降雨量 52.8mm。不同径流调控措施及次降雨径流量,侵蚀量及径流泥沙调控率见表 4-39。由表 4-39 可以看出,以裸地为对照,从径流调控角度来说,最好的是苜蓿;最差的是裸地与地孔的复合,其两个指标均为正,即径流泥沙都增加。

1. 生物措施(苜蓿)、及工程生物及化控措施复合的径流调控作用

苜蓿是一种多年生牧草,目前在黄土高原许多地区的隔坡梯田的坡面上种植广泛,它一方面保土集流,同时还可作为牲畜饲料。研究苜蓿的径流调控作用有着重要的现实意义。表 4-39 表明,在 2003 年 8 月 8 日 2 小时降雨 52.8mm 条件下,径流调控率为 -22%,即减流 22%,输沙调控率为 -95%,即减沙 95%,是一种很好的护坡集流牧草。

表 4-39 2003 年 8 月 8 日岭后 20°径流小区径流调控作用

模 式	径流量 ($cm^3/m^2\cdot s$)	侵蚀量 ($g/(m^2\cdot s)$)	径流调控率 (%)	产沙调控率 (%)
(B1)五角枫+等高垄	0.000	0.000	-99	-51
(B2)五角枫(CK)	0.000	5.787	-96	15
(B3)柿子树+鱼鳞坑	3.598	2.698	-39	-46
(B4)铈子树(CK)	0.344	6.133	-94	22
(B5)苜蓿+PAM+地孔	4.330	1.364	-27	-73
(B6)苜蓿(CK)	4.611	0.247	-22	-95
(B7)玉米+APM+地孔	4.344	3.549	-26	-29
(B8)玉米+地孔	4.705	4.394	-20	-12
(B9)玉米+PAM	4.643	2.658	-21	-47
(B10)玉米(CK)	4.522	5.034	-23	0
(B11)裸地+地孔	6.036	6.833	2	36
(B12)裸地(CK)	5.897	5.021	0	0

土壤改良剂 PAM(polyacrylamide)的名称叫聚丙烯酰胺,是水溶性胺基高分子聚合物。它能够和水中悬浮的固体颗粒相结合,使这些颗粒既快又彻底地与水分离,从而使水澄清,一直是水处理部门、食品加工工业、采矿、造纸厂和其他工业部门广泛使用的絮凝剂。20 世纪 90 年代初,Malik、Lentz 等人首先将 PAM 应用到灌溉中,发现 PAM 对减少农田水流中的泥沙和增加入渗有显著作用。Sokja 等人通过两年的沟灌试验进一步确定了在灌溉水中施用 PAM,农田内水中的泥沙可减少 94%,土壤入渗性能可提高 15%~50%。而且通过对施加 PAM 后土壤表层性质的研究,发现 PAM 增加了土壤中水稳性团粒的稳定性,进而使表层土壤颗粒和孔隙结构保持相对稳定,维持较高的入渗性能。PAM 在美国的应用面积已达 100 万 hm^2,而在我国农业中的应用可以说才刚刚起步。旱作农业和灌溉农业以及林草生态建设均可利用 PAM 改善表层土壤结构,强化降水和灌溉水的就地入渗转化,减轻水分和土壤流失。

1)径流量和侵蚀量变化情况

为了探讨生物、工程和化学调控相结合的措施的调控作用,布置了苜蓿+PAM+地孔措施,由于地孔对土壤表面的破坏作用较大,PAM 的增渗作用难以体现,因而该种复合措施较苜蓿调控率不高,其径流调控率和泥沙调控率分别为 -27%和 -73%,较苜蓿的径流调控率增加不到 5%,泥沙调控率减少 22%。

苜蓿＋PAM＋地孔径流调控作用较差，主要因为地孔增加地表径流的幅度比PAM减少地表径流的幅度大，致使径流系数变大。表4-40和表4-41列出了2003年观测到的四次产流降雨观测的10°和20°坡的径流系数和侵蚀量，表4-40、表4-41表明，除8月26日和8月30日10°坡径流系数和侵蚀量小于苜蓿外，其他情况下均表现出复合措施径流系数较单一苜蓿径流系数大，侵蚀量也大。

表4-40　2003年岭后不同坡度下的降雨径流系数

项目	10°				20°			
测定日期(月·日)	8.8	8.25	8.26	8.30	8.8	8.25	8.26	8.30
降雨量(mm)	52.8	36.4	15.8	46	52.8	36.4	15.8	46
苜蓿＋PAM＋地孔	0.379	0.301	0.007	0.057	0.542	0.968	0.048	0.244
苜蓿(CK)	0.281	0.201	0.043	0.159	0.433	0.632	0.048	0.082
裸地(CK)	0.646	0.499	0.217	0.235	0.82	0.511	0.264	0.244

表4-41　2003年岭后不同坡度下的降雨径流侵蚀量　(单位:kg/100m^2)

项目	10°				20°			
测定日期(月·日)	8.8	8.25	8.26	8.30	8.8	8.25	8.26	8.30
苜蓿＋PAM＋地孔	20.148	8.703	0.000	0.054	117.865	39.348	2.098	1.717
苜蓿(CK)	10.152	19.722	0.512	0.135	21.373	48.217	0.646	0.104
裸地(CK)	182.700	138.620	1.215	19.720	433.820	130.500	1.740	12.180

进一步分析8月26日和8月30日出现的两场降雨发现，两场降雨雨强较小，两次降雨量分别为15.8mm和46mm，降雨历时分别为445min和840min，雨强分别为0.035 6mm/min和0.054 8mm/min。雨强较小，地孔不易冲垮，地孔和PAM容易发挥增加入渗的作用。但径流系数都小于0.2，侵蚀量微小，100m^{2}侵蚀量小于1kg。但是，在这小雨强下，裸地侵蚀量也很小，10°坡100m^{2}侵蚀量小于20kg，因此施加地孔和PAM，将显得不经济，效益也不大。

2)土壤含水量变化

由于苜蓿＋PAM＋地孔(代号10°:A5，20°:B5)与苜蓿(代号10°:A6，20°:B6)比较总体来看径流系数大，侵蚀量大，对坡面径流调控率差，因此土壤含水量小。图4-24～图4-35绘出了10°坡产流前后坡上、坡中和坡下3个不同部位的土壤含水量变化。由图4-24～图4-35可以看出，产流前，两种措施土壤含水量差别不大，而在坡上和坡中，苜蓿＋PAM＋地孔这一复合措施似较苜蓿单一措施含水量大，但是经过多场产流降雨后，单一措施较复合措施土壤含水量变大,在坡中和坡下尤为明显。这说明单一措施苜蓿比复合措施苜蓿 + PAM + 地孔更能调控径流,拦蓄入渗。

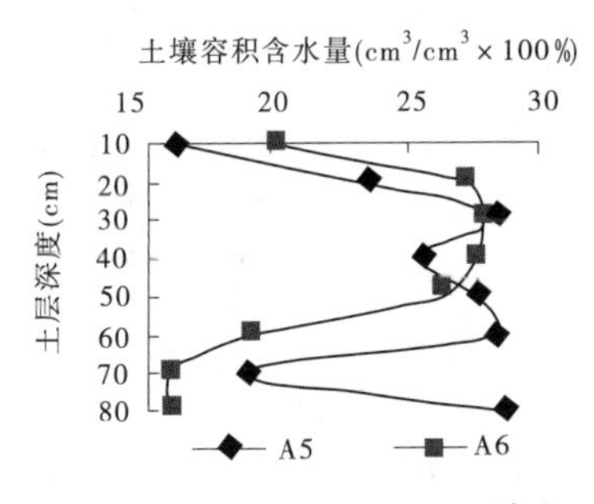

图 4-24　2003.7.24 10°坡上

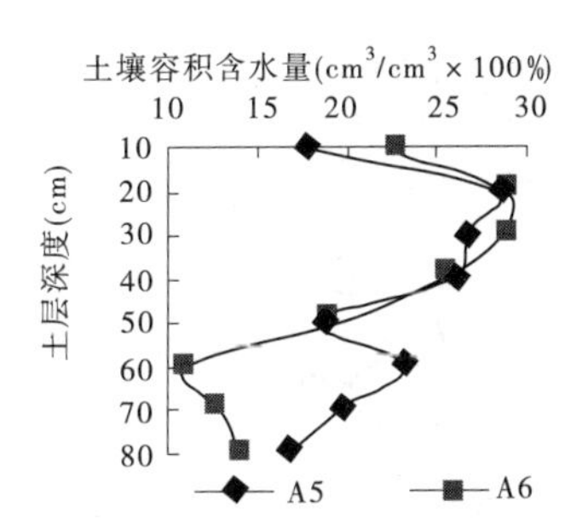

图 4-25　2003.7.24 10°坡中

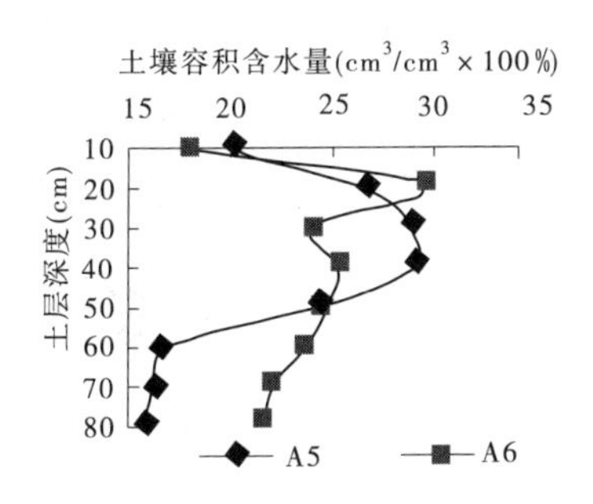

图 4-26　2003.7.24 10°坡下

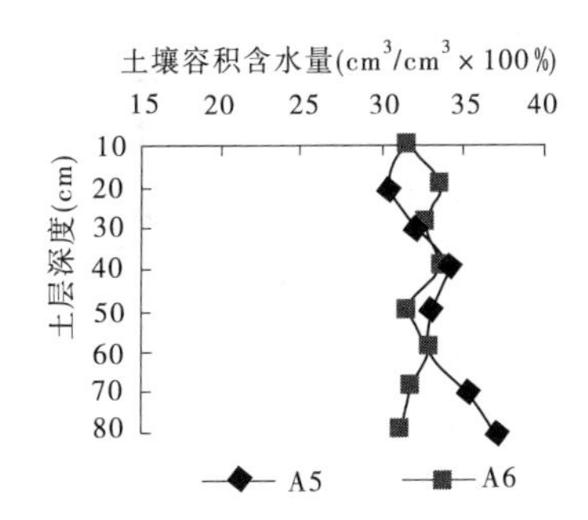

图 4-27　2003.8.18 10°坡上

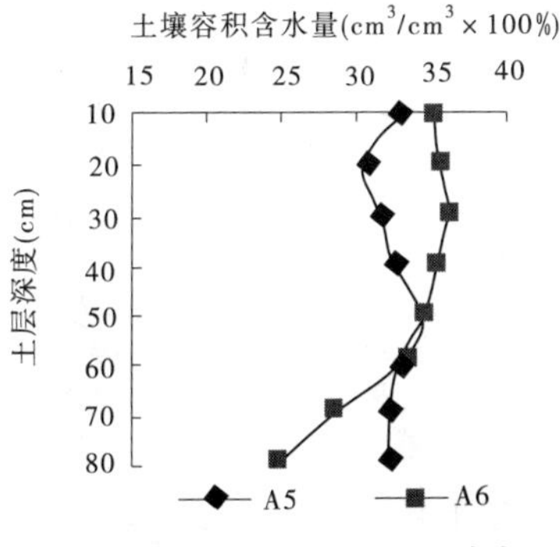

图 4-28　2003.8.18 10°坡中

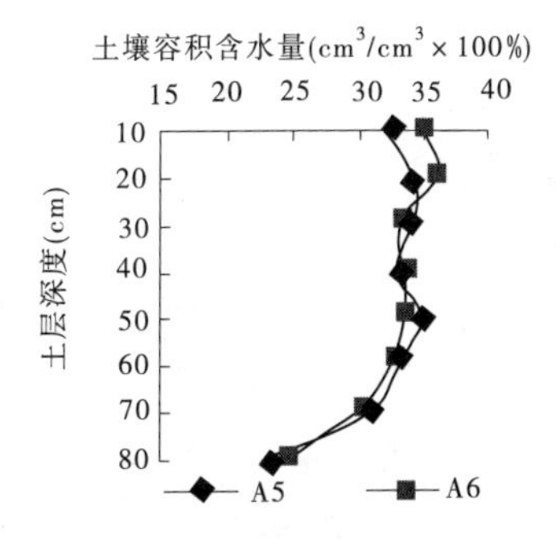

图 4-29　2003.8.18 10°坡下

上述结论事实上不难理解。苜蓿是低矮牧草,接近地表,雨滴下落后受到苜蓿叶面的拦截,在降雨量较小时,可拦截全部降雨,当降雨量较大时,可拦截绝大部分降雨,因此苜蓿除减少直接降落到坡面的雨量之外,其更主要的作用

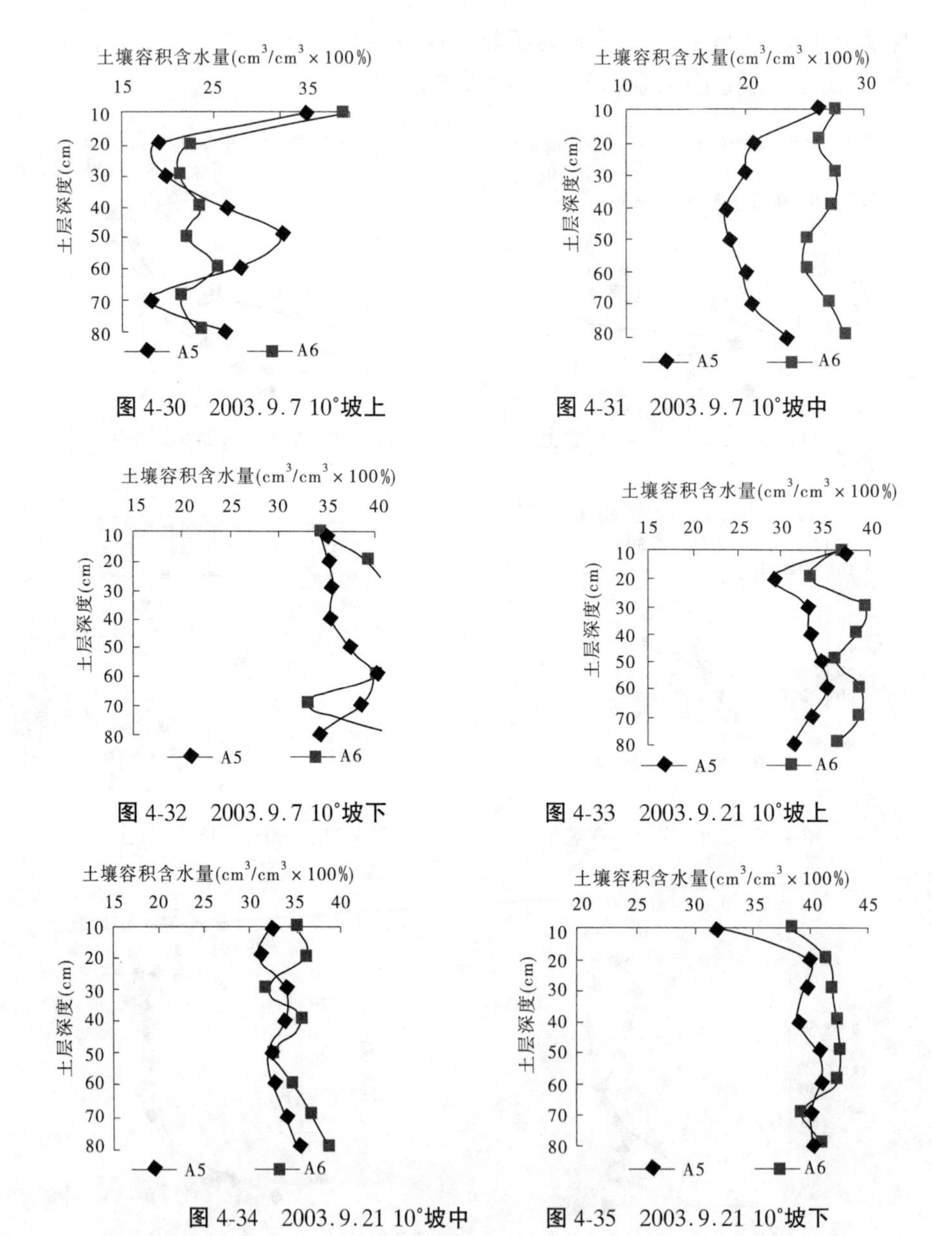

图 4-30　2003.9.7 10°坡上

图 4-31　2003.9.7 10°坡中

图 4-32　2003.9.7 10°坡下

图 4-33　2003.9.21 10°坡上

图 4-34　2003.9.21 10°坡中

图 4-35　2003.9.21 10°坡下

是对降雨性质的改变。由于苜蓿的枝叶的阻挡起到缓冲作用,雨滴在到达地面后其动能降低或已消耗殆尽;大雨强条件下,尽管由于雨滴的汇集,有一部分在苜蓿上形成比原来大的水滴,但多沿苜蓿发达的茎秆运动达到地面。加之落叶层的保护作用,故水滴落到地面上的速度很小,因而导致其侵蚀力较小,所以苜蓿本身具有减少侵蚀强化入渗作用。但是,在苜蓿地打地孔后,破坏了苜蓿地表层对土壤的保护作用,小雨强增加侵蚀不明显,大雨强条件下,侵蚀量加大就比较明显了,这与前面均一坡度、变坡试验等得出的结论一致。

3)生物量的变化

由于单一苜蓿措施比苜蓿复合措施调控径流的作用强,因而土壤含水量高,反映在苜蓿生物量上,无论10°还是20°坡地,单一苜蓿措施的苜蓿产量高。表4-42是不同措施、不同坡度苜蓿生物量比较。由表4-42看出,8月20日苜蓿所测的生物量,10°坡苜蓿与苜蓿复合平均生物量分别为0.83kg/m² 和0.74kg/m²,平均高12%,20°坡依然。9月20日,10°坡平均高41%,20°坡平均高33%。反映了随着时间变化,径流调控作用对生产力作用增强。

表4-42 2003年不同措施、不同坡度苜蓿生物量比较(单位:kg/m²)

8月20日测,10°							8月20日测,20°					
措施	苜蓿+地孔+PAM			苜蓿(对照)			苜蓿+地孔+PAM			苜蓿(对照)		
坡段	坡上	坡中	坡下	坡上	坡中	坡下	坡上	坡中	坡下	坡上	坡中	坡下
	0.367	0.800	1.067	0.617	0.817	1.067	0.733	0.933	0.950	0.767	1.200	0.967
平均	0.74			0.83			0.87			0.978		
9月20日测,10°							9月20日测,20°					
措施	苜蓿+地孔+PAM			苜蓿(对照)			苜蓿+地孔+PAM			苜蓿(对照)		
坡段	坡上	坡中	坡下	坡上	坡中	坡下	坡上	坡中	坡下	坡上	坡中	坡下
	0.050	0.133	0.617	0.183	0.233	0.717	0.533	0.600	0.567	0.767	0.950	0.550
平均	0.27			0.38			0.57			0.76		

2.等高垄+五角枫及鱼鳞坑+柿子树的坡面径流调控

目前,在黄土高原及许多地区,为了在发展当地经济的同时加强水土保持,鼓励发展经济林。为了研究经济林与不同水土保持工程措施对暴雨径流的调控作用,分别在10°和20°坡地上布置五角枫+等高垄、五角枫、柿子树+鱼鳞坑和柿子树进行研究。

1)径流量和侵蚀量变化情况

前述2003年8月8日岭后20°径流小区径流调控作用(见表4-39)已经表明,以裸地为对照,从径流调控角度来说,等高垄+五角枫,其径流调控率接近-100%,泥沙调控率为-51%,即产流量很小、产沙量比裸地减少50%;柿子树+鱼鳞坑的径流调控作用次之,其径流调控率接近-39%,泥沙调控率为-46%,即产流量比裸地减少近40%、产沙量比裸地减少46%;五角枫与柿子树径流调控作用接近,减流效果95%上下,但与裸地比较,产沙增多20%左右。

上述结论在不同坡度、不同降雨条件下基本一致。图 4-36、图 4-37 绘出了 10°坡不同产流条件下的径流系数和侵蚀量。图 4-36、图 4-37 表明,等高垄 + 五角枫(A1)不但径流系数小而且产沙量很少;柿子树 + 鱼鳞坑(A3)径流系数较大,产沙量也大,但小于五角枫(A2)和柿子树(A4)。五角枫和柿子树相比较,产流小,产沙互有消长,但一般情况下略小。

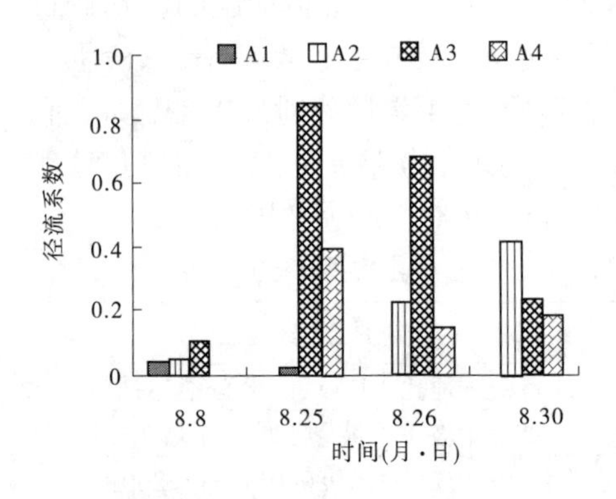

图 4-36 五角枫及柿子树径流系数

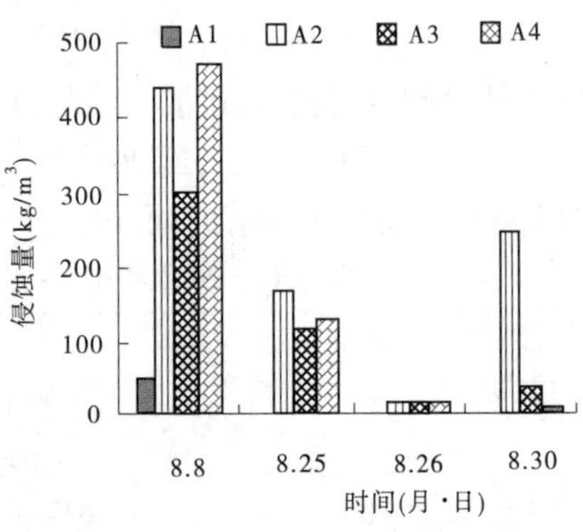

图 4-37 五角枫及柿子树地侵蚀量

2)土壤含水量变化

上述四种措施对径流调控的不同作用,必然反映在土壤水分变化上。图 4-38~图 4-49 绘出了不同措施在不同坡面及不同坡面位置上土壤含水量随时间的变化。由图可以看出,采取的几种措施的确增加了土壤的含水量,但其增幅各不相同。例如对于五角枫 + 等高垄来说,在 8 月 8 日的降雨前土壤平均含水量为 23.63%,但几次降雨后到 9 月 21 日其坡面含水量已达到了 36.14%,明显地较试验前增加了 52.94%;鱼鳞坑 + 柿子树增加 25%,其余两种增加 20%左右。

3)树长势变化

为了研究不同径流调控措施对树木长势的影响,对不同坡度不同措施不同位置的树的株高和胸径进行量测,结果见表 4-43 和表 4-44。从表 4-43 可以看出,对株高来说,其生长速率与坡度、位置及工程措施有关:在 10°坡上,五角枫与等高垄复合,坡上、坡中生长速率高于单一五角枫,其最高增长速率可达 17.6%,五角枫其最高增长速率 12.6%,但在坡下,五角枫株高增长较快;在 20°坡上,五角枫的增长速率高于其与等高垄的复合。

对于胸径来说,五角枫与等高垄复合多数情况下胸径增长率高于单一五角枫,而柿子树一般高于柿子树与鱼鳞坑的复合。

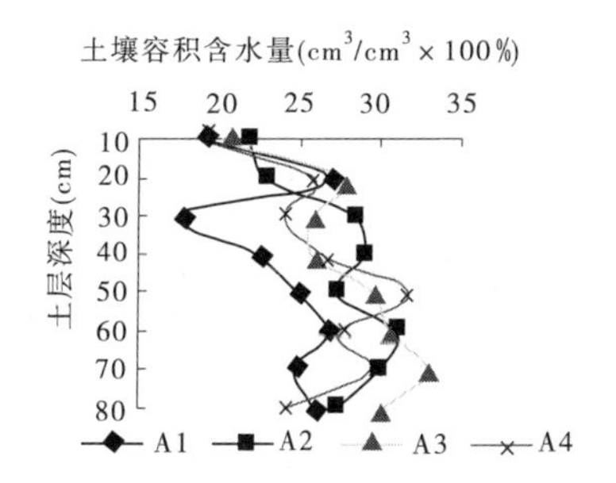

图 4-38　2003.7.24 10°坡上

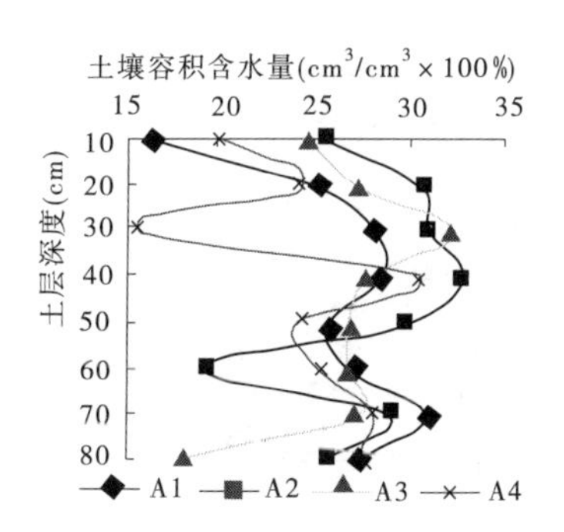

图 4-39　2003.7.24 10°坡中

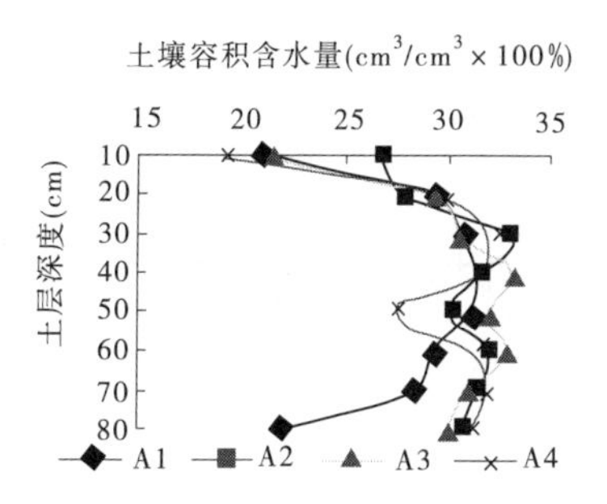

图 4-40　2003.7.24 10°坡下

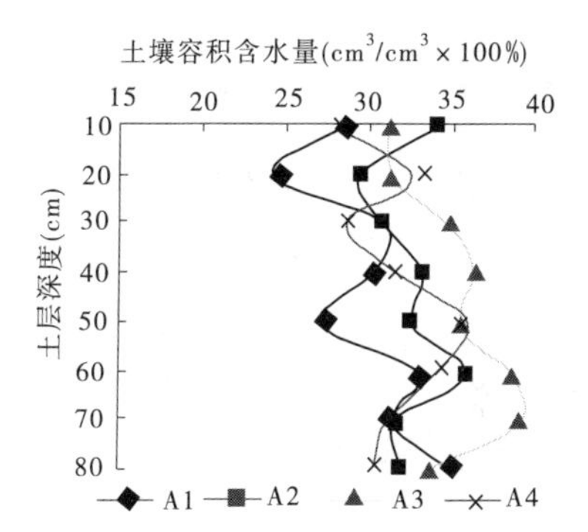

图 4-41　2003.8.18 10°坡上

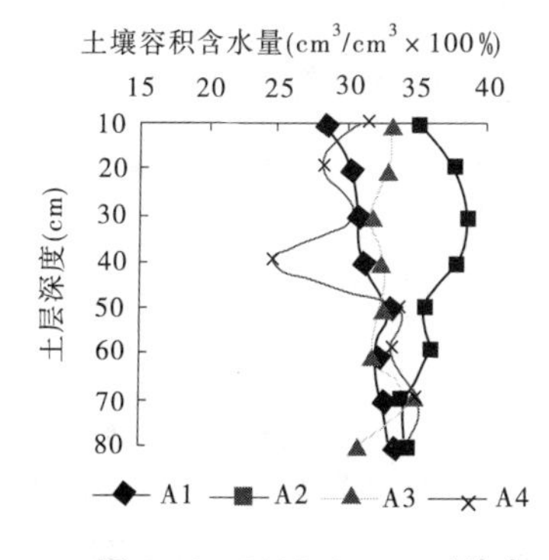

图 4-42　2003.8.18 10°坡中

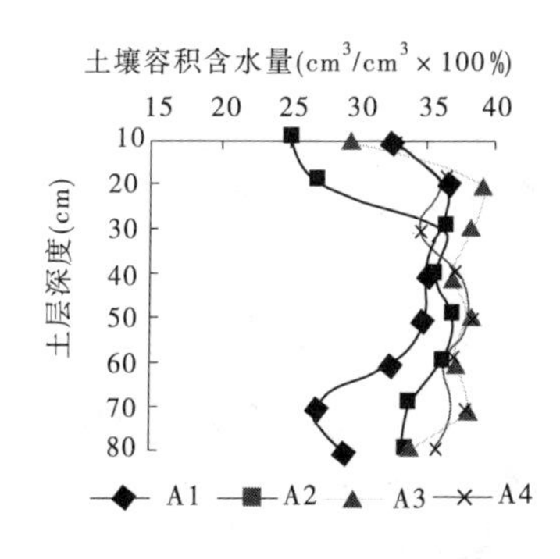

图 4-43　2003.8.18 10°坡下

上述情况说明，影响树生长的因素较多，目前的结论有待于进一步检验。

3. 玉米、玉米与地孔及 PAM 复合措施的径流调控作用

表 4-39 已表明，在 20°坡地上，玉米 + APM + 地孔、玉米 + 地孔、玉米 + PAM 及玉米 4 种调控措施，较裸地其径流调控率分别为 − 26%、− 20%、

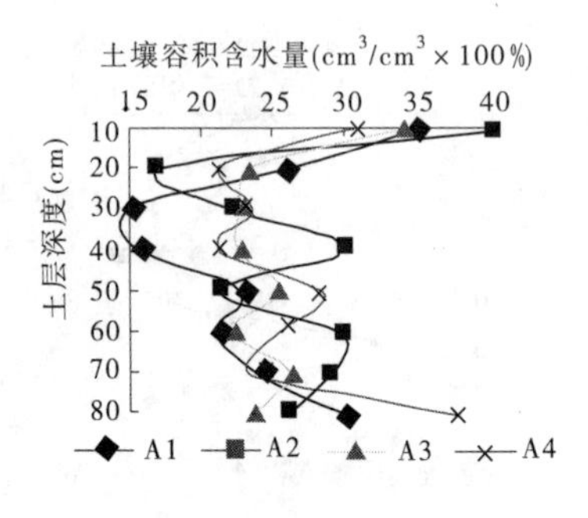

图 4-44　2003.9.7 10°坡上

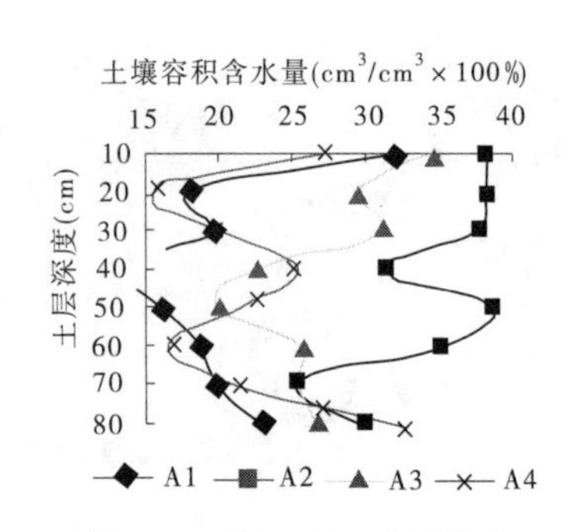

图 4-45　2003.9.7 10°坡中

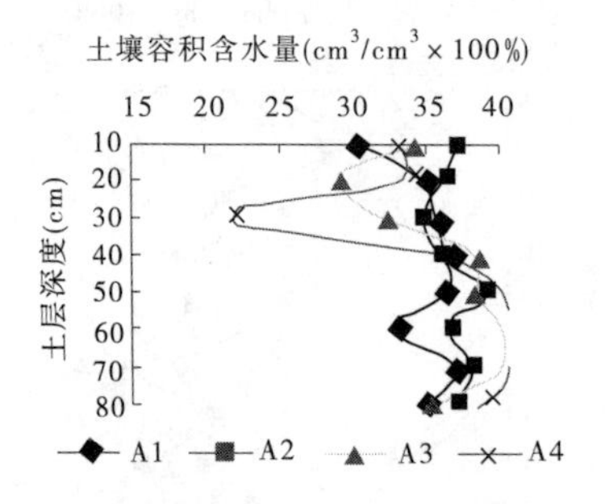

图 4-46　2003.9.7 10°坡下

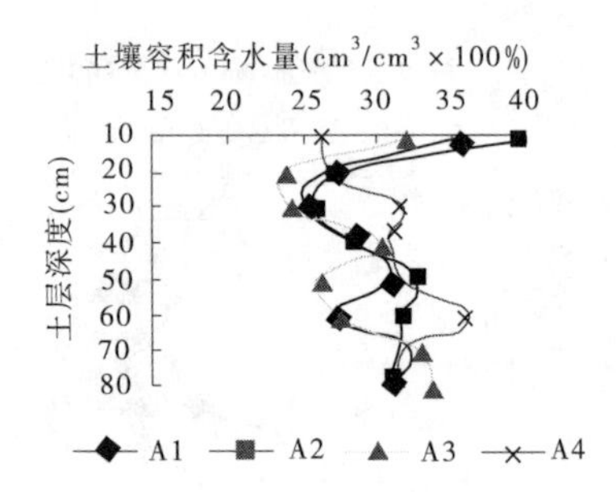

图 4-47　2003.9.21 10°坡上

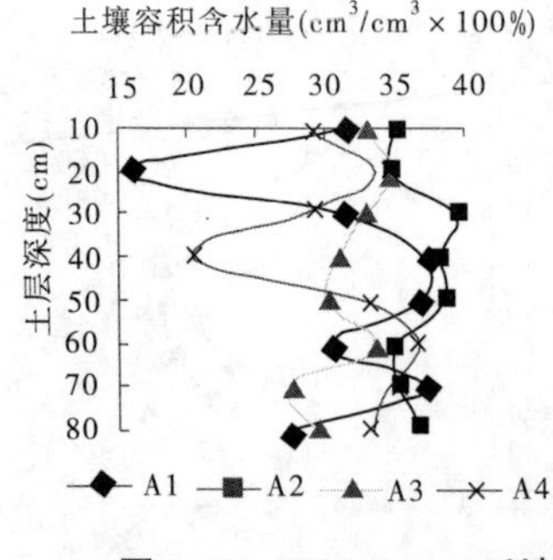

图 4-48　2003.9.21 10°坡中

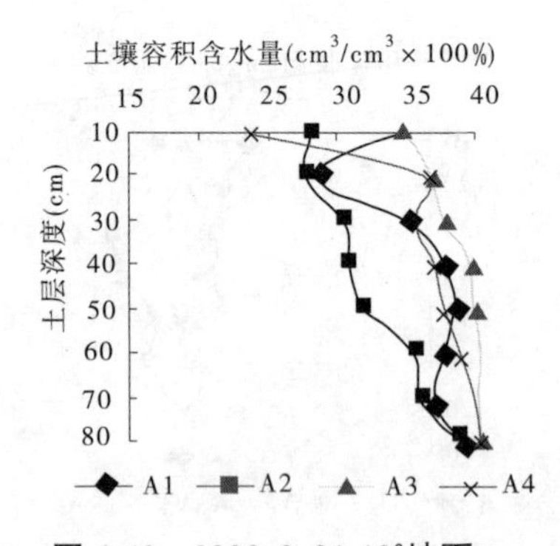

图 4-49　2003.9.21 10°坡下

-21%、-23%，产沙调控率分别为 -29%、-12%、-47%及 0，这说明 4 种措施径流调控都可使坡面径流减少 20%以上，差别不超过 10%；由于产流调控率差别不大，产沙调控率差别也不大。4 种措施比较，施加 PAM 后，无论有无布置地孔，产流调控率差别在 5%左右、产沙调控率均差别在 15%以内。

表 4-43　不同坡度、不同经济林株高随时间变化情况

坡度(°)	位置	措施	观测日株高(cm)							
			7.24	8.7	8.20	9.2	9.21	10.9	平均	增长(%)
10	坡上	五角枫+等高垄	1.98	2.07	2.16	2.2	2.3	2.3	2.168	16.2
		五角枫	2.26	2.37	2.45	2.48	2.5	2.52	2.430	11.5
		柿子树+鱼鳞坑	1.6	1.62	1.62	1.62	1.65	1.72	1.638	7.5
		柿子树	1.54	1.6	1.62	1.62	1.64	1.66	1.613	7.8
	坡中	五角枫+等高垄	2.16	2.35	2.46	2.5	2.5	2.54	2.418	17.6
		五角枫	2.38	2.48	2.53	2.63	2.65	2.68	2.558	12.6
		柿子树+鱼鳞坑	1.97	2.26	2.3	2.32	2.3	2.4	2.258	21.8
		柿子树	1.7	1.72	1.72	1.73	1.8	1.86	1.755	9.4
	坡下	五角枫+等高垄	2.66	2.705	2.73	2.76	2.786	2.806	2.741	5.5
		五角枫	2.15	2.3	2.4	2.44	2.48	2.53	2.383	17.7
		柿子树+鱼鳞坑	1.82	2.11	2.2	2.27	2.3	2.3	2.167	26.4
		柿子树	1.6	2.65	2.7	2.8	2.8	2.8	2.558	75.0
20	坡上	五角枫+等高垄	1.66	1.75	1.81	1.87	1.9	1.91	1.817	15.1
		五角枫	1.76	1.885	1.98	2	2.05	2.1	1.963	19.3
		柿子树+鱼鳞坑	1.59	1.61	1.65	1.66	1.68	1.73	1.653	8.8
		柿子树	1.81	1.85	1.85	1.86	1.88	1.92	1.862	6.1
	坡中	五角枫+等高垄	1.98	2.02	2.1	2.14	2.15	2.15	2.090	8.6
		五角枫	1.33	1.41	1.45	1.49	1.55	1.58	1.468	18.8
		柿子树+鱼鳞坑	1.452	1.47	1.61	1.655	1.66	1.6	1.575	10.2
		柿子树	1.94	2.1	2.1	2.18	2.22	2.42	2.160	24.7
	坡下	五角枫+等高垄	1.525	1.53	1.54	1.55	1.55	1.6	1.549	4.9
		五角枫	1.495	1.69	1.78	1.83	1.86	1.89	1.758	26.4
		柿子树+鱼鳞坑	1.7	1.72	1.74	1.78	1.8	1.85	1.765	8.8
		柿子树	1.35	1.67	1.82	1.8	1.8	1.9	1.723	40.7

表 4-45 列出了 2003 年产流前后不同布置措施径流小区平均土壤含水量变化。表 4-45 表明，产流前的 7 月 24 日，各小区含水量在 27%～30%之间，玉米地最高，裸地最少；随着降雨出现的 7 次产流及不同措施的调节作用，不同措施的含水量逐渐增大，产流结束，含水量接近或达到或超过 40%，其中玉米+地孔+PAM、玉米+PAM 及裸地土壤含水量增加幅度大，达到 40%以上。

表 4-44　不同坡度、不同经济林胸径随时间变化情况

坡度(°)	位置	措施	观测日胸径(cm)							
			7.24	8.7	8.20	9.2	9.10	10.9	平均	增长(%)
10	坡上	五角枫+等高垄	1.914	2.262	2.4	2.728	2.872	2.891	2.511	51.0
		五角枫	1.608	1.692	1.788	1.868	2.12	2.128	1.867	32.3
		柿子树+鱼鳞坑	0.972	0.975	0.978	0.98	0.984	1.004	0.982	3.3
		柿子树	1.046	1.098	1.15	1.152	1.176	1.194	1.136	14.1
	坡中	五角枫+等高垄	1.888	2.246	2.26	2.382	2.4	2.542	2.286	34.6
		五角枫	2.968	3.112	3.124	3.202	3.278	3.294	3.163	11.0
		柿子树+鱼鳞坑	1.438	1.518	1.55	1.542	1.688	1.75	1.581	21.7
		柿子树	1.302	1.3	1.456	1.526	1.692	1.75	1.504	34.4
	坡下	五角枫+等高垄	3.466	4.016	4.244	4.648	4.782	4.854	4.335	40.0
		五角枫	2.646	2.936	3.128	3.348	3.648	3.744	3.242	41.5
		柿子树+鱼鳞坑	1.2	1.254	1.44	1.494	1.55	1.626	1.427	35.5
		柿子树	1.082	2.05	2.042	2.138	2.28	2.334	1.988	115.7
20	坡上	五角枫+等高垄	1.296	1.476	1.668	1.896	1.972	2.03	1.723	56.6
		五角枫	1.32	1.5	1.544	1.55	1.688	1.766	1.561	33.8
		柿子树+鱼鳞坑	0.922	0.932	0.942	0.984	1.009	1.102	0.982	19.5
		柿子树	1.222	1.266	1.236	1.242	1.294	1.316	1.263	7.7
	坡中	五角枫+等高垄	1.47	1.686	1.706	1.884	1.96	2.04	1.791	38.8
		五角枫	1.048	1.154	1.234	1.354	1.508	1.594	1.315	52.1
		柿子树+鱼鳞坑	0.902	0.944	0.962	1.048	1.078	1.108	1.007	22.8
		柿子树	1.02	1.108	1.138	1.158	1.256	1.262	1.157	23.7
	坡下	五角枫+等高垄	1.042	1.264	1.35	1.492	1.56	1.594	1.384	53.0
		五角枫	1.426	1.628	1.738	1.932	2.01	2.108	1.807	47.8
		柿子树+鱼鳞坑	1.212	1.222	1.244	1.266	1.295	1.304	1.257	7.6
		柿子树	0.902	1.054	1.101	1.13	1.394	1.422	1.167	57.6

虽然，土壤含水量变化不大，但是由于地孔、玉米+地孔侵蚀量较大，造成土壤和养分流失，使得产量减低如表 4-46。表 4-46 表明，相同措施下，10°坡产量比 20°坡大；同坡度条件下，施加 PAM 的土壤，有无地孔产量都较大。说明，PAM 不但有增渗作用，同时还可以减轻土壤流失，有利于坡地作物高产。

上述分析还说明，地孔的增渗作用较弱，反而容易引起水土流失，在实际工作中应当慎用。

表 4-45　不同措施下玉米地土壤含水量变化情况

措　施	测定时间(月·日)					增长率(%)
	7.24	8.18	8.28	9.7	9.21	
玉米 + 地孔 + PAM	27.4	34.1	34.80	40.0	40.0	46.0
玉米 + 地孔	28.4	33.9	34.91	39.4	38.6	35.9
玉米 + PAM	28.0	35.6	33.07	40.8	40.2	43.6
玉米	29.5	35.0	28.91	40.6	39.8	34.9
裸地 + 地孔	28.8	34.5	27.78	40.4	40.5	40.6
裸地	27.3	35.4	30.10	38.8	40.3	47.6

表 4-46　不同坡度、不同部位、不同调控措施玉米千粒重和产量

措施	地段	千粒重量(g)				产量(kg/100m²)	
		10°		20°		10°	20°
		分段量	平均值	分段量	平均值		
玉米 + 地孔 + PAM	坡上	316.2	310.37	277.7	271.57	54.5	44.25
	坡中	289.9		288.2			
	坡下	325		248.8			
玉米 + 地孔	坡上	347.6	324.80	259.7	255.93	50.75	39.5
	坡中	336.4		265			
	坡下	290.4		243.1			
玉米 + PAM	坡上	292.8	307.83	271.8	267.23	54.5	39.5
	坡中	335.1		252.1			
	坡下	295.6		277.8			
玉米	坡上	332.2	311.83	239.6	259.90	53.75	38.25
	坡中	271.3		257.9			
	坡下	332		282.2			

五、小结

本节基于不同坡地径流调控措施的效果研究，在 3 种不同规格径流小区上运用人工模拟降雨及野外自然降雨相结合的试验手段，在不同坡度、坡长、降雨强度的试验条件下，通过对径流小区采取不同下垫面措施，研究其坡面径流调控及其雨水集蓄利用情况。具体做法是在径流小区上筛选出比较理想的坡面蓄水拦沙措施，并在复合坡度上进一步验证，进而在野外自然降雨下做定位观测试验，为下一步进行大面积推广做准备。通过上述研究得到如下结论：

(一)种植帕特草和四翅滨藜调控径流、侵蚀量效果显著

(1)均一坡度试验表明,帕特草具有增加土壤入渗、增强土壤抗蚀的作用,具有较高的径流调控率;四翅滨藜也有类似效果。在总降雨量为50mm,两种降雨强度下,种帕特草可使径流减少40%左右,输沙相对于裸地减少近70%～97%,且坡度越大,调控侵蚀输沙效果越明显。

增加土壤入渗,延缓产流时间,是坡面不同措施径流调控的特点。试验表明,无论坡度大小,帕特草及四翅滨藜的产流时间都较同坡度的裸地对照推迟,径流量和侵蚀量均降低。研究表明:与裸地对照相比,帕特草产流时间平均推迟1.4倍,径流量较裸地对照降低了40.17%,侵蚀量降低了87.28%;种四翅滨藜较裸地对照产流时间平均推迟22%,径流量较裸地对照降低了13.7%,侵蚀量降低了27.24%。经过覆盖的地面,一方面由于帕特草的截留作用,可以有效地防止雨滴直接溅击地面而减少径流;另一方面,由于帕特草分蘖多,呈丛生型生长,可以有效地分散、延缓、减少径流,这样帕特草就构成了保护土壤的两道防线,因而控制水土流失的效果也就十分显著。进一步试验表明,在同一种坡度、不同雨强条件下,种草(帕特草)在较陡坡度的拦沙蓄水功效较缓坡度更好一些。因此,帕特草有望作为一种水土保持型牧草进行推广。

(2)组合坡度试验表明:种草+PAM径流调控率高,其次是帕特草+地孔。在复合坡度上,帕特草+PAM是较理想的一种措施,其优越性在两个不同的雨强下都表现一致。例如在大雨强 $I=2.130$mm/min时,种草+PAM的坡面径流量和侵蚀量均是最小的,分别为3.17mm和0.604kg/m^3。与裸地对照相比,分别降低了93.02%和98.13%,而在小雨强 $I=0.536$mm/min时,与裸地对照相比,分别降低了25.34%和49.08%。其他各复合措施优劣依次为:地孔+种草＞地孔+PAM＞裸地＞地孔。

由于帕特草本身调控率就较高,至于实际中是否一定需要进行种草与PAM复合,需要进一步研究。

(3)野外径流小区定位观测结果表明:等高垄+五角枫、苜蓿、玉米+PAM径流调控率较大,是较好的调控措施,不同径流调控措施之间需要有机组合,不是任意组合都能达到满意效果。

在野外径流小区上,我们布设了8种下垫面措施,通过对2003年获取的4次较全的野外自然降雨资料,分别从径流调控率、径流系数、侵蚀量、土壤含水量以及生物量的角度进行了初步研究分析,结果表明:等高垄+五角枫、苜蓿以及玉米+PAM,是比较理想的措施,值得推广应用。这些措施与没有采

取措施的对照相比具有较明显的增加坡面径流调控之效。林草生长需要消耗水分,生长的良好程度也取决于水分多少,这一点可从生物量和土壤不同层次含水量可以看出。在不同下垫面措施的坡面上,由于降雨的再分配,林草的长势差别不是太大。坡上、坡中和坡下的生长状况基本一致,进一步说明了雨水在坡面上被分段拦截,侵蚀动力减小,坡的上下土壤含水量差别不大,有利于作物均衡生长。

(二)在本试验所选定的技术参数条件下,地孔措施的坡面径流调控效果较差

在三个试验平台上的试验结果一致表明,地孔较裸地对照径流量增加,侵蚀量增强,其可能原因是:其一,地孔措施属于点拦截,而坡面所产生的纵向径流须横向拦截,尽管为了弥补此不足,在布设地孔时,将从地孔中取出的土在其下方边缘围成了一个半圆形的土埂横向拦截,但仍未达到雨水就地拦蓄利用的目的;其二,本试验未能对不同的暴雨标准进行深入的研究,只是在所选定的暴雨条件下(总降雨量 50mm,降雨强度分别为 0.579mm/min 和 2.135mm/min)所得到的试验结果;其三,由于对地孔的使用研究仍处于一个探索性的阶段,可能在布设方式上不尽合理。因此,需进一步深入研究。

由于工作量大,对于地孔在不同暴雨标准下未作深入研究,只是根据预灌水试验并参考前人的研究结果计算出的地孔密度进行试验,今后还需进一步深入研究,以探索更加合理的组合方式。

(三)因地制宜地配置调控措施

初步试验结果表明:在坡面分段径流调控利用技术条件下,将筛选出的最优措施进行组合,其效果更好。复合措施改变了坡面小地形状况,增加了植物(作物)覆盖度,改善了土壤的团聚结构,加大了降水入渗速率和入渗数量,延缓了地表径流的产生,减少了地表径流数量,减低了对土壤的侵蚀力和侵蚀量,进而对不同坡段水资源的再分配产生积极的影响。而且,只有把生物措施作为综合措施治理的一个组成部分,与其他措施相互配合,达到功能互补,才能更好地发挥植物措施在综合治理中的作用。

第四节 小流域综合调控模拟

黄土高原丘陵沟壑区,沟壑纵横,地形破碎,生态失调,风沙肆虐,水旱灾害频繁。由于森林、草场植被破坏、涵养水源能力降低,加剧了干旱的发展。而每逢暴雨,地表径流迅速汇集,洪峰暴涨暴落,水沙俱下,水土流失与干旱这一突出矛盾是影响黄土高原区域生态环境建设、经济发展与社会进步的重要限制性因子。同步解决干旱与水土流失是治理黄土高原的重大科学问题。通过径流调控是解决干旱水少和暴雨径流强烈侵蚀所表现的相对水多这一矛盾的有效手段。在实施以黄土高原小流域为单元综合治理实践的正反经验表明,凡是按合理调控降雨径流配置治理措施,就能取得良好的农业、水保、经济、生态和社会效益,反之就达不到预期的效果。这要求对降雨径流侵蚀调控模拟进行比较深入的研究,以期能进行准确的预测。

降雨径流特别是坡面流运动国外起步较早[54~56],国内研究者也较多,目前已有一些水文学和水力学解法。但是,地表径流的产流汇流现象发生的介质条件、边界条件及影响因素比较复杂,即使理论上得到掌握,如得到连续及运动动力方程等,实践上,由于小流域三维性强,下垫面条件、降雨、输水、输沙等介质极为复杂,进行准确的数学求解几乎是不可能的。因此目前采用的小流域规划设计方法是根据大量的、长期的观测资料,经过统计分析类比来寻求治理规律。由于这种方法经验性较强,资料可比性差,试验周期长,投资大,特别是由于实际流域治理的不可重复性和对规划缺乏科学的检验,无法预测规划的可行性,如果规划出现技术上失误,就会造成巨大的经济损失。为此,需要研究一种简化小流域降雨径流调控试验周期和投资,并且能在短期内检验在小流域内实施各种径流调控措施的方法,而采用以小流域为单元的模型试验方法恰好能满足这种要求。

小流域降雨径流模拟试验是按照一定比例尺构建小流域水力侵蚀试验模型,并配置各种调控治理措施,在人工降雨条件下,重现大暴雨引发的水土流失现象,观测模型流域产流产沙的变化过程,借此寻求小流域综合治理、优化规划方案。这种方法使得研究者能控制降雨的时空变化,了解降雨和汇水区参数对地表漫流过程和侵蚀过程特征的影响,达到为农田基建及小流域治理提供量化依据的目的。由于该方法的突出优点,事实上在实验室内通过小尺度人工降雨—径流模拟实验近年来重新受到重视[59~69],但由于研究工作的有待深入,在降雨径流侵蚀能否模拟、如何模拟、模拟应该遵循的基本水动力学规律、遵循的主要相似定律、比尺如何设计等理论方面存在许多争议,亟待进行深入分析。为此,高建恩基于降雨侵蚀的水动力学原理与相似理论,就上述问题进行了初步的系统研究[1,57,58]。

一、黄土高原小流域模拟试验的相似理论问题

关于相似的学说,从牛顿至今已有 300 多年的历史,但直到 20 世纪 40 年

代,由苏联学者吉尔比切夫(M.B.Кирпичев)院士补充了相似第二定理后,其理论日臻完善[40,41]。事实上,自从1848年法国科学院院士别尔特兰(J.Bertrand)提出相似第一定理以来,这门学说就开始在方程分析及因次分析两个方向上发展。前一方向,苏联曾一度领先;后一方向,欧洲也曾走在前面。而最先把方程分析法应用于河工模型试验的是苏联学者蔡克士大(A.П.Эегжда),从此这门技术有力地推进了现今水力模拟试验技术的发展。在农业水土工程领域,Mamisao等人通过因次分析法推导了正态佛汝德数定律的无因次参数,初步研究了农业领域土地利用等问题[42~49]。

从广义上讲,模型是一种研究题目、状态或过程的简化表述[50],例如概念模型、系统模型等。可区分为相似模型和非相似模型。相似模型是指所有的相似参数都与原型的相似参数存在着一定的关系,这些参数是由一个或几个模型比尺所决定的。而非相似模型是指不能满足上述要求或仅能满足个别部分的模型。这样的模型又叫描述性或定性模型。与我们生活实践关系最为密切的是由于水流运动引起的各种工程问题,这样我们可以定义:水力模型是指模拟一般工程、水利工程、农业水土工程特别是这些工程所涉工程流体力学中的流动过程、流动状态和流动现象的物理模型。

水力模型的范围包括水利及农田工程或工程流体力学领域。一般说来,水力模型是在实验室中用大比尺的模型来重现天然现象。在某些情况下,也可以采用1∶1比尺的模型。这时是在实验室中建造天然实物的典型部分,在可控边界条件的情况下来研究水沙过程及其影响。由于把模型结果转化为原型的情况常常是有争议的[51,52],所以做1∶1比尺的模型就显得很有意义了,尽管在许多条件下无法进行1∶1试验而必须探求小比尺模型。

如果这样,关于模型的含义必须作出某些限制。因为从广义上讲,所有的流体力学的试验研究都能算作水力模拟。但是我们将把那些在实验室中进行的但与水利工程、农业水土工程没有直接关系的基础性研究排除在外。因此,水力模拟的范围是:与水利、水土保持及农业水土工程问题有直接的相似关系,从大比尺模型的观测结果可以转换成原型的模拟研究。当然,它与流体力学的试验研究并无明显的区别。

黄土高原小流域降雨径流模拟试验无疑是水力试验的一种,因此必须服从水力模型试验相似三定律[1,53]。相似第一定律是关于相似性质的学说,它用来讨论已经相似的现象具有什么性质的问题,它的内容包括:①由于相似现象是服从于同一自然规律的现象,因此它们应为文字上完全相同的方程组(包括方程组的单值条件)所描述;②在相似的物系中,用来表示现象特性的同类物理量之比是常数；③相似现象必然发生在几何相似的对象里；④由于相似现象的同类量之间是成常数比例的，而由这些量组成的方程组又是相同的，故各量的比尺不是任意的，而是彼此约束的。

相似第二定理是关于相似条件的理论，它讨论满足什么条件（必要而且充分）现象才能够相似的问题。①由于相似现象是服从同一规律的现象，故都被文字上完全相同的方程组所描述，这是相似的第一个必要条件。②由于单值条件能够从服从同一自然规律的无数现象中区别出某一具体现象，因此若要使某一个具体现象相似于另一个具体现象，单值条件相似是第二个必要条件。③因为在根据方程式相同及单值条件相似所得到的相似判据中，有一部分是完全由单值量所组成，相似现象要求由单值量组成的相似判据不变是现象相似的第三个必要条件。④前述三个必要条件构成相似的充分条件。

相似第三定理是关于试验结果推广的理论，它讨论模型试验成果如何推广到任意相似现象的问题。这个定理可表述为：服从单位系统的物理方程可以转变为变量的无量纲数群与简单数群间的关系形式，即可表示为：

$$F(\pi_1, \pi_2, \pi_3, \cdots, S_1, S_2, S_3) = 0 \tag{4-43}$$

式中，$\pi_1, \pi_2, \cdots$ 为无量纲综合数群；$S_1, S_2, \cdots$ 为简单数群，即同类量配比数。对于相似现象，这些无量纲数就是相似判据，因此上述方程式亦称为“判据关系式”。上述[illegible]一个导来量并且不考[illegible]理。

上述理[illegible]程领域才刚刚起步，[illegible]力相似；在理论方面，[illegible]域降雨、径流、产沙及[illegible]。

相似论[illegible]现象，因此它们应为文字上完全相同的方程组（包括方程组的单值条件）所描述。小流域地表径流所涉及的物理方程复杂，选择合理的物理方程，准确描述小流域降雨、径流的基本动力学规律，就是做好小流域模型的第一个关键性步骤。

二、小流域地表径流的基本动力学规律

黄土高原侵蚀主要发生在暴雨和特大暴雨时期，因此小流域降雨径流水沙调控试验，主要是指对暴雨和特大暴雨径流的水力调控试验。所涉及的主要相似条件理应包括：降雨相似、坡面水流运动相似、沟道水流运动相似、坡面沟道水流侵蚀产沙输沙相似、坡面沟道床面变形相似。既涉及降雨、产流、汇

流运动,又涉及侵蚀产沙输沙。因此,为了正确推导出小流域模型相似率,必须探求小流域地表径流的运动方程和单值或者是边界条件。

(一)坡面降雨与径流运动

雨滴在降落过程中,受到重力与空气阻力的共同作用。当这两种力达到平衡时,雨滴以匀速降落,称作雨滴终速。雨滴速度对地表径流初期侵蚀产沙影响巨大,不但可以击散土壤使得上部土粒分散,分散的土粒一部分随径流直接流失,一部分充填下部被击实的土壤空隙,使之径流增大,冲刷力加大,入渗减小。同时,当雨滴撞击地表径流表面使之水流紊动增强,挟沙能力增大。

关于雨滴降落速度研究者较多,所得方程部分具有理论基础,可以对小流域降雨雨滴打击力、动能等方面进行验证计算。

事实上,在进行模拟试验上首先需要解决的是降雨径流的同时模拟问题。经典的坡面流如圣维南方程组(4-1)、(4-2)及图 4-1 所示。值得指出的是,该方程的特点是通过径流连续方程和运动方程将降雨径流有机地联系在一起。该方程描述的坡面流与通常的明渠水流比较具有不同的特点:首先,坡面流没有固定的边界约束,坡面流的水深远小于明渠水流;其次,坡面流受到降雨入注、下渗及糙率等影响比明渠明显;再次;坡面流的流程与宽度量级相当;最后,坡面流的非线性特性要比明渠水流突出。

由于数学上的困难,实际中不得不采用式(4-1)的简化形式:$S_0 = S_f$ 即所谓运动波模型,其实质是用均匀流公式代替动量方程(4-2)。水文解法为集总式运动波模型,水力学解法为分散式运动波模型。

(二)沟道水流运动

因模拟的黄土高原小流域坡陡流急,产流为短历时的雷暴雨,在坡面及沟道汇流过程中,紊流得到充分发展,因此可取描述不可压缩的三维紊动水流的时均微分方程:

连续方程式:

$$\frac{\partial \bar{u}}{\partial x} + \frac{\partial \bar{u}}{\partial y} + \frac{\partial \bar{w}}{\partial z} = 0 \tag{4-44}$$

运动方程式:

$$\begin{aligned}
&\frac{\partial \bar{u}}{\partial t} + \left(\bar{u}\frac{\partial \bar{u}}{\partial x} + \bar{v}\frac{\partial \bar{u}}{\partial y} + \bar{w}\frac{\partial \bar{u}}{\partial z}\right) \\
&= F_x - \frac{1}{\rho}\frac{\partial \bar{p}}{\partial x} + \left[\frac{\partial}{\partial x}\left(\nu\frac{\partial \bar{u}}{\partial x}\right) + \frac{\partial}{\partial y}\left(\nu\frac{\partial \bar{u}}{\partial y}\right) + \frac{\partial}{\partial z}\left(\nu\frac{\partial \bar{u}}{\partial z}\right)\right] \\
&\quad - \left(\frac{\partial}{\partial x}\overline{u'^2} + \frac{\partial}{\partial x}\overline{u'v'} + \frac{\partial}{\partial z}\overline{u'w'}\right)
\end{aligned} \tag{4-45}$$

$$\frac{\partial \bar{v}}{\partial t} + (\bar{u}\frac{\partial \bar{v}}{\partial x} + \bar{v}\frac{\partial \bar{v}}{\partial y} + \bar{w}\frac{\partial \bar{v}}{\partial z})$$
$$= F_y - \frac{1}{\rho}\frac{\partial \bar{p}}{\partial y} + \left[\frac{\partial}{\partial x}\left(\nu\frac{\partial \bar{v}}{\partial x}\right) + \frac{\partial}{\partial y}\left(\nu\frac{\partial \bar{v}}{\partial y}\right) + \frac{\partial}{\partial z}\left(\nu\frac{\partial \bar{v}}{\partial z}\right)\right]$$
$$- \left(\frac{\partial}{\partial x}\overline{u'v'} + \frac{\partial}{\partial y}\overline{v'^2} + \frac{\partial}{\partial z}\overline{v'w'}\right) \quad (4\text{-}46)$$

$$\frac{\partial \bar{w}}{\partial t} + \left(\bar{u}\frac{\partial \bar{w}}{\partial x} + \bar{v}\frac{\partial \bar{w}}{\partial y} + \bar{w}\frac{\partial \bar{w}}{\partial z}\right)$$
$$= F_z - \frac{1}{\rho}\frac{\partial \bar{p}}{\partial z} + \left[\frac{\partial}{\partial x}(\nu\frac{\partial \bar{w}}{\partial x}) + \frac{\partial}{\partial y}(\nu\frac{\partial \bar{w}}{\partial y}) + \frac{\partial}{\partial z}(\nu\frac{\partial \bar{w}}{\partial z})\right]$$
$$- (\frac{\partial}{\partial x}\overline{u'w'} + \frac{\partial}{\partial y}\overline{v'w'} + \frac{\partial}{\partial z}\overline{w'^2}) \quad (4\text{-}47)$$

式中:$\bar{u}$、$\bar{v}$、$\bar{w}$ 为沿 x、y、z 轴的时均流速;u'、v'、w'为沿 x、y、z 轴的脉动流速;F_x、F_y、F_z 为沿 x、y、z 轴的单位质量的质量力,当质量力限于重力时,其值就等于沿 x、y、z 轴的重力加速度的分量;当 x 轴与水流方向一致时,$F_x = g\sin\alpha$,$F_y = -g\cos\alpha$,$F_z = g\sin\beta = gJ_z$,此处 α、β 分别为水流沿 x、z 方向的倾角,J_x、J_z 为相应流线坡降;$\bar{p}$ 为时均压力强度;ν 为动态黏滞系数;t 为时间。

运动方程式等号左侧四项为单位质量惯性力,其中第一项为时变加速度引起的惯性力;用圆括号合并在一起的后三项,为位变加速度引起的惯性力。等号右侧第一项为单位质量的重力;第二项为单位质量的压力;用方括号合并的后三项,为黏滞力造成的剪切力;用圆括号合并在一起的最后三项,为水流脉动所造成的剪力,实质上是一种脉动惯性力。

(三)侵蚀输沙运动

土壤受雨滴打击分散、径流冲刷使得不同粒径泥沙颗粒分别处于静止、起动、移动、滚动、跳跃、悬浮等运动状态。这些侵蚀泥沙应当服从不同的侵蚀泥沙运动规律。但一般来说,悬移运动占 90% 以上,因此起动、推移特别是悬浮是最重要的运动规律。

为保证小流域侵蚀所产生的泥沙运动相似,模型相似率应由描述泥沙运动的物理方程导出。然而,由于现阶段对泥沙运动的机理还不是很清楚,公认的描述泥沙运动现象的完整的物理方程式并未建立。这就迫使我们不得不使用描述某一部分泥沙运动现象及其不同侧面的若干个物理方程式来描述,进而为导出模型相似率做好准备。这样做,实质上等于是由部分泥沙运动现象及其不同侧面的相似,归结到泥沙运动的整体相似或其中决定问题本质的主要现象相似。

1.泥沙颗粒的起动

明确在怎样的水流条件下某种性状的泥沙能够起动，是侵蚀产沙力学最重要的问题之一。与沟道及河流输沙的区别是：坡面土粒在运动之初，首先受到雨滴的打击力作用，最上层泥沙得到分散，然后分别通过水流起动以推移或悬移形式输移。

描述在一定水流条件下的泥沙起动公式较多，如起动流速、起动拖曳力及起动功率等。如用散粒体起动流速公式，可采用沙莫夫(ГИЩамов)起动流速公式：

$$U_c = 1.14\sqrt{\frac{\gamma_s - \gamma}{\gamma}gd}(\frac{h}{d})^{\frac{1}{6}} \tag{4-48}$$

式中：γ_s、γ 为泥沙与水的容重，d 为粒径，h 为水深，g 为重力加速度。单位为 kg、m、g 制。

2.推移质运动

描述推移质运动的方程式较多，高建恩曾从能量观点出发对该问题进行研究，得到其公式如下式，因验证资料包括薄层水流和细沙资料，实际运用证明，能够反映径流输沙规律。

$$\frac{\gamma_s - \gamma}{\gamma_s}\Phi = 0.01\frac{1}{\tan\alpha}\left[Fr(\theta - \theta_c)\frac{v}{v_{*c}}\right]^{3/2}$$

3.悬移质运动

就悬移质运动而言，描述这一现象的物理方程式为悬移质运动的三度扩散方程。这个方程式本来只是泥沙连续方程式，但在引进扩散理论的概念及其处理方式之后，实质上已具有泥沙运动方程的涵义。三度非恒定流不平衡条件下悬移质含沙量随空间和时间的变化规律的微分方程为：

$$\begin{aligned}\frac{\partial s}{\partial t} &= -\frac{\partial}{\partial x}(us) - \frac{\partial}{\partial y}(vs) - \frac{\partial}{\partial z}(\omega s) + \frac{\partial}{\partial y}(\omega s) \\ &+ \frac{\partial}{\partial x}\left(\varepsilon_{sx}\frac{\partial s}{\partial x}\right) + \frac{\partial}{\partial y}\left(\varepsilon_{sy}\frac{\partial s}{\partial y}\right) + \frac{\partial}{\partial z}\left(\varepsilon_{sz}\frac{\partial s}{\partial z}\right)\end{aligned} \tag{4-49}$$

式中：s 为含沙量；ε_{sx}、ε_{sy}、ε_{sz} 分别为沿 x、y、z 轴悬移质扩散系数；ω 为泥沙沉速；其他符号意义同前。

在方程式中，方程式等号左侧一项为单位时间内单位水体的含沙量变化；等号右侧前三项为单位时间内由时均流速引起的进出单位水体的沙量变化；等号右侧第四项为单位时间内由泥沙沉速引起的进出单位水体沙量变化，等号右侧后三项为单位时间内由扩散作用引起的进出单位水体的沙量变化。

(四)床面变形

侵蚀泥沙运动相似中必须解决的一个问题是,模型所反映出的下垫面变形应当与原型相似。这一点在许多情况下实际上正是模型试验所达到的目的。这里主要是涉及到一个时间比尺问题。

由河床变形相似

$$\frac{\partial qs}{\partial x}+\gamma'\frac{\partial Z}{\partial t}=0 \tag{4-50}$$

式中:q 为单宽流量;γ'为泥沙干容重;Z 为床面高程;其他符号意义同前。该方程描述了在径流作用下床面的变化。

(五)入渗问题

如果研究土壤水运动,土壤中水流还应该满足土壤水运动基本方程:

$$\frac{\partial(\rho\theta)}{\partial t}+\frac{\partial(\rho V_x)}{\partial x}+\frac{\partial(\rho V_y)}{\partial y}+\frac{\partial(\rho V_z)}{\partial z}=0 \tag{4-51}$$

式中:ρ 为水的密度;V_x、V_y、V_z 分别为 x、y、z 方向的平均流速(非水质点的运动速度);θ 为土壤的含水量。

三、相似率的初步研究

(一)相似率研究存在的问题

如前所述,近 20 年来,由于黄土高原小流域农业工程实践的需要,水力侵蚀模拟重新得到重视。事实上,由于相似论的建立,使得在不能对复杂的侵蚀流体动力学问题进行理论求解时,进行三维模拟成为可能。相似论的核心是因次分析法则即白金汉(Buckingham J.)的 π 定理。有了因次分析法则,不但有助于在寻求物理方程的某种结构形式时得到启示,还可以对物理方程的合理性即量纲和谐性进行分析,而且对一时无法得到一些物理过程的物理方程,也可以通过因次分析法则,确定无量纲综合体。而这些无量纲综合体往往是控制物理方程的重要判数,如水流运动中的雷诺数、佛汝德数、泥沙运动的劳斯数,希尔兹数等,它们同时还是控制模型与原形相似的相似准则。

包括 π 定理在内的量纲分析法,是建立在一般物理概念基础之上的数学分析方法。要想使用量纲分析研究具体物理现象而取得较好的成果,还必须对具体物理现象进行理论及实验研究。事实上,在进行量纲分析时如果遗漏了重要变量,或多选了无关紧要的自变量,甚至如果基本物理量选择不恰当,都可能使得到的结果不能鲜明地反映出事物的规律性,甚至得出错误的结论。而所有这些问题都是不可能从量纲分析法本身找到答案的,更不用说推求它们的定量规律了。正确地了解量纲分析法的有效性及局限性有助于正确地、恰如其分地使用这种方法，这一点在水力侵蚀模拟试验时尤为重要。

长期以来，与其他行业相比，相似论及水力模拟试验在农业工程特别是小流域水土资源开发中的应用处在较低的水平。在国外，从 Mamisao 在研究农业流域土地利用影响时，提出了模拟流域特性试验的动力相似问题[42]，经过周文德[43]、Chery[44]等人的发展，1965 年 Grace 和 Eagleson[45]较深入地分析了室内模拟试验在动力相似上的要求，给出重力、黏滞力、表面张力等无因次参数。由于地表渗透增加了问题的复杂性，无法同时满足重力、黏滞力、表面张力对比尺的要求。因而，进行试验时不得不选择主要因子来选择模型比尺，这导致天然水力侵蚀过程在试验中不能重复出现。国内部分研究则认为，水力侵蚀不能进行室内模拟[51,52]。此后，对模拟准则及比尺进行了若干研究，但至今未能取得突破。究其原因，一方面与对水力侵蚀机理有待进一步认识，同时，在使用相似论时，忽略水力侵蚀动力学方程中各种力作用机制的深入研究，过分夸大某些力的影响因素有关[1,57,58]。

由于水力侵蚀相似准则研究长期无法突破，因此目前研究还主要基于所谓的“水文响应相似[59]”，即只考虑几何相似，或者适当考虑重力相似，对特定模型的水力侵蚀输沙研究首先假定“现象相似”，不考虑将模型结果定量推广到原型。这种方法在研究初期具有一定意义，但却达不到室内模型模拟研究定量推广到原型的要求。黄土高原小流域地表径流模拟机理复杂，涉及降雨、侵蚀产沙、汇流输沙等，要进行黄土高原小流域水力调控模拟试验，必须要对其产汇流特点有所认识，以便在模型的比尺设计上，抓住主要矛盾来分析问题。

（二）黄土高原小流域降雨侵蚀的特点

所谓小流域是指面积不是太大、土壤侵蚀自成系统、生态经济系统便于农业调控的流域[71]。而这里的土壤侵蚀自成系统特指在暴雨径流期，降雨发生雨滴击溅侵蚀，产流以后在分水岭地区形成片流，发生片蚀，分水岭以下坡面片流汇集成散流，进行细沟和浅沟侵蚀，并开始出现重力侵蚀和潜蚀（或者称为洞穴侵蚀），至谷底散流转变成紊流，发生沟道侵蚀，这是一个完整的水土流失过程，在流域内形成了完整的水土流失体系。这个体系在汇水面积太小的空间，比如冲沟流域，常常发育不太完整；在面积太大的流域，由于参与了河流过程，侵蚀和堆积交替，而使流域的自然过程复杂化。

小流域独特完整的侵蚀特性，塑造了黄土高原小流域独特的地貌特征。由于黄土丘陵沟壑区的小流域主要覆盖的是具“点棱接触支架式多空结构[72]”的多柱状马兰季黄土，土质疏松，且降雨径流的强烈水力侵蚀作用，使得地表被切割成许多沟壑纵横、丘陵起伏、面积不大于 100km² 的小流域，沟壑密度高达 3～4km/km²。图 4-50 为延安燕沟康家圪塄小流域的横断面，其侵蚀地貌形态一般以峁边界为界，峁边界以上为沟间地，以下为沟谷地。沟间地一般为耕地，坡度平缓，为 10°～35°，沟谷地包括沟坡区及沟床等。沟坡区地形复杂、坡面破碎，有坡面大于 60°的悬崖，有 40°～60°的荒坡，也有少量 25°～35°的耕地。其坡陡沟深，遇水易融是造成暴雨紊流侵蚀的重要原因。

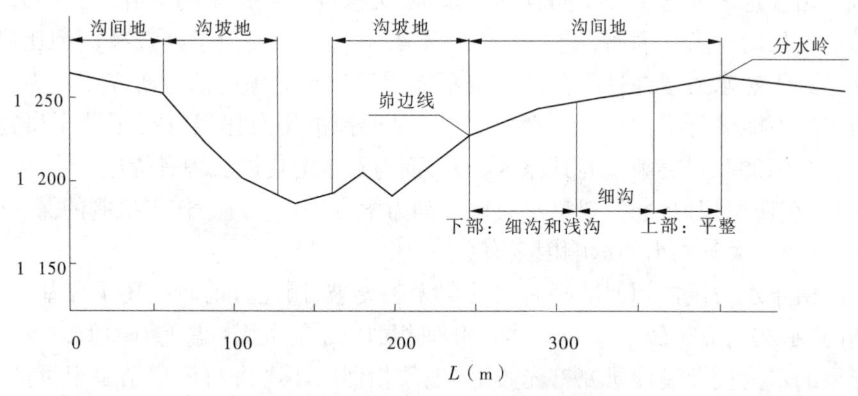

图 4-50 康家圪塄小流域横断面图

土壤水力侵蚀过程主要是外营力分散和输移泥沙的过程，在沟间地的范围内，侵蚀作用力主要是雨滴击溅和水流冲刷。由于黄土土质疏松，多柱状孔隙，抗冲能力极低，降雨以后，通过雨滴击溅作用，相对极限含沙量可以达到 510～690kg/m³。

沟谷地的沟坡区坡度很陡，水流汇入本区以后，除发生水力侵蚀外，还会发生强烈的重力侵蚀。在沟坡区坡面上一般都形成固定的切沟。切沟与切沟之间通常以跌水的形式连接，跌坎有的深几米，也有达十几米的。由于水流强烈淘刷，经常会发生崩塌、滑坡和沟头后退的现象。从峁坡区下泄的水流，经过沟坡区后，沙量从水力及重力侵蚀中得到新的补给，最大含沙量可达 1 000kg/m³左右。

降雨以后，雨滴以很大的能量冲击地表，使土团分散，土粒溅到空中，并使地表薄层水流产生强烈紊动，增加了水流的挟沙能力，形成溅蚀和片蚀。薄层水流沿坡面运动汇集成股流，将坡面冲刷成细沟，若干细沟袭夺兼并，汇集足够水量，产生强烈冲刷力形成浅沟；细沟和浅沟水流进一步汇集，产生强烈的下切作用，形成切沟；切沟进一步发育，形成冲沟；在接纳多条冲沟水流之后，形成坳沟进而发展成属于古老沟谷类的河沟，从而完成黄土高原小流域的沟道汇流过程。由于暴雨击溅和沟坡陡峻等因素，致使水流紊动强烈，侵蚀沟坡水流挟沙能力较大，因而水流多为紊流[73]。

（三）黄土高原小流域降雨径流模拟相似的特征

相似这一概念，最早是伴随几何形态的相似而产生的。如平面几何中的相似三角形，立体几何中的相似锥体，建筑物的模型等。一般说来，这种相似仅限于静态的几何相似，属性比较简单，也比较容易做到。这里所讲的相似，是指物质系统的机械运动相似，除要求静态相似外，还要求动态相似；除要求形式相似外，还要求内容相似。因此，属性比较复杂，也比较难以做到。

在论述黄土高原地表径流相似现象的属性时，首先从各个不同侧面阐明相似现象的相似特征。

小流域地表径流模拟试验所研究的物理现象属于机械运动的范畴，因此和原型相似的模型，必然满足几何相似、运动相似和动力相似[58]。几何相似要求模型与原型的几何形态相似：即模型与原型中的任何相应的线性长度，必然具有同一比例；运动相似要求模型与原型的运动状态相似，模型与原型中任何相应点的速度、加速度等必然相互平行且具有同一比例；动力相似要求模型与原型的作用力相似，模型与原型中作用于任何相应点的力必然相互平行且具有同一比例。

相似现象的上述三个方面相似是一个统一的整体，是不可分割的。从实用观点来看，几何相似中长度比尺 λ_l 是设计模型的重要参数；运动相似的流速比尺 λ_u 是检验模型相似性和根据模型试验结果推算原型的重要依据；动力相似则是模型设计的主要出发点，三者不可偏废。从理论观点来看，这三个方面刚好完整地表征包括三个基本因次（长度、时间、力或质量）的三个独立的基本物理量，利用它们不同方次组合的无因次综合体，可以描述或量度流体机械运动所遇到的任何物理量，同样利用表征这三个方面的相似比尺，可以组合成如下将要阐明的降雨径流运动的任何比尺关系式，因而三者不可偏废。除以上这三个相似特征之外，其他的相似特征，如能量或动量相似特征，都可以通过这三个相似特征表征出来。

（四）黄土高原小流域水力侵蚀模拟相似的比尺分析[58]

1. 降雨及坡面水流运动相似

利用圣维南方程组(4-1)、(4-2)，对于正态模型，如果假设几何相似得到保证，即

$$\lambda_x = \lambda_y = \lambda_z = \lambda_l = \frac{l_y}{l_m} \tag{4-52}$$

式中：λ_x、λ_y、λ_z 分别为 x、y、z 三个方向的几何比尺；l_y 表示原型线段长度；l_m 表示模型线段长度，表示线段比例系数(以下不同物理量角标示意类同)。

将这一方程用于原型，并将原型的有关物理量用比尺转化成相应的模型物理量，即取

$$x_y = \lambda_l x_m,\quad y_y = \lambda_l y_m,\quad z_y = \lambda_l z_m, v_y = \lambda_v v_m$$

对式(4-1)进行相似变换得：

$$\frac{\lambda_v \lambda_l}{\lambda_l}\left[\frac{\partial(vy)}{\partial x}\right]_m + \frac{\lambda_l}{\lambda_t}\left(\frac{\partial y}{\partial t}\right)_m = \lambda_i i(x,t)_m - \lambda_f f(x,t)_m - \lambda_r r(x,t)_m$$

两边同除以$\frac{\lambda_l}{\lambda_t}$得：

$$\frac{\lambda_v \lambda_t}{\lambda_l}\left[\frac{\partial(vy)}{\partial x}\right]_m + \left(\frac{\partial y}{\partial t}\right)_m = \frac{\lambda_t}{\lambda_l}\lambda_i i(x,t)_m - \frac{\lambda_t}{\lambda_l}\lambda_f f(x,t)_m = \frac{\lambda_t}{\lambda_l}\lambda_r r(x,t)_m$$

根据相似第一定理，相似的物理现象应当被相同的物理方程所描述，即应有：

$$\frac{\lambda_t \lambda_v}{\lambda_l} = \frac{\lambda_t \lambda_i}{\lambda_l} = \frac{\lambda_t \lambda_f}{\lambda_l} = \frac{\lambda_t \lambda_r}{\lambda_l} = 1 \tag{4-53}$$

$$\lambda_v = \lambda_i = \lambda_f = \lambda_r = \frac{\lambda_l}{\lambda_t} \tag{4-54}$$

即对于小流域来讲，为满足降雨径流调控需要，流速、降雨强度、入渗强度及净雨强度服从同一比尺。

同理，对式(4-2)进行变换有一般的阻力比尺：

$$\lambda_{S_F} = 1 \tag{4-55}$$

即正态模型坡面流阻力比尺等于1。

2.沟道水流运动

在黄土高原，小流域土壤侵蚀发育，每遇暴雨，水沙俱下。暴雨为产流产沙的主要原因。在坡面及沟道汇流过程中，紊流得到充分发展。描述其运动可用三度紊动水流的时均微分方程式即雷诺方程进行分析。

与坡面降雨径流相类似，对前所述三维紊动水流的时均微分方程进行与前类似的相似变换，可得比尺关系及相似准则：

$$\frac{\lambda_t \lambda_u}{\lambda_l} = 1 \text{ 或 } \frac{tu}{l} = \text{const} \tag{4-56}$$

$$\frac{\lambda_u^2}{\lambda_g \lambda_l} = 1 \text{ 或 } Fr = \frac{u^2}{gl} = \text{const} \tag{4-57}$$

$$\frac{\lambda_p}{\lambda_\rho \lambda_u^2} = 1 \text{ 或 } Eu = \frac{p}{\rho u^2} = \text{const} \tag{4-58}$$

$$\frac{\lambda_u \lambda_l}{\lambda_v} = 1 \text{ 或 } Re = \frac{ul}{v} = \text{const} \tag{4-59}$$

$$\frac{\lambda_u^2}{\lambda_{u'}^2} = 1 \text{ 或} \frac{u^2}{u'^2} = \text{const} \tag{4-60}$$

比尺关系式(4-56)实质上反映了水流连续条件相似的要求,与降雨径流比尺关系式(4-54)相比,不增加另外的比尺。

比尺关系式(4-57)表示原型与模型惯性力之比等于重力之比,相应的相似准则即所谓的佛汝德数,因此这个相似率又称为佛汝德相似率。由于惯性力重力都是决定小流域地表径流运动很重要的力,这个相似率就是小流域水力模型中重要的相似率。

比尺关系式(4-58)表示原型与模型惯性力之比等于压力之比,相应的相似准则即所谓的欧拉数,因此这个相似率又称为欧拉相似率。它与佛汝德相似率存在内在联系,可以相互转化,不构成独立的新比尺。

比尺关系式(4-59)表示原型与模型惯性力之比等于黏滞力之比,相应的相似准则即所谓雷诺数,因此这个相似数又称为雷诺相似率。由于沟道水流一般均为紊流,而紊流中黏滞力的作用比较小,这个相似率在模型中一般并不要求严格满足,而事实上也无法严格满足。联解式(4-57)和式(4-59)这两个关系式,消去 λ_u,可得

$$\lambda_l = \frac{\lambda_v^{2/3}}{\lambda_g^{1/3}} \tag{4-61}$$

由上式甚易看出,$\lambda_l = 1$,也就是说,模型的大小必须和原型一样才能相似,这就完全失去了做模型的意义。

比尺关系式(4-60)表示原型与模型由时均流速产生的惯性力之比,等于由脉动流速产生的惯性力之比,因此也可看成时均流速的平方之比等于脉动流速的脉动矩之比。因此,这个相似率又可以称为紊动相似率,这是问题的一方面。问题的另一方面,脉动惯性力就是所谓的紊动剪力,它和黏滞剪力一样,对水流运动起着阻力作用。因此,这个比尺关系式也可以表示惯性力之比等于紊动阻力之比,当黏滞力可以忽略不计时,就是惯性力之比等于阻力之比。当然,从一般性的水流运动方程式是导不出阻力相似的比尺关系式的。正像解微分方程式时必须有确定的边界条件一样,和边界条件密切相关的阻力相似的比尺关系式,只能是在每一个具体情况下,由微分方程式的边界条件

导出。事实上,坡面沟道水流床面边界条件为,当 $y=0$ 时,

$$\tau = \tau_0 = \frac{f}{4}\rho\frac{U^2}{2} \tag{4-62}$$

式中:τ 为床面紊动剪力;f 为床面阻力系数;U 为垂线平均流速,由此可导出比尺关系式

$$\lambda_\tau = \lambda_{\tau_0} = \lambda_f\lambda_\rho\lambda_U^2 \tag{4-63}$$

而三度水流当 x 轴与水流方向一致时,在 xz 平面上沿水流方向的单位面积的紊动剪力应为:

$$\tau = \tau_{xz} = -\rho\overline{u'v'} \tag{4-64}$$

写成比尺关系式应为:

$$\lambda_\tau = \lambda_{\tau_{xz}} = \lambda_\rho\lambda_{u'}^2 \tag{4-65}$$

其实,不但上述特定紊动剪力的比尺关系如此,对于正态模型来说,由于 $\lambda_{u'}=\lambda_{v'}=\lambda_{w'}$,任何平面上沿任何方向上的单位面积的紊动剪力的比尺关系式都是如此。考虑到式(4-63)、式(4-65)存在的比尺关系,并取垂线平均流速比尺,$\lambda_U=\lambda_u$ 可得:

$$\lambda_{u'}^2 = \lambda_f\lambda_u^2 \tag{4-66}$$

代入式(4-60)即得:

$$\frac{\lambda_u^2}{\lambda_f\lambda_u^2} = \frac{1}{\lambda_f} = 1 \text{ 或 } \lambda_f = 1 \tag{4-67}$$

也就是说,要满足紊动相似或惯性力阻力比相似,正态模型阻力系数的比尺 λ_f 必须等于1,式(4-67)与式(4-55)比较不增加新的比尺。由于天然小流域有关糙率系数 n 的资料比较丰富,为衡量阻力相似,可通过阻力公式

$$U = \sqrt{\frac{8g}{f}}\sqrt{RJ} \tag{4-68}$$

$$U = \frac{R^{1/6}}{n}\sqrt{RJ} \tag{4-69}$$

通过比尺变换联解式(4-67)容易得:

$$\lambda_n = \lambda_l^{1/6} \tag{4-70}$$

上述水流连续相似式(4-56)、惯性力重力比相似式(4-57)及惯性力阻力比相似式(4-67)或式(4-70)即为正态小流域地表径流沟道水流相似所遵循的比尺表达式。

3.侵蚀输沙运动

1)悬移相似

如前分析,黄土高原小流域侵蚀输沙,悬移质一般情况下占主体,对于正态模型,对悬移质运动的三度扩散方程进行比尺变化有:

$$\frac{\lambda_t \lambda_\omega}{\lambda_l} = 1 \tag{4-71}$$

$$\frac{\lambda_u}{\lambda_\omega} = 1 \tag{4-72}$$

$$\frac{\lambda_{\varepsilon_{sx}}}{\lambda_l \lambda_u} = \frac{\lambda_{\varepsilon_{sy}}}{\lambda_l \lambda_\omega} = \frac{\lambda_{\varepsilon_{sz}}}{\lambda_l \lambda_\omega} = \frac{\lambda_{\varepsilon_s}}{\lambda_l \lambda_\omega} = 1 \tag{4-73}$$

式(4-71)表示含沙量因时变化与由重力沉降引起的进出沙量变化比相等,在满足式(4-72)的条件下,它与式(4-54)一致,因而不增加新的比尺关系式。式(4-72)表示由时均流速及重力沉降引起的进出沙量变化比相等,一般称时均流速悬移及重力沉降比相似。式(4-73)表示由紊动扩散及重力沉降引起的进出沙量变化比相等。泥沙紊动扩散系数按照一般作法可取其与水流紊动量扩散系数相等。但由于三度水流的紊动动量扩散系数的表达式不是很清楚,使得进一步展开式(4-73)从而找到便于控制的比尺关系遇到困难。对于二维均匀流来说,它的表达式可从卡尔曼—勃兰德尔流速分布公式导出如下:

$$\varepsilon_s \approx \varepsilon = \kappa u_* (1 - \frac{y}{h}) y \tag{4-74}$$

因而

$$\lambda_{\varepsilon_s} = \lambda_\varepsilon = \lambda_\kappa \lambda_{u*} \lambda_l \tag{4-75}$$

取 $\lambda_\kappa = 1$,将所得结果代入式(4-75)中,即得

$$\frac{\lambda_{u*}}{\lambda_u} = 1 \tag{4-76}$$

式中:ε_{sx}、ε_{xy}、ε_{sz}分别为含沙水流在x、y、z 方向的紊动扩散系数,ε 为清水水流紊动扩散系数。

上面的论述清楚阐明了式(4-72)、式(4-73)的物理意义。显然,要保证泥沙的悬浮相似,由时均流速、紊动扩散、重力沉降引起的进出单位水体的沙量变化必须各个相等,亦即式(4-72)、式(4-73)应同时满足。对于正态模型来说,在满足惯性力、阻力、重力比相似条件下:

$$\lambda_u = \lambda_{u*} = \lambda_l^{1/2} \tag{4-77}$$

即式(4-72)、式(4-73)将统一成一个比尺关系。因此,对于正态模型,悬移相似应该满足的相似条件为:

$$\lambda_u = \lambda_{u*} = \lambda_\omega = \lambda_l^{1/2} \tag{4-78}$$

2)起动相似

对黄土高原小流域暴雨径流侵蚀产沙强烈,因此床面补给条件也应相似,即要求原型暴雨径流超过下垫面土壤起动流速,有可能从床面得到泥沙补给时,模型流速也超过床沙起动流速,同样有可能从床面得到泥沙补给。起动相似条件要求起动流速比尺 λ_{u_c} 与流速比尺 λ_u 相等,即

$$\lambda_{u_c} = \lambda_u \tag{4-79}$$

3)挟沙相似

小流域模型悬沙运动相似必须解决的另一个问题是,进入沟道河段的输沙率模型必须与原型相似,这就涉及到一个含沙量比尺问题。这个比尺可通过悬移质扩散方程的床面边界条件加以确定。后者可以写为

$$\varepsilon_s \frac{\partial s}{\partial y_{y=0}} = -\omega s_{b*} \tag{4-80}$$

式中:s_{b*} 为床面饱和含沙量。这就是说,在床面处,由于含沙量梯度而引起的泥沙向上扩散量,等于饱和挟沙情况下,由于重力作用而引起的泥沙向下沉降量。由于具有一定沉速的河底饱和含沙量为定值,故床面的向上扩散量 $\varepsilon_s \frac{\partial s}{\partial y_{y=0}}$ 亦为定值,亦即床面的向上扩散量仅与水流条件有关。由这个边界条件可以导出的比尺关系为

$$\frac{\lambda_{\varepsilon_s}\lambda_{s_b}}{\lambda_\omega\lambda_h\lambda_{s_{b*}}} = 1 \tag{4-81}$$

考虑到式(4-73)

$$\frac{\lambda_{\varepsilon_s}}{\lambda_\omega\lambda_h} = 1$$

应有

$$\frac{\lambda_s}{\lambda_{s*}} = 1 \tag{4-82}$$

亦即含沙量比尺应与水流挟沙能力比尺相等。实际上这两个比尺相等,也可从挟沙水流的冲、淤平衡条件直观地看出来。显然,只有这两个比尺相等,原型处于输沙平衡状态时,模型也相应处于输沙平衡状态;原型处于冲、淤状态

时,模型相应处于冲淤状态。

4)侵蚀变形相似

侵蚀泥沙运动相似中必须解决的另一个问题是,模型所反映出的下垫面变形应当与原型相似。这一点在许多情况下实际上正是模型试验所达到的目的。这里主要是涉及到一个时间比尺问题。

由河床变形相似

$$\frac{\partial Qs}{\partial x} + \gamma' B \frac{\partial y}{\partial t} = 0 \tag{4-83}$$

考虑满足惯性力重力比相似,得到冲淤时间比尺为:

$$\lambda_{t'} = \frac{\lambda_l}{\lambda_u}\frac{\lambda_{\gamma'}}{\lambda_s} = \frac{\lambda_{\gamma'}}{\lambda_s}\lambda_t \tag{4-84}$$

式中:$\lambda_{t'}$ 为冲淤变形时间比尺;$\lambda_{\gamma'}$ 为泥沙干容重比尺。

从严格满足水流运动和河床冲淤变形相似两方面来讲,模型设计应该做到水流运动时间比尺 λ_t 和河床冲淤变形时间比尺 $\lambda_{t'}$ 相等。一般河工模型中,特别是模拟高含沙水流运动的模型中,往往很难做到这一点。在模型试验中,通常的做法是:采用河床冲淤变形时间比尺为模型的时间比尺,在保证模型冲淤相似的前提下,尽量做到两个时间比尺接近,以减少水流过程变形对模型的影响。而降雨试验寻求的是降雨的当量过程,恰恰可以容许水流时间比尺可以有较大偏离。由于含沙量比尺由验证试验确定,相应的时间比尺最终也是由验证试验确定的。

4. 降雨入渗相似

由土壤水运动基本方程:

$$\frac{\partial(\rho\theta)}{\partial t} + \frac{\partial(\rho V_x)}{\partial x} + \frac{\partial(\rho V_y)}{\partial y} + \frac{\partial(\rho V_z)}{\partial z} = 0 \tag{4-85}$$

式中:ρ 为水的密度;V_x、V_y、V_z 分别为 x、y、z 方向的平均流速(非水质点的运动速度);θ 为土壤的含水量。

引入相似变换后,在满足水流相似后,容易得

$$\lambda_\theta = 1 \tag{4-86}$$

即要求模型含水量与原型含水量相等。

四、原型流域的选择

利用室内小流域模型研究小流域水力侵蚀运动,其本质是通过室内模拟试验,预测实际流域降雨径流侵蚀泥沙来源,优化治理措施,通过合理调控,控

制水土流失，达到小流域水土资源高效利用的目的。模拟试验要达到定量预测，模型与原型就必须相似，这要求模型除了必须满足正确的相似比尺要求外，设计理论还必须正确，更重要的是，还必须得到原型资料的验证。

但是，由于农业工程方面水力侵蚀模拟试验受模拟相似理论、设计理论等条件限制，模型相似的验证问题一直是国内外研究的难点。在国外，Mamisao在研究农业流域土地利用影响时，提出了模拟流域特性试验的动力相似问题[42]，但检验结果表明，模型响应过快，总径流量估计值偏高；Chery、Grace和Eagleson等在模型检验方面同样都没有取得满意的结果[44,45]；周文德等在美国Illonois大学进行了大量的室内水文试验，其理论依据同样是系统响应相似[43]，避开了结论由模型向原型转换的问题。国内朱咸[61]及蒋定生[62]等从不同角度对小流域水力侵蚀进行模拟，基本上是从假定现象相似或者系统响应出发，不涉及模型向原型转换的问题。

本节基于对模拟试验新的认识，依据前述的小流域模拟试验理论，选择黄土高原延安燕沟康家圪塄小流域为原型对模拟设计理论进行检验和验证[57]。该小流域原型具有一般小流域的产沙特点，同时有较丰富的实测资料以供对比。

燕沟流域（见图4-51）位于延安市南3km，东经109°20′～109°35′，北纬36°21′～36°32′，属黄土高原丘陵沟壑区第Ⅱ副区。多年平均降水量549.9mm，95%保证率降水360mm，80%保证率降水440mm，75%保证率降水462mm，其中春季（3～5月）降水占16.7%，夏季（6～8月）降水占54.6%，秋季（9～11月）降水占26.4%，冬季（12～次年2月）降水占2.2%。流域面积47km^2，主沟长8.6km，流域内梁峁起伏，沟壑纵横，地形复杂，土地类型多样。流域水土流失面积35.7km^2，占总面积的76%，土壤侵蚀模数为9 000 t/(km^2·a)，属于强度水土流失类型区。

模拟的康家圪塄沟头小流域面积为0.341 7km^2，沟壑密度3～4km/km^2，流域长度0.903km，流域最大宽度0.723km，平均宽度0.52km，流域形状系数0.52，高差189.7m。该小流域土壤侵蚀自成系统，生态经济系统适于调控。根据调查，这里的土壤侵蚀主要由暴雨产生，降雨发生雨滴击溅侵蚀；产流以后在分水岭地区形成片流，发生片蚀；分水岭以下坡面片流汇集成散流，进行细沟和浅沟侵蚀，并开始出现重力侵蚀和潜蚀（或者称为洞穴侵蚀），至谷底散流转变成紊流，发生沟道侵蚀，形成完整的水土流失过程，从而在流域内形成了完整的水土流失体系，因此，选择该小流域作为模拟流域，并于2003年7月对该流域进行测量，绘制了1∶1 000地形图供模型试验使用。

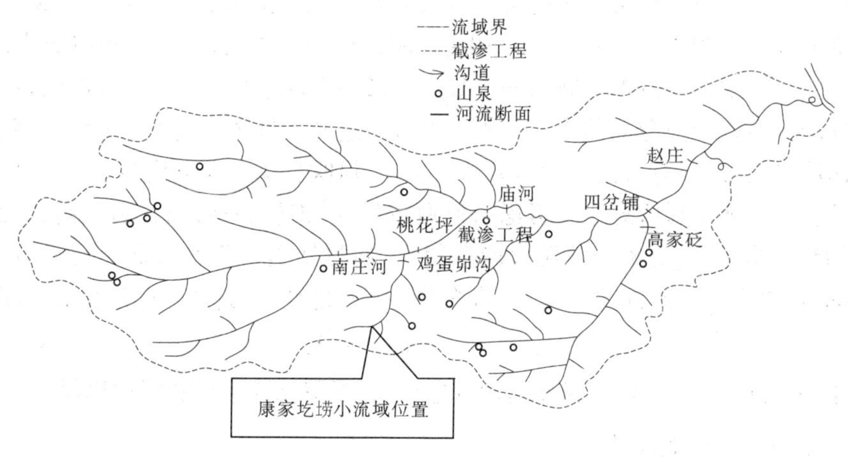

图 4-51 燕沟流域图

五、黄土高原小流域降雨径流模型设计[57]

本模型设计的思路是,先根据现有条件,在满足小流域模型侵蚀产沙悬移运动相似条件下,初步选定模型几何比尺,再校核起动冲刷相似,从而选择下垫面的组成。根据分析,得到小流域降雨径流模型相似比尺。

(一)比尺设计

(1)几何相似。即:

$$\lambda_x = \lambda_y = \lambda_z = \lambda_l \tag{4-87}$$

式中:λ_x、λ_y、λ_z、λ_l 为几何相似比尺。

(2)降雨径流相似。即

$$\lambda_i = \lambda_l^{1/2} \tag{4-88}$$

式中:λ_i 为雨强相似比尺。

(3)水流运动相似。

水流惯性重力比相似 $$\lambda_u = \lambda_l^{1/2} \tag{4-89}$$

水流惯性阻力比相似 $$\lambda_f = 1 \text{ 或 } \lambda_n = \lambda_l^{1/6} \tag{4-90}$$

水流连续相似 $$\lambda_Q = \lambda_l^{5/2} \tag{4-91}$$

水流时间比尺 $$\lambda_t = \lambda_l^{1/2} \tag{4-92}$$

式中:λ_u、λ_f、λ_n、λ_Q、λ_t 分别为流速比尺、阻力比尺、糙率比尺、流量比尺和水流时间比尺。

(4)床面侵蚀产沙及泥沙运动相似。土壤由固体、液体及气体三相组成,不同直径的土壤颗粒是土壤的主要组成成分,也是侵蚀搬运土壤的主要物质。总结前人大量的研究成果,依据降雨、径流侵蚀的动力机制,我们可将黄土高原小流域降雨径流侵蚀分解为两个独立而又相互联系的亚过程[68],即土粒与土体的分离以及被分离的土粒经搬运而流失这样一种物理过程。所谓分离除了雨滴击溅外,还有其他外营力如冰雪消融、风吹日晒及人畜践踏等。大尺度自然搬运形式除风吹外主要考虑水流通过悬浮、推移搬运,而在黄土高原,暴雨相对土壤来说,击溅分散泥沙能量很大,通过暴雨击溅水流泥沙含量可达 $400kg/m^3$[12]。因此,侵蚀产沙运动首先应该满足悬浮、起动及挟沙相似。即:

$$\lambda_u = \lambda_{u_c} = \lambda_{u*} = \lambda_\omega \tag{4-93}$$

式中:λ_{u_c}、λ_{u*}、λ_ω 分别为泥沙起动流速比尺、摩阻流速比尺和沉速比尺。

土壤悬浮相似问题:

土壤悬移相似条件在有悬移质的动床模型试验中,主要用来控制对模型床沙的选择。燕沟泥沙较细,中值粒径为 0.025mm 左右,98% 泥沙小于 0.1mm,可选 STORKS 滞流区的静水沉降公式:

$$\omega = 0.039 \frac{\rho_s - \rho}{\rho} g \frac{d^2}{v}$$

式中:ω、ρ_s、ρ、g、d、v 分别为泥沙沉速、泥沙容重、水的容重、重力加速度、粒径及水动力黏滞系数,单位采用标准国际单位制。写成比尺关系式应为:

$$\frac{\lambda_\omega \lambda_v}{\lambda_{\frac{\rho_s - \rho}{\rho}} \lambda_d^2} = 1 \tag{4-94}$$

考虑悬浮相似及惯性重力比相似有:

$$\lambda_d = \frac{\lambda_l^{1/4} \lambda_v^{1/2}}{\lambda_{\frac{\rho_s - \rho}{\rho}}^{1/2}} \tag{4-95}$$

式中:λ_ω 为悬沙颗粒沉速比尺;$\lambda_{\frac{\rho_s - \rho}{\rho}}$ 为泥沙颗粒的浮重比尺。

采用原型沙,几何比尺为 100,则 $\lambda_d = 3.16$。$d_{m50} = \frac{0.025}{3.16} = 0.008(mm)$。式(4-95)为模型选沙依据。图 4-52 为燕沟康家圪塄小流域模型当选择天然土为模型沙,且比尺为 100 时根据原型沙求得模型沙级配及实际应用模型土壤级配。

起动相似要求:

$$\lambda_{u_c} = \lambda_u \tag{4-96}$$

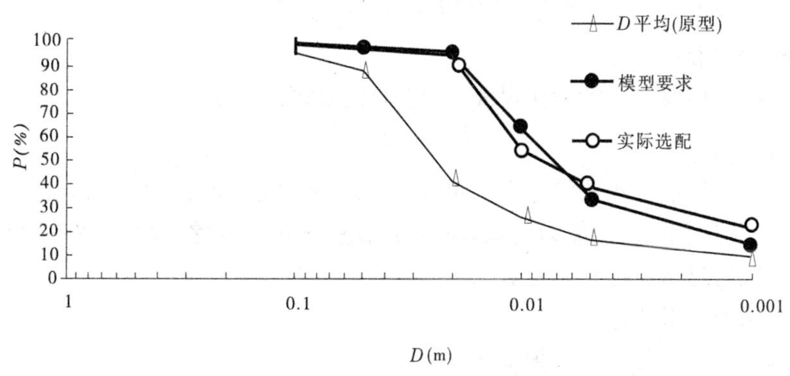

图 4-52　模型与原型土壤颗粒组成曲线

雨滴撞击土壤分离土粒，土粒随水流运动，首先必须得到起动。黄土高原小流域土壤在暴雨条件下起动与河流泥沙起动机理不同。河流泥沙是泥沙在水流作用下运动，而黄土高原侵蚀泥沙是表层土壤在暴雨径流作用下起动、推移和悬浮。首先，在黄土高原的表层土壤，受到冰雪冻融交替、风吹日晒、人畜践踏等外营力作用已很疏松，十分容易起动；其次，在暴雨猛烈击溅下，土壤分散溅起或随水浮游前进。在雨滴击溅和径流作用情况下起动资料很少，根据 Hazen 坡面流资料[69]点绘起动流速与土壤粒径关系见图 4-53。

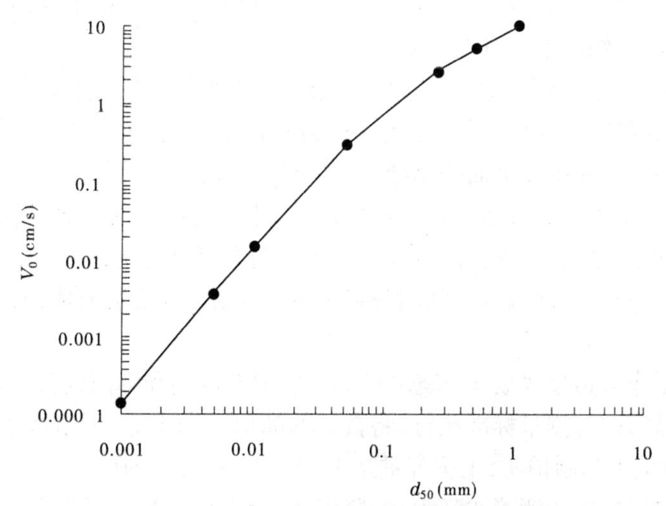

图 4-53　Hazen 起动流速与粒径关系曲线

根据 Hazen 资料，点绘坡面流条件下流速与粒径关系，查出原型 d_{50} = 0.025mm，起动流速为 0.08cm/s，模型 d_{50} = 0.007 59mm，起动流速为

0.008cm/s，$\lambda_{u_c}=0.08/0.0083\approx10$，满足相似要求。

挟沙相似：

挟沙相似要求含沙量比尺 λ_s 应与水流挟沙能力比尺 λ_{s*} 相等。即

$$\lambda_s = \lambda_{s*} \tag{4-97}$$

由于到目前为止还没有十分可靠的水流挟沙能力公式可供计算，特别是在高含沙情况下，挟沙能力公式计算更需试验率定。因此，含沙量和挟沙能力比尺一般通过试验进行率定。

沟床面变形相似：

沟床面变形相似比尺为

$$\lambda_{t'} = \frac{\lambda_l}{\lambda_u}\frac{\lambda_{r_0}}{\lambda_s} = \frac{\lambda_{\gamma'}}{\lambda_s}\lambda_t \tag{4-98}$$

式中：$\lambda_{t'}$ 为冲淤时间比尺；$\lambda_{\gamma'}$ 为泥沙干容重比尺。由于在模型中难以做到床面变形时间比尺与水流时间比尺一致，考虑到小流域模拟试验过程是一当量侵蚀过程，因此在模拟试验中以床面变形时间比尺为主。

（二）模型的建造

模型建在中国科学院水利部水土保持研究所节水博览园。小流域模型建造程序包括准备工作、内业工作和外业工作等。准备工作包括地形图收集、所需材料种类和数量的确定和购置、不同阶段劳动力的安排、施工仪器和工具的准备等，做出详细的施工进度计划。

内业工作包括图纸选定、平面控制、断面选择等。为了便于进行调控对比，采用流域没有治理前陕西省测绘局1974年版1/5 000测绘图进行地形图的平面控制。首先布设平面控制导线网，导线位置在地形图上确定后，要将导线点的方位、距离列成表格资料供放样使用；然后确定控制断面，断面间距以模型15～60cm按节点控制；断面确定后，按每个断面与导线相交的位置、断面点的起点距和相应的高程列成表格，作为模板制作和安装的依据；最后进行断面绘裁等。

外业工作包括导线放样、模型断面安装、模型刮制和降雨设备安装等。导线放样按国家四等测量标准执行，将裁好的断面板固定好，下填沙子，距床面10cm，铺模型土刮制拍实，土壤容重达1.05～1.3g/cm^3 即可。

降雨采用便携式侧喷式降雨机，降雨喷头距地面8m，45°仰角喷散，均匀度控制在80%以上，由变频器控制压力，试验前率定压力雨强曲线，以便试验时采用。制作好的模型见图4-54。

图 4-54　燕沟康家圪塄小流域 1∶100 模型

(三)降雨的当量过程与含沙量试验比尺选择

1.降雨的当量过程

就不同的应用目的,降雨分有效降雨和无效降雨。就水土资源应用来讲,调控降雨径流的目的在于减轻水力侵蚀以使水土资源高效利用。黄土高原并非所有降雨都会产生降雨径流侵蚀,故把能分散和搬运泥沙的降雨定义为侵蚀性降雨,或者针对径流侵蚀而言的有效降雨。如果把年侵蚀模数达到 1t/(km^2·a)降雨作为侵蚀性降雨标准。据研究[70],黄土高原中北部地区年平均可蚀性降雨 140～150mm,平均侵蚀次数 5～7 次。根据燕沟近几年的观测资料,该结论是符合燕沟的实际情况的。例如,燕沟 1998～1999 年年平均降雨分别为 571.1mm 和 494.6mm,分别出现侵蚀性降雨次数 7 次和 6 次,平均侵蚀性降雨量为 141mm。

根据综合分析,对原型采取年侵蚀量 W_y 为 8 000～9 000t/(km^2·a),侵蚀平均雨强取 70%保证率的原型 30min 雨强(见图 4-55)$I_y = 1.14$mm/min,平均侵蚀降雨时间 $T_y = P_y / I_y = 150/1.14 \approx 131.6$min。模型雨强 $I_m = 0.114$mm/min,平均侵蚀时间试验采取 $T_m = T_y / \lambda_{t1} = 131.6/3.3 \approx 40$(min)

进行验证试验。

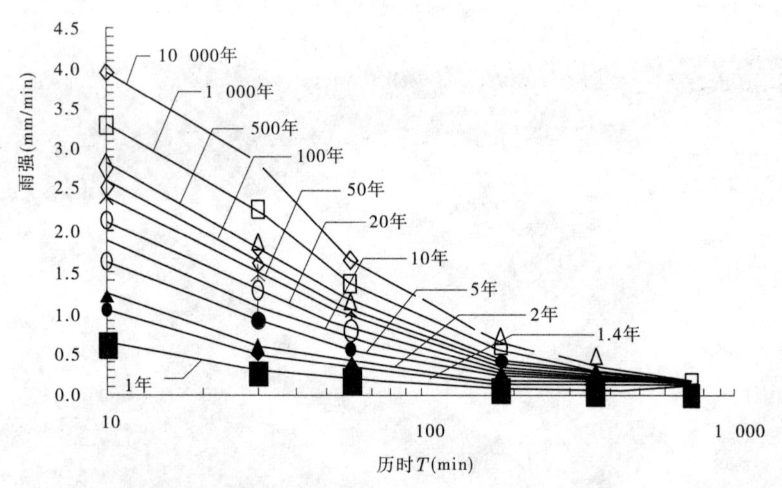

图 4-55 燕沟雨强、重现期、历时相关图

2. 预备试验及模拟试验比尺

基于上述试验设计,我们制作了燕沟康家圪塄小流域模型,通过预备降雨产流试验,确定含沙量比尺为 $\lambda_s = 3$,这样得到小流域模型试验的相似比尺见表 4-47。

六、小流域模型验证试验

(一)降雨相似验证

作为模型输入的第一个边界条件相似的是降雨相似。降雨相似包括雨强相似和雨谱相似。由于降雨侵蚀力与雨强成正比,雨强相似特别是最大 30 min 雨强相似在一定程度上满足了降雨侵蚀力相似对降雨的要求,同时为径流量相似创造必要条件。降雨雨强相似可在试验中通过变频控制达到。雨谱相似主要保证单位面积模型土壤受到降雨击溅所产生的松动泥沙量相似,而雨强相似在一定程度上满足了侵蚀力相似的要求。受到降雨击溅作用的泥沙一旦松动,便可能在降雨径流作用下起动悬浮。

基于此目的,试验以保证雨强相似为主,同时测得在该雨强下的雨谱,验证该雨强下代表雨径能否松动模型泥沙。如果该雨强能松动模型泥沙,便认为降雨侵蚀力自动相似。

窦国仁在研究颗粒黏结力时,给出黏结力关系式为[71]:

表 4-47　模型主要比尺一览

名称		比尺符号	比尺值	备注
几何相似	平面比尺	λ_l	100	正态
	垂直比尺	λ_h	100	
降雨相似	雨强比尺	$\lambda_i = \lambda_v = \lambda_l^{1/2}$	10	
	降雨量比尺	$\lambda_P = \lambda_l \lambda_{t_1}$	33.3	
	降雨时间比尺	λ_{t1}	3.3	
水流运动相似	流速比尺	$\lambda_v = \lambda_l^{1/2}$	10	
	流量比尺	$\lambda_Q = \lambda_l^{5/2}$	100 000	
	糙率比尺	$\lambda_n = \lambda_l^{1/6}$	1.47	
	水流时间比尺	$\lambda_{t1} = \lambda_l^{1/2}$	10	
侵蚀泥沙运动相似	悬移运动相似	$\lambda_d = \frac{\lambda_l^{1/4}\lambda_v^{1/2}}{\lambda^{1/2}_{\frac{\rho_s-\rho}{\rho}}}$	3.16	
	起动相似	$\lambda_v = \lambda_l^{1/2}$	10	
	含沙量比尺	λ_s	3	
	变形时间相似	$\lambda_{t'}$	3.3	
	输沙率比尺	λ_G	300 000	
土壤水相似	土壤含水量比尺	λ_θ	1	
	入渗率比尺	$\lambda_f = \lambda_v = \lambda_l^{1/2}$	10	

$$N = \varphi \frac{\pi}{2} \rho \varepsilon_k d$$

式中：$\varphi = \frac{1}{16}$为修正系数；ρ 为水的容重；$\varepsilon_k = 2.56\text{cm}^3/\text{s}^2$。当 $d = 0.002 \sim 0.05$mm，依据该公式计算，黏结力 $N = 0.000\ 02 \sim 0.000\ 5$g.cm/s^2。而试验雨滴直径在 0.5～2.0mm，打击力在 0.001 308～0.906 756 5g·cm/s^2，打击力远大于黏结力。事实上，本模型采用的模型沙颗粒多集中在不粗不细的粉沙粒(0.05～0.002mm 含量达 80%)，砂粒和黏粒都很少，加之试验前将其晒干碾碎磨细使用，有机质和黏粒含量较少，特别是由于雨滴的击溅作用，可基本保证土壤颗粒的分散性质。

(二)汇流验证

在保证下垫面土壤机械组成相似、降雨相似条件下，采用当量降雨过程进行试验。当量雨强过程模型与原型资料的对比见表 4-48，流量含沙量过程见

图 4-56,模型与原型土壤颗粒组成验证见图 4-57。

表 4-48　当量雨强过程模型与原型资料的对比

项目	雨强 (mm/min)	侵蚀性降雨量 (mm)	汇流时间 (h)	平均汇流速度 (m/s)	最大汇流量 (m^3/s)	年侵蚀量 (t/(km^2·a))
模型	0.114	5.1	0.3	0.84	5～6.39	2 900
原型	1.14	140～150	0.2	1.25	5～6.30	2 800～3 100

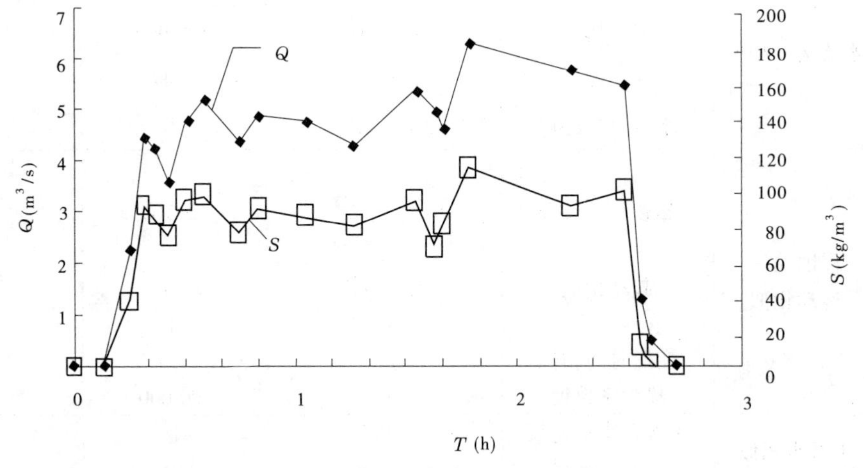

图 4-56　流量含沙量过程

由于小流域降雨洪水资料特别难以取得,加之模型流量为一当量过程,因此表 4-48 原型数值为延安地区水利水土保持局建议方法求得或调查取得值[72],表 4-48 表明,按上述比尺进行制作模型并进行试验,汇流时间、平均汇流速度、最大汇流量及平均年侵蚀量是接近的,模型能够反映原型的水力侵蚀情况。

(三)侵蚀产沙级配验证

图 4-57 是 2003 年 7 月 13 日暴雨后康家圪捞小流域所取得的不同部位淤沙级配与模型侵蚀泥沙的对比。原型暴雨最大 30min 降雨雨强 1.1 mm/min,与模型当量雨强相当。只是总雨量 19.7mm,较模型当量雨量小,持续时间短,故产沙较细,但与模型产沙级配差别不大,无论在定性定量上都是令人满意的。

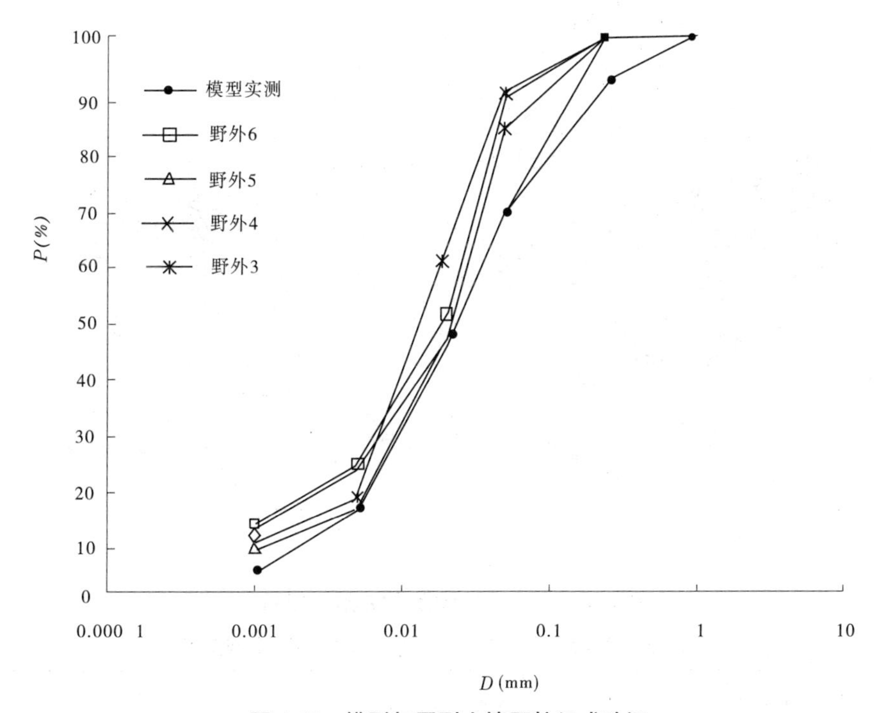

图 4-57　模型与原型土壤颗粒组成验证

七、小流域径流调控模拟试验研究[1]

基于上述,对康家圪塄小流域的径流调控进行初步试验,试验包括生物路水窖集流和水平梯田对康家圪塄小流域产流产沙的影响。为了进行对照,试验条件依然为:原型采取年侵蚀量为 2 900t/(km^2·a),平均雨强取百年一遇原型 30min 雨强 1.14mm/min,平均侵蚀降雨时间 132min。模型雨强 I_m = 0.114mm/min,平均试验时间采取 $T_m = T_y / \lambda_{t1}$ = 131.6/3.3≈40(min)进行验证。

(一)雨水集流工程对径流调控的作用

1. 工程概况

为了解决燕沟山上用水问题,在康家圪塄小流域山腰上修建了许多生物路和雨水集流水窖,根据 2003 年对康家圪塄小流域实测地形图(见图 4-58)量测和实地统计,在康家圪塄小流域修建生物路集流和水窖集流工程及人工集流场情况如表 4-49。

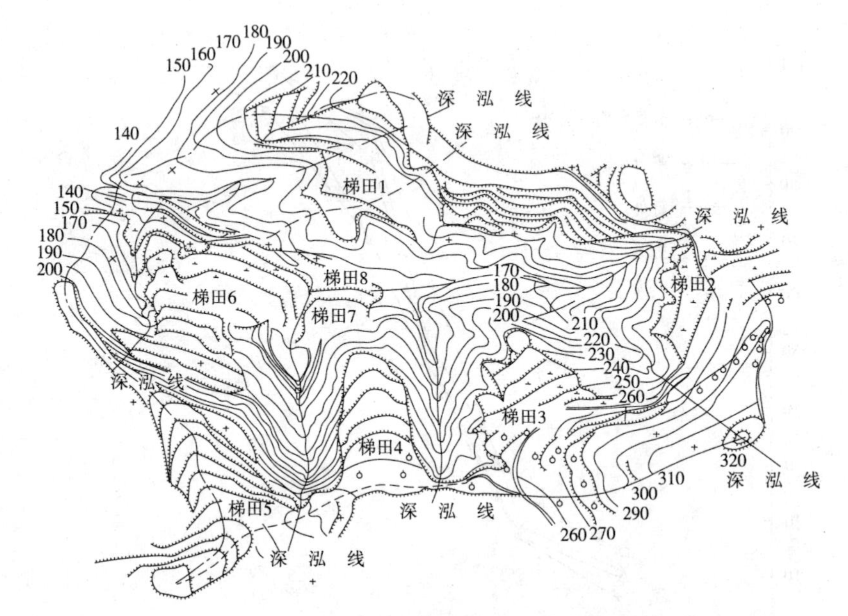

图 4-58　2003 年实测康家圪塄小流域图

表 4-49　康家圪塄小流域水窖集流与生物路集流工程

集流工程项目	位置	控制面积(m^2)	贮水方式	模型布置
原土夯实人工集流场	鸡蛋峁顶	2 000	水窖贮水和入渗	全部收集
植物路集流	鸡蛋峁山腰	9 000	水窖贮水和入渗	全部收集
植物路外流入	植物路以上	48 571	流入植物路收集	全部收集

2. 试验布置

为了研究上述雨水工程对产流产沙的影响,在模型上采用沿路以上径流全部收集的方式进行试验。用塑料布将雨水收集范围的全部雨水拦截,在降雨期间,收集模型降水 $0.027m^3$。

3. 试验结果分析

按上述方式将工程布设好,进行集流试验。试验依然用变频设备控制压力进行降雨,试验过程量测的要素为:含沙量、流量及典型断面的流速及汇流时间等。流量及含沙量过程线见图 4-59。

从图 4-59 可以看出,随着流量增大,含沙量也随之增大,在 0.5h 左右,出现洪峰,洪峰流量 $4.2m^3/s$ 左右,约 10min 后出现沙峰,随后,洪峰沙峰虽有起伏,但在洪峰平均流量 $4m^3/s$,沙峰平均含沙量 $90kg/m^3$ 左右波动。降雨结

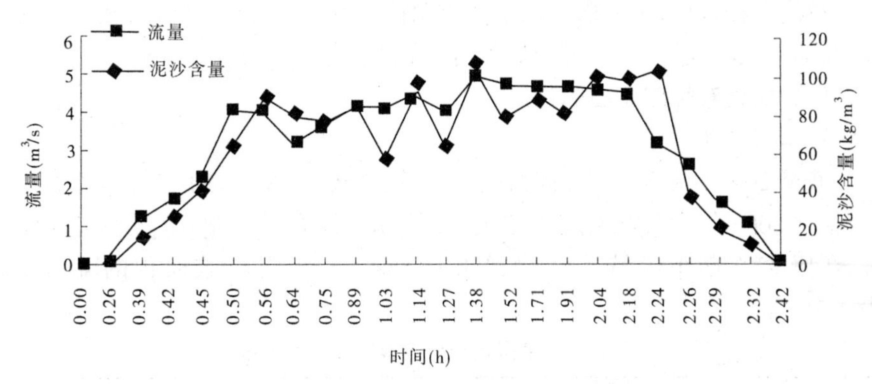

图 4-59　雨水集流对径流泥沙的调控作用变化过程

束，洪峰很快降落，沙峰持续 5min 左右后开始降落。

利用电解盐示踪法及红墨水示踪法测量结果，汇流时间出现在降雨开始 0.5h，与图 4-59 出现洪峰流量时间 0.56h 相比差别不大。

表 4-50 列出了雨水集流调控与验证对照试验在相同条件下的主要径流泥沙参数比较，结果表明：汇流时间、平均汇流速度、最大汇流量、平均径流量、最大侵蚀含沙量及总侵蚀量都有明显降低。由于在流域的上部布置大量的雨水集流工程，使得降雨径流总量直接变小。模型直接量测收集雨量为 $0.027m^3$，径流总量比尺为 330 000，换算到原型即减少原型水量 8 $964m^3$，出口与收集总和为 35 $432m^3$，与对照相比，径流沿程减少 3 $905m^3$，达到总量的 10%，径流调控率为 −33%，泥沙调控率为 −40%。

表 4-50　雨水集流与梯田工程径流调控试验结果比较

项　目	对照	集流调控	梯田调控
汇流时间(h)	0.3	0.56	0.72
汇流速度(m/s)	0.84	0.51	0.32
最大汇流量(m^3/s)	6.39	4.7	2.6
平均流量(m^3/s)	4.64	3.35	1.53
径流总量(m^3)	39 337	26 468	12 572
平均含沙量(kg/m^3)	105	90	80
侵蚀量(t/a)	2 900	1 753	1 445

径流沿程减少，主要由于雨水径流调控在流域上游拦蓄雨水，减少汇流速度，增加汇流时间，同时也就增加了雨水的入渗量。

（二）梯田对径流调控的作用

1. 工程概况

截至 2003 年实测地形图时，康家圪塄已修建了大量的水平梯田和隔坡梯田，根据 2003 年对康家圪塄小流域实测地形图（见图 4-58）量测和实地统计表，在康家圪塄小流域共修建梯田 0.162 6km²，占流域面积的 47%（见表 4-51）。

表 4-51　康家圪塄小流域梯田集流工程

梯田编号	面积（km²）	水量（m³）
1	0.051 8	7 690.2
2	0.012 3	1 853.8
3	0.026 7	4 153.3
4	0.017 5	2 704.7
5	0.015 5	2 300.8
6	0.033 0	4 959.2
7	0.004 7	7 05.9
8	0.001 0	149.1
合计	0.162 6	24 517.1

2. 试验布置

为了研究上述梯田工程对产流产沙的影响，在模型上采用与原型相应位置径流全部收集的方式进行试验。按图 4-58 将梯田在模型上布置，用塑料布将梯田范围的全部雨水收集起来为梯田拦蓄雨水量，依然用变频设备控制压力进行降雨试验，则在降雨期间，实测收集雨水 0.074m³。

3. 试验结果分析

试验过程量测的水力要素包括：含沙量、流量及典型断面的流速及汇流时间等。流量及含沙量过程线见图 4-60。

从图 4-60 可以看出，随着流量增大，含沙量也随之增大，在 0.8h 左右，出现洪峰，洪峰流量 2.62m³/s 左右，约 15min 后出现沙峰，随后，洪峰沙峰虽有起伏，但在洪峰平均流量 1.7m³/s，沙峰平均含沙量 80kg/m³ 左右波动。

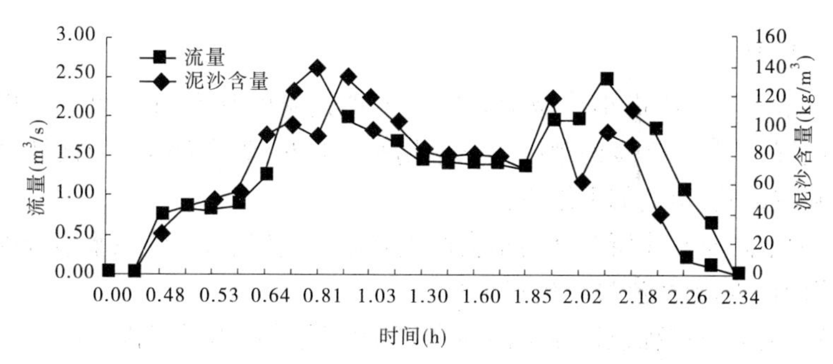

图 4-60　梯田调控流量及泥沙浓度变化过程线

降雨结束，洪峰很快降落，沙峰持续 10min 左右后开始降落。

利用电解盐示踪法及红墨水示踪法测量结果，汇流时间出现在降雨开始后 0.9 小时，与图 4-60 出现洪峰流量时间 0.8h 相比差别不大。

将梯田调控与验证对照试验在相同条件下的主要径流泥沙参数比较见表 4-50，结果表明，汇流时间、平均汇流速度、最大汇流量、平均径流量、最大侵蚀含沙量及总侵蚀量都有明显降低。由于在流域的下部布置了大量的水平梯田工程，使得降雨径流总量直接变小。模型直接量测收集雨量为 0.074m^3，径流总量比尺为 330 000，换算到原型即减少原型水量 24 517m^3，出口与收集总和为 37 091m^3，与对照相比，径流沿程减少 2 246m^3，达到总量的 6%，综合调控率为 -68%，泥沙调控率为 -50%。

比较梯田调控雨水集流调控发现，梯田集流调控面积 0.163km^2，占流域面积 47%，径流沿程减少 6%，调控率为 -68%，泥沙调控率为 -50%，单位面积调控率分别为 -420% 和 -310%。而雨水集流调控面积 0.06km^2，占流域面积的 18%，径流沿程减少 10%，径流调控率为 -33%，泥沙调控率为 -40%，单位面积调控率分别为 -550% 和 -67%。雨水集流调控率相对较高是因为雨水集流工程布置在流域的上部，且集流效率较高的地方，而梯田布置在流域下游主沟道左右平缓地带，原本产流量产沙量就不大，因此调控作用相对较差。这说明流域治理采用何种措施以及各种措施布设的最优位置、最佳组合方式对流域的径流调控作用影响较大。

值得指出的是，由于时间关系，径流调控试验仅做了两个单项试验，其他径流调控措施如生物措施、化控措施及其组合方式等是今后需要进一步研究的。

八、小结

本章基于前文所提小流域地表径流模拟试验的基本原理和主要相似比尺,进行了黄土高原丘陵沟壑区康家圪塄小流域模拟试验的模型设计、建造、验证和调控试验,得到如下结论:

(1)黄土高原并非所有降雨都会产生降雨径流侵蚀,小流域水力侵蚀试验可以采用当量降雨径流过程进行试验。

(2)当量降雨过程包括当量雨强和当量侵蚀量及当量降雨时间。当量雨强可采用某一保证率条件下最大30min雨强作为试验雨强。

(3)验证结果表明,在正态条件下,满足几何相似、降雨相似、水力侵蚀产沙输沙相似及床面变形相似等条件下所建造的燕沟康家圪塄小流域模型,采用几何比尺为100时,其降雨、汇流、产沙及输沙都是基本符合实际情况的,可以作为水力侵蚀调控试验、优化治理方案、推求水土资源高效利用实现措施的工具。

(4)康家圪塄雨水集流与梯田调控试验结果表明:梯田调控面积0.163km^2,占流域面积的47%,径流沿程减少(增加入渗)6%,径流调控率为-68%,泥沙调控率为-50%;而雨水集流调控面积0.06km^2,占流域面积的18%,径流沿程减少(增加入渗)10%,径流综合调控率为-33%,泥沙调控率为-40%。从单位面积调控率来看,雨水集流调控率相对较高。可能的原因是,因为雨水集流工程布置在流域的上部,是产水产沙较多的地方,同时也是集流效率较高的地方,其调控位置优越;而梯田布置在流域下游主沟道左右的平缓地带,原本产流量、产沙量就不大,因此调控作用相对较差。这说明流域治理采用何种措施以及各种措施配置的最优位置、最佳组合方式对流域的径流调控作用影响较大。

(5)值得指出的是,上述验证工作和调控试验工作仅是初步的,更深入的验证工作包括小流域不同位置表面流的流速、流向、流场分布,以及研究洪水时的阻力相似问题等。由于野外资料获取难度大,如何验证,是需要进一步研究解决的问题。但是,本研究将小流域径流调控模拟试验,由水文响应相似推进到实质性模拟相似,初步解决了以往绕开的模拟结果不能定量推广到原型中去的问题。今后的一项重要工作是将该研究尽快应用到小流域水土资源优化配置研究中去。

参 考 文 献

[1] 高建恩.地表径流调控与模拟试验研究.中国科学院研究生院博士学位论文,2005:16～31

[2] Liggett, J, A., Woolhiser, D. A., Unsteady One Dimensional Flow Over a Plane－The Rising Hydrology Water Resour. Res. 3, no. 3 , 1967

[3] 高建恩.推移质输沙率的初步探讨.水利学报,1993,4:62～69

[4] 吴淑芳,吴普特,冯浩,等.高分子聚合物对坡地产流产沙特征影响的研究.土壤学报,2005,42(1):167～170

[5] 吴淑芳,吴普特,冯浩.坡面喷施高分子化合物集流效率的试验研究.水土保持学报,2004,19(1):10～13

[6] 吴淑芳,冯浩,吴普特.高分子聚合物防治坡地土壤侵蚀模拟试验研究.农业工程学报,2004,20(2):19～22

[7] 吴淑芳,冯浩.高分子聚合物对土壤物理性质影响的试验研究.水土保持通报,2002,12(6):1～4

[8] 吴淑芳,吴普特.高分子聚合物对土壤物理及坡面产流产沙特征的影响.中国水土保持科学,2005

[9] 冯浩,吴普特,吴淑芳.聚丙烯酰胺(PAM)应用研究进展.农业工程学报,2000,(5):48～51

[10] Grary. w. Frasier, Lioyd E. Myers. Handbook of water harvesting. U. S. Department of Agriculture, Agriculture handbook No. 600. 1983:2～20

[11] Asit K. Biswas. Rain and stormwater harvesting in rural areas. Ireland: tycooly International Publishing Limited 6. 1983:3～8

[12] Yu－si Fok. The role of RWCS in 21st century water management. Rainwater Utilization for the world's people. China Beijing. 1996:1～4

[13] A. R. Dedrick, W. R. Williamson. Operation, serviceability and material evaluation of raintraps on the fishlake national forest (1960～1971). Agricultural experiment station of Utah State Uniersity. 1973

[14] Malcolm Hollick. Water harvesting in arid lands. Scientific Reviews on arid zone research (volume 1). India Jodhpur: Scientific Publishers. 1983:173～188

[15] 苏德荣,冯会胜,陈垣.埃塞俄比亚的集水技术.中国农村水利水电,2004,(8): 101～104

[16] 丁圣彦,杨好伟.集水农业生态工程.开封:河南大学出版社.2001

[17] 朱强.水资源可持续发展和雨水集蓄利用.防渗技术,2002,8(1):1～5

[18] SL267—2001.雨水集蓄利用工程技术规范.北京:中国水利水电出版社.2001

[19] 朱强,武福学,金彦兆.甘肃省雨水集蓄利用技术.水利水电技术.1994,(6):6~11
[20] Li Xiaoyan, Gong Jiadong, Gao Qianzhao. Rainfall harvesting and sustainable agriculture development in the Loess Plateau of China. Journal of Desert Research. 2000,20(3):150~162
[21] 王文龙,穆兴民.黄土高原雨水人工汇集研究.土壤侵蚀与水土保持学报,1998,4(2):77~81
[22] 丁学儒,李书靖,赵克昌.雨水径流造林.兰州:甘肃科学技术出版社,1994
[23] 王百田,王斌瑞.黄土坡面地表处理与产流过程研究.水土保持学报,1994,8(2):18~24
[24] 高建恩,吴普特,樊恒辉.一种拼接式活动集雨面.中国:CN03262756.4,2003.9.10
[25] 李怀有,陈智汉,闫剑,等.高原沟壑区雨水集流效率研究.水土保持研究,2003,10(4):96~98
[26] 吴普特,高建恩,岳保蓉,等.一种坡地集流面的制备方法.国家发明,专利号:03108084
[27] 高建恩,吴普特,樊恒辉.一种拼接式活动集雨面,实用新型,专利号:03224561.5
[28] 冯浩,吴普特,彭红涛,等.HEC与AAM添加剂对提高黄土集流效率的试验研究.农业工程学报,2001,(3):28~31
[29] 李巧珍,吴普特,冯浩,等.新型高分子有机硅材料集流效率试验研究.水土保持学报,2004,18(3):33~36
[30] 高建恩,孙胜利,吴普特.一种新型土壤固化剂:国家发明,专利号:ZL200410073273.5
[31] 高建恩,吴普特,岳保蓉,等.一种固化黄土集流面增流减糙施工方法,国家发明,专利号:200210118985.x
[32] 樊恒辉.MBE土壤固化剂固土机理及成型技术研究.中国科学院研究生院博士学位论文,2005:16~31
[33] 樊恒辉,高建恩,吴普特.土壤固化剂研究现状与展望.西北农林科技大学学报(自然科学版),2005
[34] 樊恒辉,高明霞,高建恩.高钠盐渍土分散性的探讨.西北农林科技大学学报(自然科学版),2005,33(7):77~81
[35] 樊恒辉,高建恩,吴普特.MBER土壤固化剂集流场的施工工艺研究,2005.(3)3:56~59
[36] 高建恩,国家高技术研究发展计划(863计划)重大专项子课题(2002AA2Z4051-2):新型高效集雨形式与工程结构研究报告.国家节水灌溉杨凌工程技术研究中心,2005年12月
[37] 高建恩,陈芳海,朱德兰,等.一种柔性环保橡塑水窖及其制备方法.申请号:2005100996014.9
[38] 唐小娟.坡地分段雨水集蓄利用技术试验研究.西北农林科技大学硕士学位研究生毕业论文.2004

[39] 唐小娟,高建恩,冯浩,等. 不同坡面径流调控措施的筛选试验研究. 四川水利,第四次全国雨水利用技术研讨会暨学术年会专辑,2004,11:57～60

[40] Левн, И. И. Мдепированиe Гдравпических Ялеиий,1960:15～55

[41] Кирпичев М.В. Теория Подобия АНССР,1953:6～18

[42] Mamisao J.P. Development of Agricultural Watershed by Similitude. M. Sc. Thesis, Iowa State College,1952:10～30

[43] Yen B C, Chow V T. A laboratory Study of surface Runoff due to Moving Rainstorms. Water Resources Research,1969,5(5): 27～35

[44] Chery D L. Construction, Instrumentation, and Preliminary Verification of a Physical Hydrological Model. USDA－ ARS and Utah State Univ. water research lab. Report. Logan, Utah, USA.,1965:5～10

[45] Grace R A, Eaglson P S. Similarity Criteria in the Surface Runoff Process. MIT, Hydrodynamic Lab, Technical Report No.77,1965:30～42

[46] Zaslavsky. Surface hydrology, ASCE. J. of Hydraulic Division,1981:65～95

[47] Kline S J. Similitude and Approximation Theory. Mc Graw－ Hill Press, New York, 1965:25～83

[48] E. de St Q. Isaacson, M. de St Q. Isaacson: Dimensional Methods in Engineering and Physics[R],1975:20～30

[49] Yalin, M.S., Theory of Hydraulic Models. The Macmillan Press Ltd.,1971

[50] Helmut Kobus. 水力模拟. 清华大学水利系译. 1988 年 5 月第一版

[51] 雷阿林,唐克丽. 土壤侵蚀模型试验中的降雨相似及其实现. 科学通报,1995,11: 2004～2006

[52] 雷阿林,史衍玺,唐克丽. 土壤侵蚀模型实验中的土壤相似性问题. 科学通报,1996, 10:1801～1804

[53] 李昌华,等. 论动床河工模型试验的相似率. 水利学报,1966,4:1～10

[54] Horton R. E. Surface Runoff Phenomena. Horton Hydrology Laboratory Publication 101., 1935: 70～75

[55] Dooge, J.C.I. Conceptual Model of Surface runoff, Proceeding of the international Symposium on Floods, Their prediction and the Defence of the Soil. Rome, Itally. 179～207

[56] Liggett, J, A., Woolhiser, D. A. Unsteady One Dimensional Flow Over a Plane－The Rising Hydrology Water Resource. 1967. Res. 3, No. 3,15～25

[57] 高建恩,吴普特,等. 黄土高原小流域水力侵蚀模拟试验设计与验证. 农业工程学报, 2005(21)8

[58] 高建恩,杨世伟,吴普特,等. 水力侵蚀调控物理模拟试验相似律的初步确定. 农业工程学报,2006,22(1)

[59] 沈冰,李怀恩,江彩萍. 论水蚀实验的相似性研究. 土壤侵蚀与水土保持学报,1997,

9:94～96
[60] 雷阿林,唐克丽.土壤侵蚀模型试验中的降雨相似及其实现.科学通报,1995,11:2004～2006
[61] 雷阿林,史衍玺,唐克丽.土壤侵蚀模型实验中的土壤相似性问题.科学通报,1996,10:1801～1804
[62] 将定生,周清,范兴科.小流域水沙调控正态整体模拟试验.水土保持学报,1994,6:25～30
[63] 高建恩.推移质输沙率的初步探讨.水利学报,1993,4:62～69
[64] 蔡强国,王桂平,陈永宗,等.黄土高原小流域侵蚀产沙过程与模拟.科学出版社,1998,4:2～10
[65] 朱显谟.黄土高原的形成与整治对策.水土保持通报,1991,11:1～8
[66] 王兴奎,钱宁,胡维德.黄土丘陵沟壑区高含沙水流的形成及汇流过程.水力学报,1982,7:26～35
[67] 朱咸,温灼如.利用室内流域模型检验单位线的基本假定.水利学报,1957(2):7～10
[68] 王兴奎,钱宁,胡维德.黄土丘陵沟壑区高含沙水流的形成及汇流过程.水利学报,1982.(7):26～35
[69] 刘秉正,吴发启.土壤侵蚀.西安:陕西人民出版社,1997
[70] 吴发起,赵晓光,刘秉正.缓坡耕地侵蚀环境及动力机制分析.陕西科学技术出版社,2001
[71] 窦国仁,论泥沙的起动流速.水利学报,1960,4:44～60
[72] 陕西省延安地区水利水土保持局.延安地区实用水文手册.1987,10:221～265

第五章　展望与思考

第一节　展　望

我国水土保持发展历史悠久,但现代意义上的水土保持研究却始于20世纪20年代。20世纪20年代我国就有一些学者开始研究水土流失问题,到40年代初,“水土保持”一词在我国产生。此后的80多年中,随着水土保持大规模实践的丰富,特别是黄土高原降雨径流调控与水土资源高效利用的水土保持新理念提出及现代高新技术应用,使得黄土高原水土保持内涵得到不断充实和完善。

新中国成立后,我国开始大规模进行水土流失治理。而水土流失治理就必然涉及水土保持规划,而我国的水土保持规划多提指导思想,对规划的理论依据研究较少[1]。而事实上,20世纪50年代,我国提出黄土高原水土保持规划综合治理思路,60年代提出以生物措施为主的综合治理思路,70年代提出以工程措施为主的综合治理思路,80年代提出以小流域为核心的治理思路,90年代提出以坡面治理为主的小流域治理思路,到21世纪提出沟坡兼治的治理思路,都在自觉不自觉地受到地表径流调控理论引导。

总结黄土高原水土保持数千年实践,特别是新中国成立以来黄土高原水土保持的大规模治理经验和我们的研究,提出基于降雨径流调控与水土资源高效持续利用为核心的黄土高原水土保持理论技术体系,最直接的应用目标就是为黄土高原水土保持与生态环境建设治理规划提供理论依据和技术支撑。

首先,降雨径流调控与水土资源高效利用为黄土高原水土保持规划提出了明确的理论基础。该理论要求规划治理以消除降雨径流引起的水土流失为目标,以降雨径流的产汇流规律、降雨径流消蚀机理以及水沙平衡原理为规划应遵循的理论基础。产汇流规律是研究径流运动的理论基础,同时也是优化治理措施、检验规划合理性的理论依据;降雨径流消蚀机理是调控利用降雨径流的技术应用基础,而以水土资源持续利用为目标的水土平衡原理则构成黄土高原水土保持规划的实践目标。

其次,径流调控与水土资源高效利用的"拦、渗、汇、蓄、用"为黄土高原水土保持规划提供了更具目标的技术方法。如前所述,调控技术体系可以分为降雨径流的拦截、入渗、汇集、蓄存及利用技术。拦截包括通过不同生物措施、工程措施对降雨、径流的拦截,以便减缓和消除水土流失动力,达到保持水土的目的;入渗是通过生物措施、工程措施、化控措施及农艺措施,减缓土壤表面侵蚀力,增加土壤入渗,提高土壤水库蓄水的能力;径流汇集技术是指通过各种工程措施,汇集黄土高原降雨形成的超渗产流;蓄存技术是指通过各种蓄水设施,对降雨径流进行蓄存,时空调节,以便高效利用;利用技术是指通过各种先进的节水技术,对有限的雨水资源进行高效利用。实践中五大技术常常是通过某种措施,同时综合利用的。例如,林草措施在拦截降雨径流的同时,增加土壤表面阻力,降低地表径流的水流流速,增加入渗,减少土壤侵蚀。再比如,兴建淤地坝工程,即是对降雨径流的拦截、汇集、蓄存、入渗及利用措施的综合利用。虽然如此,仔细分析不同措施的技术单元,降雨径流的拦截、入渗、汇集、蓄存及利用五大技术构成降雨径流的五大调控技术单元,为基于降雨径流调控与水土资源高效利用的水土保持规划提供了更为广泛的技术手段。

再次,该技术为黄土高原水土保持规划提供了新的优化方法。水土流失造成黄土高原千沟万壑的地貌,治理黄土高原必须以治理千沟万壑的水土流失、高效利用水土资源及建设和谐的生态环境为目标。以小流域综合治理为单元,以地表径流调控与水土资源高效利用为核心,进行综合治理是黄土高原水土保持的一条重要经验。根据小流域不同地貌单元在小流域、区域中担负的不同经济、社会及生态功能,对不同降雨调控径流措施进行合理规划、优化配置,是黄土高原生态环境建设的重要前提条件。实践反复表明,黄土高原水土保持治理首先必须重视水土保持规划,黄土高原水土保持规划必须以降雨径流调控为理论基础,以水土资源高效利用与生态和谐建设为治理目标;只有通过精心规划,优化配置不同径流调控措施,才能取得好的治理效果。在黄土高原的水土保持规划工作中,必须要以调控降雨径流高效利用水土资源为重要内容,以小流域降雨径流调控数学及物理模拟优化配置不同径流调控措施为重要手段,综合采用遥测、遥感、地理信息等高技术对流域治理进行智能决策,才能做好水土保持规划。而该技术提供的物理模拟试验技术、智能决策系统为黄土高原水土保持规划的优化提出了可供选择的技术。

诚然,黄土高原水土保持生态环境建设,是一项极其复杂的生态经济工程。因此,如何对治理成效进行科学的综合评价,以便为国家进一步治理黄土高原提供决策依据,是一个十分重要的问题。但由于牵涉的问题过于广泛,多年来对如何客观地评价小流域综合治理的成效,在评价方法上,一直没有满意地加以解决。基于径流调控理论,利用调控率[3]及侵蚀水当量的概念,对黄土高原水土保持生态环境建设的治理效应进行探索研究,为该领域研究提供一种方法,目的是为了起到抛砖引玉的作用。

总之,我们这里提出基于降雨径流调控与水土资源高效利用这一黄土高原水土保持新理念,是企盼利用这一理论与方法,实现同步解决黄土高原干旱缺水与水土流失这一制约该区域可持续发展的重大瓶颈问题,为黄土高原水土保持与生态环境建设提供技术支撑。可以预期,黄土高原水土保持与生态环境建设只要在理论上坚持调控降雨径流消蚀,在实践上坚持以高效持续利用水土资源为目标,黄土高原水土保持与生态环境治理必将出现一个崭新的局面。

第二节　思　考

形成黄土高原目前脆弱的生态环境系统是一个十分复杂的自然社会历史过程,基于此,黄土高原水土保持与生态环境建设也应当是一个十分复杂的工程系统。构建基于降雨径流调控与水土资源高效利用为核心的黄土高原水土保持科学与技术体系,自然是一项十分浩大的工程,其中还有许多问题需要研究和探讨,目前需要研究的重点如下。

一、降雨径流调控新材料

集雨材料是径流调控与利用技术实施的关键技术,目前生产应用中存在的主要问题是集雨材料种类单一、价格高昂、使用成本高,因此研究和开发集流效率高、材料成本低且对环境无污染的绿色环保集雨材料是当今雨水集蓄利用材料研究的重要发展方向和追求的主要研究目标。目前研究的热点主要集中在土壤固化剂集雨材料、高分子面喷涂集雨材料,以及新型生物集雨材料等方面。

在土壤固化剂集雨材料研究方面,经过"十五"期间的努力,在对现有土壤固化剂集雨材料的筛选和新型土壤固化剂集雨材料的开发两个方面取得初步进展。在研究以往土壤固化剂材料技术经济性能的基础上,筛选出适合于用作集雨材料的新型土壤固化剂,通过试验研究与野外田间考核应用,初步提出了土壤固化剂集雨材料的施工工艺和使用技术,以及集流效率与技术经济指标。另一方面,通过对现有土壤固化剂材料的改性,研发出了新型、专用土壤固化剂集雨材料，并提出了不同类型土壤固化剂集雨材料施工工艺与技术操作规程。

在高分子面喷涂集雨材料方面，通过“863”项目攻关，对高分子化学材料与土壤混合后，对土壤入渗性能状况改变进行了较深入的研究，在此基础上，研究并开发了可明显改变土壤入渗性能、对环境无污染、价格相对低廉的高分子化学材料；并以上述材料为核心溶质，通过试验研究与野外田间考核应用，着重研究开发出了以上述核心溶质为主要成分的新型高分子面喷涂集雨材料；对其成型集流面的防渗抗冻胀性能、最佳集流效率、工程使用寿命与投资效益等进行了分析研究；初步提出了新型高分子面喷涂集雨材料配方及其施工工艺与技术操作规程。

在生物集雨材料方面，以筛选和培育适宜干旱山地生长，且具有固土、低入渗功能的地表附着植被（苔藓、地衣等）为基础，通过试验研究与野外田间考核应用，着重研究了有利于上述植被快速生长的工艺与以其为主要内容的新型生物集流面的建造技术，形成以生物植被为主要形式的生态集流面。

基于上述研究，对于新型集流存贮固土材料，由于该材料能够充分利用当地水土资源，具有较高的性能价格比。在以往研究的基础上，需要进一步研究的是，针对不同的应用条件，这些新型固化剂配方材料的完善、用途的新扩展及各种集流设施结构的本构关系和快速低成本高性能成型技术。关于高分子面喷涂材料，需要进一步研究的是不同面喷涂材料配方的进一步改进、性能的进一步提高及不同土质、不同立地条件适宜性研究，探索最佳的应用方式。在生物集雨材料方面，研究和开发生物材料为主体的新型土壤增渗与减渗材料是目前生物集雨材料的一个重要研究内容，其研究目标为提出生物集雨材料及其生物集流面的建造工艺与技术操作规程。

此外，需要加强土壤增渗扩蓄新技术与新材料研发。以调控降雨径流为手段，通过研究土气界面的增渗及壤层的扩蓄技术，增加对植物用水的有效供给。为此需要开发研究不同地形、土壤、水文气象条件下，提高土壤蓄水能力，抑蒸、增渗、扩蓄土壤水库，研发能最大限度提供土壤水分条件适宜作物微生环境的技术，主要研究筛选新型低成本、绿色环保型、分别适宜于强化入渗、产流及抑蒸型新材料，能调控降水径流时空分布，实时供给植物用水的工程结构、快速建造工艺与设备等。

二、降雨径流利用工程

雨水集蓄利用形式及设施结构是实现降雨径流资源化的一个重要环节，

目前生产中存在的主要问题是工程造价较高、施工工艺落后、利用形式目标单一等。以高效集蓄利用雨水与有效防治水土流失及生态环境建设的有机结合为目标,研究开发新型实用的雨水径流调控利用形式及设施结构是目前研究的热点问题。现今研究重点主要集中在坡地分段局部集蓄雨水新形式、雨水存贮设施结构及雨水集蓄生物形式等方面。

在坡地分段局部集蓄调控降雨径流新形式方面,以坡地水土流失规律研究成果为支撑,研究了不同下垫面坡地径流纵向运移变化与坡长的动态关系,坡面径流横向运移变化规律,以此确定了坡地径流纵向集中地段的位置以及坡地径流横向集中分布状况,并采取在纵向集中地段位置横向拦截,坡地横向集中点就地聚集的方法,分散集蓄雨水。在上述研究基础之上,初步提出了坡地分段局部集蓄雨水新形式、工程结构与施工技术规程。

在雨水存贮设施结构优化与新型窖体开发方面,重点研究、改进与提高现有雨水存贮设施的结构形式;开发新型可一次性拼接完成施工的橡塑窖体,降低现有水窖施工成本,减少施工工序,提出塑料窖体的加工工艺、几何尺寸,形成定型产品;确定出雨水存贮设施优化方案,以及相应的施工工艺与技术操作规程。

在雨水集蓄生物形式方面,以植物篱和多次过滤技术净化雨水为核心,主要研究雨水集蓄生物形式的工程布局、布设密度与计算方法、适宜建造植物篱的植物种类、生物集雨工程快速建造技术,以及工程规划设计与施工技术等。其研究目标在于提出生物集蓄雨水利用工程的技术标准与施工技术体系。

降雨径流的利用形式直接关系到降水径流的利用效率。就开源角度出发,黄土高原不但存在着雨水利用的问题,同时存在着大量的高含沙水、苦咸水及由于社会经济发展产生的大量的被污染水的利用问题。就利用形式来讲,目前存在的突出问题是,利用技术含量不高,形式陈旧,黄土高原生态环境建设所涉及的主体植物生命过程耗水与降雨径流利用形式脱节等。因此,需要研究以下问题:

(1)减少径流侵蚀的坡地综合治理措施布局优化。以坡地降雨径流调控消蚀机理与技术的研究成果为支撑,针对目前坡地治理工程科技含量低、技术单一,工程建设速度慢、缺乏综合配套及布局优化技术等问题,研究减少水土流失、高效利用坡地水土资源的综合措施及优化技术。重点研究:①不同水土保持防治技术集成与坡地适宜性评价;②不同生态类型区坡地改造与耕作机具的研制与开发。

(2)坡耕地快速梯化与水土资源高效利用技术。坡改梯是基于降雨径流高效利用为核心的水土保持生态环境工程建设的重要关键技术，也是我国发明并相对成熟的技术。目前存在的问题是如何实现技术组装集成、加快工程建设速度、提高工程科技含量，以及实现降雨径流高效利用和产出最佳的目标。其研究重点如下：①高标准梯田、路网合理布局与快速建造技术；②土石山区梯田梯地建造与配套技术。

(3)沟壑整治开发与坝系优化建设技术。沟壑整治与沟道治理开发是黄土高原降雨径流的主要利用方式，也是21世纪黄土高原水土保持生态环境工程建设的主要内容之一，多年来，在此方面已取得了一定的科研积累，也取得了丰富的经验。目前应注重组装、集成现有技术成果，提高工程科技含量，形成综合配套技术体系。重点需要研究：①坝系合理安全布局、设计与建造技术；②沟壑综合防治开发利用技术；③泥石流预警与综合防治技术。

(4)林草植被快速恢复与建造技术。就黄土高原地区来讲，林草植被对降雨径流调控与水土资源高效利用具有决定性的作用，因而林草植被建设是黄土高原生态环境建设的主体。针对我国目前水土流失区区域植被结构不尽合理、林草成活率与保存率低、植被生产力及经济效益不高等问题，重点研究以植被规模化营造为中心的区域植被快速建造与持续高效生产和科学管理技术。主要研究：①高效逆性速生林草种选育与快速繁培技术；②林草植被抗旱营造与适度开发利用技术；③林草植被立体配置模式与丰产经营利用技术；④特殊类型区植被的营造及更新改造与综合利用技术。

三、降雨径流资源化智能决策

降雨径流资源化智能决策是减少降雨径流侵蚀、提高雨水集蓄利用技术水平和利用效率、解决黄土高原干旱缺水问题的重要途径。目前生产中存在的主要问题是降雨径流侵蚀严重、调控利用技术配套性差、集成度低、工程整体效益难以发挥。因此，要以减少降雨径流侵蚀、高效利用水土资源、建立黄土高原和谐的生态环境为目标，以调控降雨径流和其他异源水的时空分布为手段，以区域的自然、社会、经济及技术的适宜性为约束条件，结合区域产业结构调整，以投资最少、效益最大为优化目标，建立区域降雨径流及其他异源水资源高效集蓄利用综合配套技术体系，开发实施上述技术体系的智能决策系统。

“十五”期间，中科院、水利部、西北农林科技大学水土保持研究所等单位对雨水高效集蓄利用配套技术体系和智能决策系统进行了初步研究，取得了一些成果。从降雨径流及其他异源水开发的需要出发，需要进一步研究的问题有以下几个方面。

(一)降雨径流侵蚀与异源水资源化预测预报技术

先进的水土流失与降雨径流资源化预测预报技术是智能决策的基础。迄今为止,与水力流体相关的预测预报技术,多是在机理研究基础上,采用数学模型与物理模型并行发展,相互补充,相得益彰。但在水土保持领域,则数学模型发展相对较快,物理模型发展严重滞后。由于两种模型各有所长,以至于物理模型发展的滞后,也在一定程度上影响着数学模型的发展。

关于数学模型,虽然目前研究成果较多,但我国还没有自己公认的降雨径流侵蚀预报方程,这亦是我们国家的空白。在国外,明确基于治理水土流失高效利用水土资源的降雨径流侵蚀预报方程也不多见,但侵蚀预报方程却发展较快。美国水土流失预报方程已从 USLE、RUSLE 发展到目前的第三代 WEPP 模型;英国、澳大利亚、印度等国亦分别建立了适合其国家的预报方程或模型,有的模型或方程也称之为通用。但由于我国水土流失类型复杂多样,地形陡峻,直接套用国外预报模型误差很大,不适合我国国情。因此,必须建立适合我国国情的降雨径流侵蚀预报方程,以适应黄土高原生态环境建设的需求,填补我国在此方面的空白,同时也确立我们国家在国际水土保持科学领域的地位。根据目前我国降雨径流侵蚀特点及水土保持科研现状,近期数学模型研究重点应集中在:基于物理成因的降雨径流侵蚀方程及侵蚀预测预报方法;区域降雨径流侵蚀预报方程;全国水土流失趋势预测及预警。

关于物理模型发展,近几年在国家"863"节水农业专项、西部开发专项等支持下,在相似比尺、模型设计、试验方法等方面进行了初步探索。建议在降雨径流侵蚀入渗相似模拟理论、试验方法及手段、试验验证标准、不同下垫面侵蚀模拟及效应等方面加强研究。

(二)降雨径流调控技术

在降雨径流调控利用配套技术体系方面,以降雨径流汇集、存贮与利用为主线,以黄土高原生态环境建设的主体植物生命代谢过程调控利用为目标,以雨水就地、叠加与异地利用为主要方式,重点研究针对不同利用目标的调控技术的区域适宜性、技术特征参数、技术应用条件,以及发挥上述技术整体效益的综合配套技术,形成以区域植物生命代谢过程调控为应用目标的降雨径流高效集蓄利用综合配套技术体系;通过田间应用考核,提出可供同类型区生态环境建设应用的降雨径流高效集蓄利用综合配套技术体系与相应的技术操作规程。

(三)降雨径流侵蚀调控快速调查技术

降雨径流资源化预报除了需要当地的水文、地质、气象、土壤、林草植被等基础数据,而且需要人口、社会、经济、资源等发展数据。但由于社会经济的快速发展,这些数据往往又在变化之中。鉴于我国黄土高原水土流失类型复杂多样,目前还没有建立起统一的、公认的黄土高原水土流失预报预测技术体系与预报方程,考虑到《中华人民共和国水土保持法》要求定期公布全国水土流失现状,以及建立我国水土流失预报方程的技术需求与数据需要,在近期内,应强化黄土高原降雨径流侵蚀快速调查技术研究。以国家水土流失基本数据库和评价模型为基础,以地面监测、遥感监测的成果为现实资料依据,研究开发区域水土流失快速调查的技术系统,实现对全国范围内水土流失的快速调查。其研究重点为水土流失快速调查的GIS系统建立、空间尺度转换方法研究、评价模型和GIS集成与输出系统。

(四)水土保持生态环境建设工程CAD规划设计技术

针对黄土高原水土保持生态环境建设工程需要,以及提高工程科技含量目标的技术需求,目前应设法提高基于降雨径流的黄土高原水土保持生态工程规划设计水平和速度,研究开发实用性较强的工程CAD规划设计技术。重点研究区域水土保持生态环境工程CAD规划技术与系列软件和水土保持生态环境工程CAD设计技术。

(五)降雨径流侵蚀遥感信息提取与处理技术

以多种遥感数据为信息源,研究开发降雨径流侵蚀专题信息提取和多种遥感数据的复合技术,实现遥感数据自动化解译。重点研究不同遥感数据解译原理、数字地形分析技术、降雨径流侵蚀专题信息提取技术和多尺度遥感数据的复合与集成技术。

(六)降雨径流高效集蓄利用技术智能决策系统研究与开发

在降雨径流调控与高效集蓄利用技术智能决策系统研究与开发方面,以有效、规范实施上述综合配套技术体系为支撑,借助地理信息系统(GIS)、遥感技术(RS)、全球定位系统(GPS)、专家系统(ES)及计算机辅助设计系统(CAD)等技术,以生态建设为目标,开发以降雨径流为核心的黄土高原异源水开发与高效利用智能决策系统。其研发目标为输入给定区域基本参数信息,即可通过系统功能模块与模式优化通用计算,决策出给定区域技术方案,输出相应的技术布局图与操作规程,以及投资与效益分析等。

四、降雨径流利用潜力及环境效应

降雨径流资源化利用潜力及环境效应评价是确保降雨径流资源化利用技术可持续发展的重要课题，目前存在的主要问题是资源家底与可利用潜力不清、对雨水资源化后所产生的环境问题尚有较大争论。其研究的热点问题主要集中在区域降雨径流资源化潜力、利用降雨径流的生态型产品开发与产业化，以及区域降雨径流资源化经济效益、环境效应评价技术等方面。

在降雨径流资源化潜力方面，在确定降雨径流资源化潜力科学概念的基础上，重点研究影响降雨径流资源化潜力的主要因子及与降雨径流资源化潜力的定量关系，构建降雨径流资源化潜力计算模型，并分别给出不同区域或流域降雨径流资源化潜力，作为雨水资源开发的理论依据。

在降雨径流调控与开发环境效应评价技术方面，以降雨径流资源化后不会对区域水文生态环境造成不良影响为目标，重点研究实施雨水资源开发措施后，区域或流域降水资源的地表再分配、地表径流量与泥沙量的变化状况、农业及生态用水的变化状况，以及雨水资源开发对区域或流域生态需水的影响状况，建立区域或流域雨水资源开发环境效应评估指标与方法，构建降雨径流资源化后对区域环境影响的互动模型，确定区域雨水资源的合理安全开发量，为雨水资源开发提供技术支撑。

水土保持效益评价是水土保持科学技术研究的重要内容，也是评价工程建设质量的重要指标。目前虽然有较为成熟的方法，但在众多问题上仍存在争议，其关键在于指标体系的确定，尤其是动态评价指标，以及相应的评价方法及其技术体系。今后需要以建立黄土高原生态和谐环境为主要目标，以高效利用水土资源为前提，以调控降雨径流与植物生命过程需水为手段，以生态效益与经济效益、社会效益相统一为归宿，加强对水土保持效益评价指标体系研究，特别需要研究水土保持效益静态、动态及综合评价技术。

参 考 文 献

[1] 郭廷辅，段巧甫. 水土保持径流调控理论与实践. 北京：中国水利水电出版社，2004

[2] 吴普特，汪有科，冯浩，等. 21世纪中国水土保持科学的创新与发展. 中国水土保持科学，2003，1(2)：84～87

[3] 冯浩，张万军，高建恩. 国家高技术研究发展计划(863计划)重大专项课题(2002AAZ4051)：新型高效雨水集蓄与利用技术研究. 国家节水灌溉杨凌工程技术研

究中心,2005年12月
[4] 唐克丽.中国水土保持.科学出版社,2004
[5] 李锐.中国21世纪水土保持工作的思考.中国水土保持,2000(7):3~6
[6] 高建恩.地表径流调控与模拟试验研究.中国科学院研究生院博士学位论文,2005
[7] 吴发启.水土保持规划.西安:西安地图出版社,2002
[8] 蒋定生,等.黄土高原水土流失与治理模式.北京:中国水利水电出版社,1997
[9] 巨仁,宋桂琴,李锐.水土保持规划治理的回顾与展望.水土保持通报,1996,16(1):3~10
[10] 焦居仁,刘震,张学俭.大力推进跨世纪水土保持生态环境建设事业.中国水土保持,1999(2):14~16
[11] 卢宗凡,梁一民,刘国彬.水土保持科学研究的基本思路.水土保持通报,1994,14(1):7~11
[12] 段巧甫.成绩显著,任重道远——记我国水土保持45年.中国水土保持,1994(10):6~10
[13] 王礼先.水土保持学.北京:中国林业出版社,1995
[14] 汪有科,吴钦孝,韩冰,等.森林植被水土保持功能评价.水土保持研究,1994,1(3):24~30
[15] 王正杲,徐庭灿.黄河中游地区地表径流的调配利用.中国水土保持,1993(2)
[16] 山仑.黄土高原的水土流失防治和综合治理.干旱地区农业研究,1984(3)
[17] 张岳.我国水土流失现状与防治对策.水土保持通报,1993,13(1)
[18] 徐庭灿,高荣乐,王答相.80年代以来黄土高原水土保持治理的发展与经验.水土保持通报,1994(8)
[19] 刘震.我国水土保持的目标与任务.中国水土保持科学,2003,1(4)
[20] 朱显谟.黄土高原区的自然保护.水土保持研究,1997,4(5)
[21] 李靖.黄土高原地区农业水资源可持续利用的问题与举措.中国农业科技导报,2000(4):29~33
[22] 朱显谟.黄土高原土壤与农业.北京:农业出版社,1989
[23] 朱显谟.试论我国水土保持工作中的实践与理论问题.水土保持通报,1993,13(1)
[24] 唐克丽.黄土高原水土流失与土壤退化研究初报.环境科学,1995(6)
[25] Lynch J M, Bragg E. Microorganisms and Soil Aggregate Stability. Adv. Soil Sci,1985(2):133~171
[26] 江忠善,王志强,刘志.黄土丘陵区小流域土壤侵蚀空间定量化研究.水土保持学报,1988,2(1):1~9
[27] 辛树帜,等.中国水土保持概论.北京:农业出版社,1982
[28] 杨文治,余存祖.黄土高原区域治理与评价.北京:科学出版社,1992
[29] 中国科学院黄土高原综合科学考察队.黄土高原地区土壤侵蚀特征及其治理途径.北京:中国科学技术出版社,1990
[30] 黄河水利委员会水土保持局.黄河流域水土保持研究.郑州:黄河水利出版社,1997

[31] 王占礼,常庆瑞.黄土高原土壤侵蚀特征探讨.见:现代土壤科学研究.北京:中国农业科技出版社,1994
[32] 李勇,王超,朱亮,等.雨水集蓄利用的环境效应及研究展望.水土保持研究,2002,9(4):18~21